빠작 초등 국어 비문학 독해 무료

KB132581

첫째 QR코드 스캔하여 1초 만에 바로 강의 시청

둘째 최적화된 강의 커리큘럼으로 학습 효과 UP!

지문 분석 강의
- 비문학 영역별 지문 분석을 통한 바른 독해법 강의 제공
- 설명문, 논설문 등 문종별 지문 분석과 배경지식 제공

빠작 초등 국어 비문학 독해 2단계 강의 목록

빠작 초등 국어 비문학 독해 2단계 **학습 계획표**

학습 계획표를 따라 차근차근 독해 공부를 시작해 보세요.
빠작과 함께라면 비문학 독해, 어렵지 않습니다.

지문명	학습한 날		교재 쪽수	지문명	학습한 날		교재 쪽수
육하원칙으로 글을 써요	1일차	월 일	012 ~ 015쪽	돈은 어떻게 변화했을까요?	21일차	월 일	094 ~ 097쪽
문장 부호를 알아보아요	2일차	월 일	016 ~ 019쪽	낮과 밤은 왜 생길까요?	22일차	월 일	098 ~ 101쪽
마음을 나타내는 말	3일차	월 일	020 ~ 023쪽	열이 전달되는 세 가지 방법	23일차	월 일	102 ~ 105쪽
낱말을 바르게 사용해요	4일차	월 일	024 ~ 027쪽	비나 눈은 어떻게 만들어 질까요?	24일차	월 일	106 ~ 109쪽
한글은 어떻게 만들어 졌을까요?	5일차	월 일	028 ~ 031쪽	환경 오염에는 무엇이 있을까요?	25일차	월 일	110 ~ 113쪽
2학년 1반 학급 신문	6일차	월 일	032 ~ 035쪽	하늘을 나는 비행기의 역사	26일차	월 일	114 ~ 117쪽
선생님, 감사해요	7일차	월 일	036 ~ 039쪽	인공 지능은 무엇일까요?	27일차	월 일	118 ~ 121쪽
언니의 감기	8일차	월 일	040 ~ 043쪽	뮤지컬이 무엇일까요?	28일차	월 일	124 ~ 127쪽
환경을 보호해요	9일차	월 일	044 ~ 047쪽	영화는 어떻게 만들어 질까요?	29일차	월 일	128 ~ 131쪽
가족회의를 해 볼까요	10일차	월 일	048 ~ 051쪽	고흐는 어떤 그림을 그렸을까요?	30일차	월 일	132 ~ 135쪽
우리 동네를 청소해요	11일차	월 일	052 ~ 055쪽	사물놀이의 유래와 특징	31일차	월 일	136 ~ 139쪽
도서관에서 규칙을 지켜요	12일차	월 일	056 ~ 059쪽	야구의 경기 방법	32일차	월 일	140 ~ 143쪽
병원의 종류	13일차	월 일	060 ~ 063쪽	안중근 의사는 누구일까요?	33일차	월 일	144 ~ 147쪽
경찰관과 소방관이 하는 일	14일차	월 일	064 ~ 067쪽	방사성 물질을 연구한 마리 퀴리	34일차	월 일	148 ~ 151쪽
온돌은 무엇일까요?	15일차	월 일	068 ~ 071쪽	헬렌 켈러의 삶	35일차	월 일	152 ~ 155쪽
배추김치를 만들어 볼까요?	16일차	월 일	072 ~ 075쪽	서민의 일상을 그림에 담은 김홍도	36일차	월 일	156 ~ 159쪽
독도는 우리 땅!	17일차	월 일	076 ~ 079쪽	위대한 작곡가 베토벤	37일차	월 일	160 ~ 163쪽
흥인지문을 구경해요	18일차	월 일	080 ~ 083쪽	이를 잘 닦을 수 있어요	38일차	월 일	164 ~ 167쪽
은행은 어떤 일을 하는 곳일까요?	19일차	월 일	086 ~ 089쪽	어린이들이 지켜야 할 교통안전 규칙	39일차	월 일	168 ~ 171쪽
돈을 잘 관리하는 방법	20일차	월 일	090 ~ 093쪽	지진이 나면 어떻게 해야 할까요?	40일차	월 일	172 ~ 175쪽

초등 국어

비문학 독해

2단계
1·2학년

바른 독해의 빠른 시작,
〈빠작 초등 국어 독해〉를 추천합니다

독해 교재의 홍수 속에서 보석을 하나 찾은 느낌입니다. 『빠작 초등 국어 독해』는 **문학과 비문학을 나누어 초등학생 눈높이에 맞게 만든 독해 전문 교재**라는 생각이 드네요. 특히 지문의 핵심 내용을 이해하는 것은 물론 깊이 있는 배경지식까지 쌓을 수 있도록 섬세하게 구성한 점이 굉장히 마음에 듭니다. 『빠작 초등 국어 문학 독해』와 『빠작 초등 국어 비문학 독해』로 문학과 비문학의 독해 방법을 바르게 배워 보세요.

김소희 원장 | 한올국어학원

최근 수능에서 국어 영역이 가장 까다롭기로 유명합니다. 이런 국어를 잘하려면 무엇보다도 독해력을 길러야 합니다. 특히 문학은 작가가 전하는 주제를 파악하는 것이 중요합니다. 『빠작 초등 국어 문학 독해』는 다양한 갈래의 작품을 읽고, **작품의 구성 요소를 파악해 중심 내용을 스스로 정리해 보는 지문 분석 훈련**을 할 수 있어 좋습니다. 『빠작 초등 국어 문학 독해』로 까다로워진 수능 국어 영역을 지금부터 대비하시기 바랍니다.

하승희 원장 | 리딩아이국어논술학원

독해 능력은 글 읽기를 두려워하지 않는 데에서 출발합니다. 그리고 좋은 제재의 글을 읽으며 호기심과 즐거움을 느낄 때 독해는 완성되지요. 『빠작 초등 국어 비문학 독해』는 **영역별 다양한 제재의 지문과 사실적·추론적 사고력을 묻는 문제, 지문의 핵심 내용을 파악하는 지문 분석 훈련**으로 글을 정확하게 읽게 합니다. 또한 비문학 독해 비법을 충실히 담고 있어 낯설고 어려운 지문도 재미있게 읽을 수 있도록 이끌어 줄 것입니다.

김종덕 원장 | 갓국어학원

『빠작 초등 국어 독해』는 지문 독해, 지문 분석, 어휘 공부까지 탄탄한 구성이 눈길을 끄는 교재입니다. 특히 **비문학에서 영역을 세분화하여 지문을 수록한 것과 문학에서 온 작품을 다룬 것은 깊이 있는 독해를 가능하게** 할 것입니다. 다양한 글을 읽고 내용을 바르게 파악해야 하는 비문학과 작품을 읽고 제대로 감상해야 하는 문학의 독해력은 단기간에 높일 수 없습니다. 지금부터 『빠작 초등 국어 독해』와 함께 독해 연습을 부지런히 하길 추천합니다.

강행림 원장 | 수풀림학원

이 책을 검토하신 선생님						
강명자	창원지역방과후교사	**배성현**	아카데미창논술국어학원	**이지은**	이지은의이지국어논술학원
강유정	참좋은보습학원	**설호준**	청암국어학원	**이지해**	이지국어학원
강행림	수풀림학원	**송설아**	한우리독서토론논술	**이창미**	박원국어논술학원
구민경	혜움국어논술	**심억식**	천시인학원	**이현주**	토론히는아이들
권애경	해냄국어논술	**안수현**	안샘학원	**이화정**	창신보습학원
김나나	국어와나	**염현경**	박쌤과국어논술학원	**전민희**	토론하는아이들
김미숙	글과문장독서논술	**오연**	글오름국어언어논술학원	**전지영**	두드림에듀학원
김민경	리드인	**오영미**	천호하나보습학원	**조원식**	이석호국어학원
김소희	한올국어논술학원	**윤인숙**	윤쌤국어논술	**조현미**	국어날개달기학원
김수진	브레인논술교습소	**이대일**	멘사수학과연세국어학원	**하승희**	리딩아이국어논술학원
김종덕	갓국어학원	**이동수**	국동국어고샘수학학원	**한민수**	숙명창의인재교육
문주희	다독과정독논술학원	**이선이**	수논술교습소	**한수진**	리드앤리드논술학원
박윤희	장복논술	**이시은**	이시은논술	**허성완**	st클래스입시학원
박창현	탑학원	**이용순**	한우리공부방	**홍미애**	이엠영수전문학원
박현순	뿌리깊은독서논술국어교습소	**이정선**	토론하는아이들		
방은경	열정학원	**이지영**	해랑		

바른 독해의 빠른 시작,

〈빠작 초등 국어 독해〉를 소개합니다

❶ 비문학과 문학을 분리하여 각각의 특성에 맞게 독해를 훈련하는 초등 국어 독해 기본서입니다.

❷ 설명문, 논설문 등 비문학 글의 종류별 지문 분석 훈련으로 바른 독해 학습이 가능합니다.

❸ 소설, 시, 수필 등 문학 작품의 갈래별 지문 감상 훈련으로 바른 독해 학습이 가능합니다.

빠작 비문학 독해

단계	대상	영역
1단계	1~2학년	언어, 실용/생활, 사회, 문화, 경제, 자연/과학, 기술, 예술, 인물, 안전/위생
2단계		
3단계	3~4학년	언어, 역사, 사회, 문화, 경제, 과학, 기술, 예술, 인물, 환경
4단계		
5단계	5~6학년	언어, 인문, 사회, 문화, 경제, 과학, 기술, 예술, 인물, 환경
6단계		

주요 키워드

1~2단계 가족 (1단계 실용/생활), 낮과 밤 (2단계 자연/과학), 이 닦기 (2단계 안전/위생)

3~4단계 문명 (3단계 역사), 물물 교환 (3단계 경제), 조선 건국 (4단계 역사)

5~6단계 커피 (5단계 인문), 백신 (5단계 과학), 심리학 (6단계 인문)

빠작 문학 독해

단계	대상	갈래
1단계	1~2학년	창작 · 전래 · 외국 동화, 동시, 동요, 수필, 희곡
2단계		
3단계	3~4학년	창작 · 전래 · 외국 동화, 시, 현대 · 고전 · 외국 수필, 희곡
4단계		
5단계	5~6학년	현대 · 고전 · 외국 소설, 현대시, 고전 시조, 현대 · 고전 수필, 시나리오
6단계		

주요 작품

1~2단계 아기의 대답 (1단계 시), 꺼벙이 억수 (2단계 창작 동화), 만복이네 떡집 (2단계 창작 동화)

3~4단계 바위나리와 아기별 (3단계 창작 동화), 잘못 뽑은 반장 (4단계 창작 동화), 물새알 산새알 (4단계 시)

5~6단계 이상한 선생님 (5단계 현대 소설), 고무신 (6단계 현대 소설), 풀잎에도 상처가 있다 (6단계 현대시)

비문학과 문학,
바른 독해 방법이 다릅니다

비문학의 바른 독해 방법

비문학은 핵심 주제를 파악하고 글쓴이의 관점을 이해하는 것이 중요합니다.

비문학은 지식이나 정보 또는 자신의 의견을 전달하는 글의 특성이 있기 때문에, 전체 글의 핵심 주제, 문단별 핵심 내용, 글쓴이의 관점 등을 이해하며 읽는 훈련을 해야 합니다. 따라서 비문학을 바르게 읽고 이해하려면 글의 전체 구조를 그려볼 수 있어야 하고, 글 전체의 중심 내용과 문단별 중심 내용 그리고 핵심 주제를 찾아보는 연습이 필요합니다.

설명문의 일반 구조

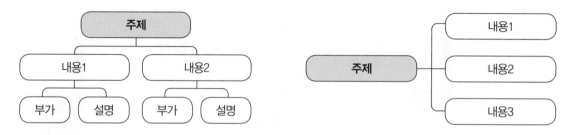

논설문의 일반 구조

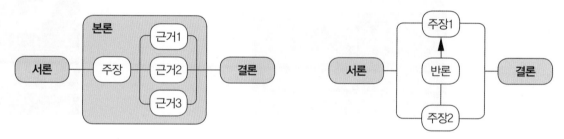

비문학은 정보 전달의 목적이 있기 때문에 다양한 지식과 정보를 쌓아야 합니다.

비문학은 어린이 신문이나 잡지 등을 통해 지식과 정보를 쌓는 것이 독해에 도움을 줍니다. 또한 독해 교재를 학습하면서 비문학 지문의 내용을 깊이 있게 이해하는 것도 중요합니다.

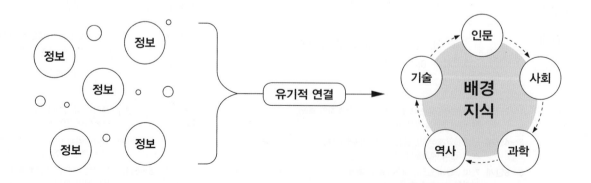

문학의 바른 독해 방법

문학은 갈래별 구성 요소를 이해하고 작품을 감상하는 것이 중요합니다.

문학은 소설, 시, 수필, 희곡 등 갈래에 따라 작품을 구성하는 요소가 다르기 때문에 갈래별 특징을 이해하고 작품을 감상하는 것이 중요합니다. 따라서 문학 작품을 읽고, 갈래에 따른 구성 요소를 중심으로 작품의 중요 내용을 정리하는 훈련이 필요합니다. 이때 온작품을 읽으면 작품 내용을 더욱 깊이 있게 이해할 수 있습니다.

갈래별 구성 요소

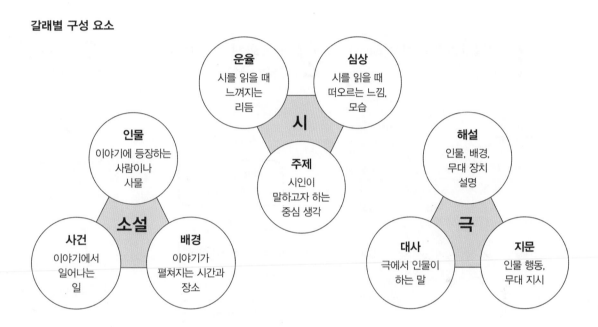

문학 작품을 감상하기 위해서 시대적 배경을 이해하고, 내용 흐름을 파악해야 합니다.

문학 작품을 읽을 때 작품이 쓰인 시대적 배경이나 작가의 삶과 관련지어 감상하면 작가가 전하고 싶은 주제를 파악하는 데 도움이 됩니다. 또 글의 내용 흐름을 제대로 파악하는 것도 중요합니다.

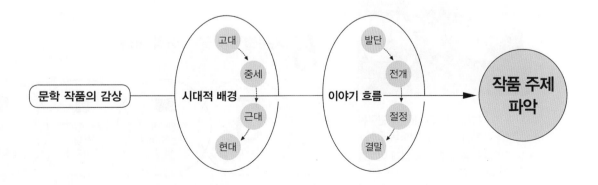

구성과 특징

빠작 초등 국어 비문학 독해 2단계는 초등 1~2학년 학생들이 비문학 지문을 읽고 내용을 정확하게 이해하는 훈련 중심으로 구성하였습니다. 특히 1~2학년부터 설명문, 논설문 등 정보 글의 구조 분석 훈련을 통해 바른 독해 학습이 가능하도록 구성하였습니다.

1 차별화된 비문학 독해 지문 구성

언어
실용/생활
안전/위생
사회
인물
1~2학년 필수 영역 10개 선정
문화
예술
경제
기술
자연/과학

2 구조화된 지문 독해 문제 구성

문항 구조

핵심 주제, 핵심어 파악

↓

글의 세부 내용 이해

↓

적용 및 추론, 어휘·어법

↓

완벽한 지문 이해

3 지문 구조 분석을 통한 바른 독해 훈련

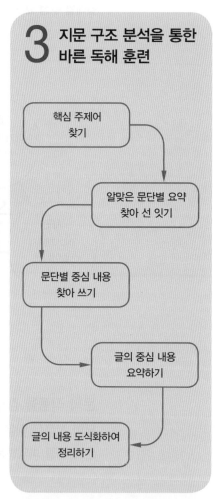

핵심 주제어 찾기

→

알맞은 문단별 요약 찾아 선 잇기

문단별 중심 내용 찾아 쓰기

글의 중심 내용 요약하기

글의 내용 도식화하여 정리하기

4 다양한 배경지식 습득

- 세밀화를 통해 지문의 내용과 관련된 지식을 풍부하게 알 수 있도록 구성
- 1~2학년 눈높이에 맞춰 쉽게 이해할 수 있도록 구성

5 지문별 5개 필수 어휘 학습

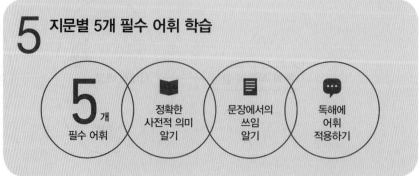

5개 필수 어휘

정확한 사전적 의미 알기

문장에서의 쓰임 알기

독해에 어휘 적용하기

차별화된 독해 지문

영역별 구성

문화 01

지문 분석 강의 제공

핵심 키워드 제공

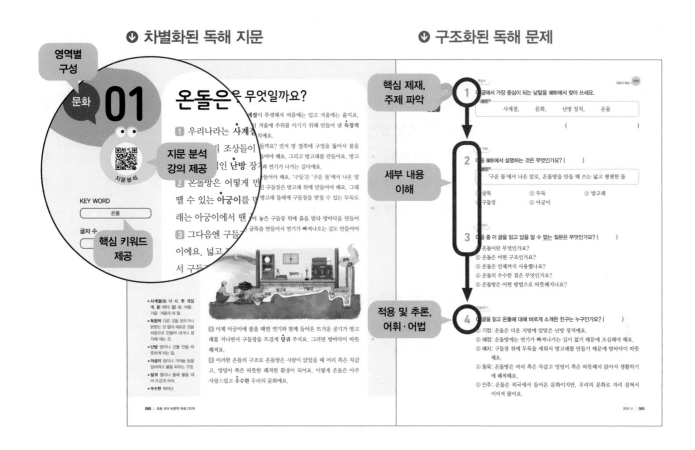

구조화된 독해 문제

핵심 제재, 주제 파악

세부 내용 이해

적용 및 추론, 어휘·어법

지문 구조 분석 & 배경지식

글의 중심 내용 찾기

글의 구조 파악하기

세밀화로 배경지식 이해하기

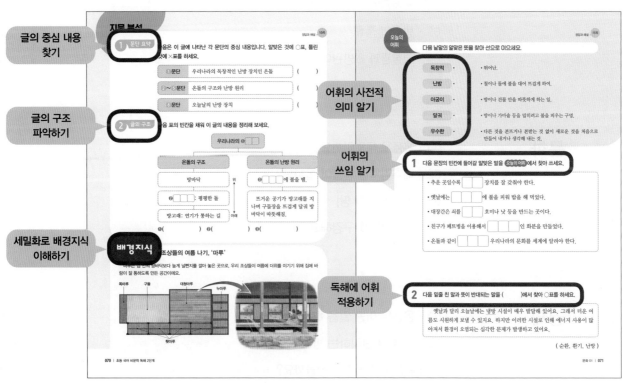

오늘의 어휘

어휘의 사전적 의미 알기

어휘의 쓰임 알기

독해에 어휘 적용하기

차례

육하원칙으로 글을 써요

지문분석

KEY WORD

육하원칙

글자 수

509
200 400 600 800

1 신문에 실린 **기사문**이나 **보도문**을 본 적이 있나요? 기사문이나 보도문은 알릴 만한 일이나 사실을 빠르고 정확하게 **전달**하기 위해 쓴 글이에요. 이와 같은 글을 쓸 때는 꼭 지켜야 할 **원칙**이 있어요. 그것은 바로 육하원칙이에요. 육하원칙은 '누가, 언제, 어디서, 무엇을, 어떻게, 왜'의 여섯 가지를 말해요. 기사문이나 보도문과 같은 글을 쓸 때는 이 여섯 가지가 들어가게 써야 해요.

2 육하원칙 중 '누가'는 전하고자 하는 일과 **관련된** 사람을 말해요. '언제'는 일이 일어난 날짜와 시간을 말하고, '어디서'는 일이 일어난 장소를 말하는 것이지요. 그리고 '무엇을'은 일어난 일이나 그 대상을 말해요. 또한 '어떻게'는 일이 일어난 **과정**을 말하는 것이지요. 마지막으로 '왜'는 일이 일어난 까닭을 말해요.

3 이러한 육하원칙의 여섯 가지 **요소**를 생각하며 글을 쓰면 전하고자 하는 일이나 사실에 대해 더 정확하고 자세하게 쓸 수 있어요. 또한, 글을 읽는 사람도 전달받는 내용을 쉽고 **분명하게** 이해할 수 있게 되지요.

5

10

15

- **기사문** 사실을 여러 사람에게 그대로 알리기 위하여 신문이나 방송의 기사로 쓴 글.
- **보도문** 새로운 사실을 신문, 방송 등을 통해 여러 사람에게 알리는 글.
- **전달** (무엇을) 받게 하는 것.
- **원칙**(原 근원 원, 則 법 칙) 여러 가지 경우에 적용되는 기본적인 규칙.
- **관련된** 여럿이 서로 어떤 영향을 주고받도록 이어진.
- **과정** 일이 되어 가는 형편이나 순서.
- **요소** 어떤 일을 이루는 데 꼭 필요한 성분. 또는 근본적인 조건.
- **분명하게** 흐릿하지 않고 뚜렷하게.

핵심어

1 다음 중 이 글에서 가장 중심이 되는 낱말을 보기 에서 찾아 쓰세요.

보기

신문,   육하원칙,   기사문,   요소

(   )

내용 이해

2 다음 중 육하원칙에 대한 설명으로 알맞은 것은 무엇인가요? (   )

① '누가'는 일이 일어난 까닭을 말한다.
② '언제'는 일이 일어난 장소를 말한다.
③ '어디서'는 일이 일어난 날짜와 시간을 말한다.
④ '무엇을'은 일어난 일을 전하는 사람을 말한다.
⑤ '어떻게'는 일이 일어난 과정을 말한다.

적용하기

3 다음 보기 의 문장에서 육하원칙 중 빠진 것을 찾아 ○표를 하세요.

보기

나는 지난 일요일에 도서관에서 동화책을 재미있게 읽었습니다.

(1) 누가   (   )   (2) 언제   (   )   (3) 어디서 (   )
(4) 무엇을 (   )   (5) 어떻게 (   )   (6) 왜   (   )

추론하기

4 이 글에서 알 수 있는 육하원칙을 사용하면 좋은 점으로 알맞은 것은 무엇인가요? (   )

① 글을 길게 쓸 수 있다.
② 글을 빨리 쓸 수 있다.
③ 글을 어렵게 쓸 수 있다.
④ 글을 고치지 않아도 된다.
⑤ 글을 정확하게 쓸 수 있다.

지문 분석

1 문단 요약 다음은 이 글에 나타난 각 문단의 중심 내용입니다. 알맞은 것에 ○표, 틀린 것에 ×표를 하세요.

1문단	기사문의 뜻	( )
2문단	육하원칙의 여섯 가지 구성 요소	( )
3문단	육하원칙을 사용하여 글을 쓰면 좋은 점	( )

2 글의 구조 다음 표의 빈칸을 채워 이 글의 내용을 정리해 보세요.

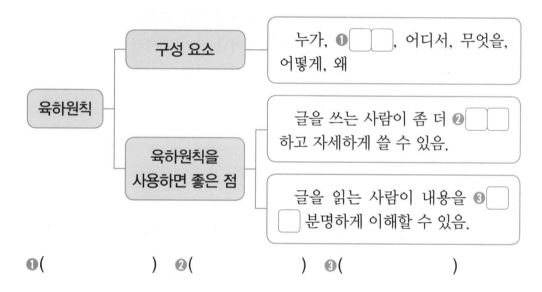

육하원칙

구성 요소 → 누가, ❶ ☐☐, 어디서, 무엇을, 어떻게, 왜

육하원칙을 사용하면 좋은 점 →
글을 쓰는 사람이 좀 더 ❷ ☐☐ 하고 자세하게 쓸 수 있음.

글을 읽는 사람이 내용을 ❸ ☐ 분명하게 이해할 수 있음.

❶( ) ❷( ) ❸( )

배경지식 기사문을 쓰는 과정

기삿거리를 떠올리고, 기사문으로 쓸 내용 고르기

기사문과 관련된 자료를 찾거나 면담하기

육하원칙을 바탕으로 기사문 쓰기

오늘의 어휘

다음 낱말의 알맞은 뜻을 찾아 선으로 이으세요.

기사문 •   • (무엇을) 받게 하는 것.

전달 •   • 흐릿하지 않고 뚜렷하게.

원칙 •   • 여러 가지 경우에 적용되는 기본적인 규칙.

관련된 •   • 여럿이 서로 어떤 영향을 주고받도록 이어진.

분명하게 •   • 사실을 여러 사람에게 그대로 알리기 위하여 신문이나 방송의 기사로 쓴 글.

1 다음 문장의 빈칸에 들어갈 알맞은 말을 오늘의 어휘 에서 찾아 쓰세요.

- 비가 그치자 멀리 있는 섬까지 ☐☐☐☐ 보였다.

- 나는 쑥스러워서 선생님께 쓴 편지를 ☐☐ 하지 못했다.

- 신문에 실리는 ☐☐☐ 은 육하원칙에 따라 써야 한다.

- 선생님께서는 우리가 교실에서 지켜야 할 ☐☐ 을 정하셨다.

- 이 사람들은 모두 이번에 일어난 일과 ☐☐☐ 사람들이다.

2 다음 밑줄 친 말과 뜻이 비슷한 말을 (   )에서 찾아 ○표를 하세요.

책을 읽고 느낀 점을 쓴 글을 독서 감상문이라고 해요. 독서 감상문은 어떻게 써야 할까요? 먼저 책을 읽게 된 까닭을 써요. 그다음 책의 줄거리를 간단히 쓸 수 있어요. 또한 책을 읽으며 느낀 점을 <u>명확하게</u> 정리해서 쓰면 되어요.

(흐릿하게, 분명하게, 희미하게)

문장 부호를 알아보아요

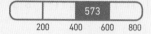

지문분석

KEY WORD

문장 부호

글자 수

573

200 400 600 800

1 문장 부호란 문장의 뜻을 이해하기 쉽게 도와주는 기호예요. 문장 부호는 **위치**에 따라 문장의 끝에 쓰는 것과 문장의 중간에 쓰는 것, 그리고 문장의 앞뒤에 쓰는 것으로 나눌 수 있어요.

2 먼저 문장의 끝에 쓰는 문장 부호에는 마침표(.), 물음표(?), 느낌표(!)가 있어요. 마침표는 주로 말하는 사람의 생각을 **평범하게** 전달하는 문장 끝에 써요. 또 듣는 사람에게 어떤 행동을 **요구**하거나 **요청**하는 문장 끝에 쓰지요. 물음표는 무엇인가를 묻는 문장 끝에 주로 써요. 그리고 느낌표는 기쁨, 슬픔, 놀람과 같은 감정을 표현하는 문장 끝에 쓰는 문장 부호지요.

3 다음으로 문장의 중간에 쓰는 문장 부호에는 쉼표(,)가 있어요. 쉼표는 부르는 말과 대답하는 말 뒤, 또는 여러 낱말을 **늘어놓을** 때 써요. 마지막으로 문장의 앞뒤에 쓰는 문장 부호에는 큰따옴표(" ")와 작은따옴표(' ')가 있어요. 큰따옴표는 다른 사람이 한 말을 그대로 옮겨 적거나 **대화**를 나타낼 때 써요. 작은따옴표는 마음속으로 하는 말이나 생각을 적을 때 쓰지요.

4 글을 읽을 때 이러한 문장 부호를 잘 살피며 읽으면 문장의 뜻을 이해하기가 훨씬 쉬워요.

5

10

15

- **위치** 일정한 곳에 자리를 잡음. 또는 그 자리.

- **평범하게** 뛰어나거나 색다른 점이 없이.

- **요구**(要 중요할 요, 求 구할 구) 어떤 행동을 하도록 청하거나 구함.

- **요청**(要 중요할 요, 請 청할 청) 필요한 일을 해 달라고 부탁함.

- **늘어놓을** 줄을 지어 벌여 놓을.

- **대화** 마주 대하여 이야기를 주고받음. 또는 그 이야기.

지문 독해

1 다음 중 이 글의 전체 내용을 대표하는 중심 낱말을 보기 에서 찾아 쓰세요.

보기

| 마침표, | 문장 부호, | 문장, | 작은따옴표 |

(   )

내용 이해

2 다음 중 문장의 중간에 쓰는 문장 부호는 무엇인가요? (   )

① .(마침표)   ② !(느낌표)   ③ " "(큰따옴표)

④ ,(쉼표)   ⑤ ?(물음표)

내용 이해

3 다음 중 이 글에 대한 내용으로 알맞은 것은 무엇인가요? (   )

① 느낌표는 감정을 표현하는 문장 앞뒤에 쓴다.
② 큰따옴표는 마음속으로 한 말을 적을 때 쓴다.
③ 물음표는 무엇인가를 묻는 문장의 중간에 쓴다.
④ 마침표는 듣는 사람에게 어떤 행동을 요구하는 문장 끝에 쓴다.
⑤ 작은따옴표는 다른 사람의 말이나 대화를 그대로 적을 때 쓴다.

적용하기

4 다음 중 문장 부호가 알맞게 쓰인 문장은 무엇인가요? (   )

① 아침밥은 먹었니.
② 눈이 언제부터 내렸어요!
③ 이렇게 입으니까 정말 예쁘구나?
④ 나는 속으로 "집에 가고 싶다."고 생각했다.
⑤ 엄마께서 "우리 딸, 사랑해."라고 말씀하셨다.

지문 분석

1 문단 요약

다음은 이 글에 나타난 각 문단의 중심 내용입니다. 알맞은 것에 ○표, 틀린 것에 ×표를 하세요.

1문단	문장 부호의 뜻과 종류	( )
2문단	문장의 끝에 쓰는 문장 부호	( )
3문단	문장의 뜻과 종류	( )
4문단	문장 부호를 살피며 글을 읽으면 좋은 점	( )

2 글의 구조

다음 표의 빈칸을 채워 이 글의 내용을 정리해 보세요.

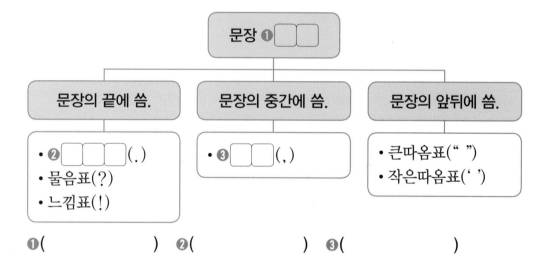

문장 ❶ ☐☐

문장의 끝에 씀.	문장의 중간에 씀.	문장의 앞뒤에 씀.
• ❷ ☐☐☐(.) • 물음표(?) • 느낌표(!)	• ❸ ☐☐(,)	• 큰따옴표(" ") • 작은따옴표(' ')

❶(   )   ❷(   )   ❸(   )

배경지식 문장 부호는 어떻게 쓸까요?

오늘의 어휘

다음 낱말의 알맞은 뜻을 찾아 선으로 이으세요.

위치 •

평범하게 •

요청 •

늘어놓을 •

대화 •

• 줄을 지어 벌여 놓을.

• 뛰어나거나 색다른 점이 없이.

• 필요한 일을 해 달라고 부탁함.

• 일정한 곳에 자리를 잡음. 또는 그 자리.

• 마주 대하여 이야기를 주고받음. 또는 그 이야기.

1 다음 문장의 빈칸에 들어갈 알맞은 말을 오늘의 어휘 에서 찾아 쓰세요.

• 우리 학교는 조용한 곳에 ☐☐ 하고 있다.

• 나는 오랜만에 만난 친구와 긴 ☐☐ 를 나누었다.

• 동생은 내가 혼을 내자 부모님께 도움을 ☐☐ 했다.

• 가게 주인은 진열대에 물건을 ☐☐☐☐ 준비를 했다.

• 내 친구는 옷을 ☐☐☐☐ 입지 않고 특별하게 입는다.

2 다음 밑줄 친 말과 뜻이 비슷한 말을 ( )에서 찾아 ○표를 하세요.

가족이 여행을 떠나기로 했다. 부모님께서는 나에게 필요한 짐을 스스로 챙겨 보라고 하셨다. 나는 먼저 가지고 가야 할 것을 머릿속에 나열해 보았다. 그리고 하나씩 가져와 가방에 넣었다. 그러다 보니 어느새 가방이 가득 찼다.

(흐트러뜨려, 늘어놓아, 흘러내려)

지문분석

KEY WORD

마음을 나타내는 말

글자 수

525

200 400 600 800

마음을 나타내는 말

1 마음을 나타내는 말은 정말 **다양**해요. 그래서 표현해야 하는 **상황**에 따라 말을 골라서 사용할 수 있어요.

2 먼저 기쁘거나 고마운 마음이 들 때를 생각해 볼까요? 우리가 누군가에게 선물이나 **도움**을 받았을 때 이런 마음이 들 수 있어요. 기쁜 마음을 나타낼 때는 '기쁘다.', '신나.', '행복해.'와 같은 말을 사용할 수 있어요. 그리고 고마운 마음을 나타낼 때는 '고마워.', '**감동**이다.', '너밖에 없어.'와 같은 말을 사용할 수 있지요.

3 이번에는 **속상**하거나 미안한 마음이 들 때를 생각해 볼까요? 우리가 야단을 맞았을 때나 친구랑 싸웠을 때 이런 마음이 들 수 있어요. 속상한 마음을 나타낼 때는 '슬프다.', '속상해.', '**서운**하다.'와 같은 말을 사용할 수 있어요. 미안한 마음을 나타낼 때는 '**용서**해 줘.', '미안해.', '내 잘못이야.'와 같은 말을 사용할 수 있지요.

4 ㉠말로 마음을 나타내지 않으면 다른 사람이 나의 마음을 알기 어려워요. 마음을 나타내는 말을 잘 익혀서 표현한다면 서로의 마음을 더 잘 이해할 수 있을 거예요.

5

10

15

- **다양** 색깔이나 모양, 내용 등이 여러 가지로 많음.
- **상황** 어떤 일이 되어 가는 형편이나 모양.
- **도움** 남을 돕는 일.
- **감동(感** 느낄 감, **動** 움직일 동**)** 깊이 느끼어 마음이 움직임.
- **속상** 마음이 불편하고 괴로움.
- **서운** 아쉽거나 섭섭함.
- **용서** 잘못이나 죄를 꾸짖거나 벌하지 않고 너그럽게 보아주는 것.

지문 독해

1 이 글에서 설명하는 것이 무엇인지 빈칸에 들어갈 알맞은 말을 쓰세요.

설명 대상

· ☐☐을 나타내는 ☐

내용 이해

2 다음 중 기쁜 마음을 나타내는 말은 무엇인가요? (   )

① 슬퍼.   ② 속상해.   ③ 안타까워.
④ 서운하다.   ⑤ 정말 신나.

적용하기

3 다음 중 마음을 나타내는 말을 <u>잘못</u> 사용한 것은 무엇인가요? (   )

① (누나가 내 가방을 들어 줬을 때) "누나, 너무 서운해."
② (친한 친구가 전학을 갈 때) "네가 전학을 가게 되어서 슬프다."
③ (실수로 선생님의 화분을 깨뜨렸을 때) "선생님, 정말 죄송해요."
④ (친구에게 생일 선물을 받았을 때) "내가 갖고 싶었던 거야. 정말 고마워."
⑤ (형과 싸웠는데 나만 엄마에게 혼났을 때) "둘이서 싸운 것인데 저만 혼내시니까 많이 속상해요."

어휘·어법

4 ㉠과 같은 뜻이 담겨 있는 속담으로 알맞은 것은 무엇인가요? (   )

① 발 없는 말이 천 리 간다
② 말 안 하면 귀신도 모른다
③ 말 한마디에 천 냥 빚도 갚는다
④ 입은 비뚤어져도 말은 바로 해라
⑤ 가는 말이 고와야 오는 말이 곱다

지문 분석

1 중심 내용 다음은 이 글의 중심 내용입니다. 빈칸에 들어갈 알맞은 말을 쓰세요.

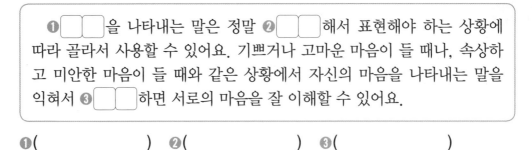

❶□□을 나타내는 말은 정말 ❷□□해서 표현해야 하는 상황에 따라 골라서 사용할 수 있어요. 기쁘거나 고마운 마음이 들 때나, 속상하고 미안한 마음이 들 때와 같은 상황에서 자신의 마음을 나타내는 말을 익혀서 ❸□□하면 서로의 마음을 잘 이해할 수 있어요.

❶(   ) ❷(   ) ❸(   )

2 글의 구조 다음 표의 빈칸을 채워 이 글의 내용을 정리해 보세요.

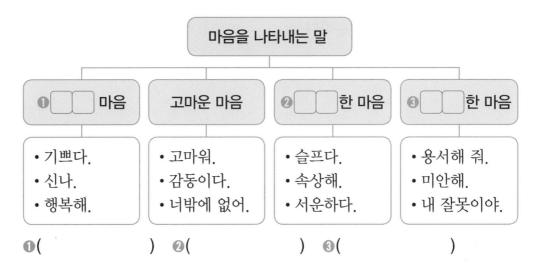

마음을 나타내는 말

❶□□ 마음	고마운 마음	❷□□한 마음	❸□□한 마음
• 기쁘다. • 신나. • 행복해.	• 고마워. • 감동이다. • 너밖에 없어.	• 슬프다. • 속상해. • 서운하다.	• 용서해 줘. • 미안해. • 내 잘못이야.

❶(   ) ❷(   ) ❸(   )

배경지식 말과 관련된 속담

최선을 다해 일했지만 다 갚지 못해 죄송합니다.

자네의 예의 바른 말을 들으니 빚을 모두 없애 주고 싶어졌네.

가는 말이 고와야 오는 말이 곱다: 자기가 남에게 말이나 행동을 좋게 하여야 남도 자기에게 좋게 한다는 말.

말 한마디에 천 냥 빚도 갚는다: 말만 잘하면 어려운 일이나 불가능해 보이는 일도 해결할 수 있다는 말.

오늘의 어휘

다음 낱말의 알맞은 뜻을 찾아 선으로 이으세요.

다양 •　　•남을 돕는 일.

상황 •　　•마음이 불편하고 괴로움.

도움 •　　•어떤 일이 되어 가는 형편이나 모양.

속상 •　　•색깔이나 모양, 내용 등이 여러 가지로 많음.

용서 •　　•잘못이나 죄를 꾸짖거나 벌하지 않고 너그럽게 보아주는 것.

1 다음 문장의 빈칸에 들어갈 알맞은 말을 오늘의 어휘 에서 찾아 쓰세요.

- 나는 다른 사람의 [　][　] 없이 요리를 했다.
- 나는 이번 시험에서 성적이 떨어져서 [　][　]했다.
- 그 식당은 음식 종류가 [　][　]하게 준비되어 있었다.
- 이번 지진으로 인한 피해 [　][　]을 자세히 알아보았다.
- 나는 선생님께 잘못을 한 번만 [　][　]해 달라고 말씀드렸다.

2 다음 밑줄 친 말과 뜻이 비슷한 말을 (　　)에서 찾아 ○표를 하세요.

　올림픽 경기에서 우리나라 선수가 다른 나라 선수를 이기고 있는 <u>입장</u>이 되면 모든 국민은 마치 자신이 이기고 있는 것처럼 기뻐해요. 하지만 우리나라 선수가 경기에서 지는 상황이 되어도 최선을 다하는 우리나라 선수들을 자랑스럽게 생각하지요.

(상처, 상황, 상관)

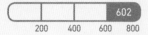

지문분석

KEY WORD

바른 말 쓰기

글자 수

			602
200	400	600	800

낱말을 ㉠ 사용해요

1 말을 하거나 글을 쓸 때는 **낱말**의 뜻을 잘 알고 상황에 맞게 사용해야 해요. 말하려는 내용을 잘 전하기 위해서지요. 그러면 우리가 잘못 사용할 수 있는 낱말을 알아보고 바르게 사용해 볼까요?

2 먼저 뜻이 **헷갈리기** 쉬운 낱말이 있어요. 예를 들어 '다르다'와 '틀리다'를 생각해 볼게요. '다르다'는 '서로 같지 않다.'는 뜻이고, '틀리다'는 '**사실**이나 답 등이 맞지 않다.'라는 뜻이에요. 만약 친구에게 너와 나는 서로 같지 않다고 말하려고 한다면 '나와 너는 다르다.'라고 해야 해요. '나와 너는 틀리다.'라고 하면 잘못 쓴 것이지요. 다음 **표**에는 이렇게 헷갈리기 쉬운 낱말이 정리되어 있어요.

작다	길이·넓이·크기 등이 보통의 정도에 못 미치다.
적다	수나 양이 일정한 기준에 이르지 못하다.
잊어버리다	알았던 것을 기억하지 못하거나 깨닫지 못하다.
잃어버리다	가지고 있던 것이 자신도 모르게 없어져 갖지 않게 되다.
가르치다	지식 등을 알게 하다.
가리키다	손이나 말로 어떤 방향이나 물건 등을 알려 주다.

3 또한 우리말에는 소리는 같지만 글자가 다른 낱말도 있어요. 예를 들어 '**반듯이**'와 '**반드시**'는 둘 다 [반드시]로 ㉡같은 소리가 나지만, 서로 뜻과 글자가 다르기 때문에 상황에 맞게 써야 해요.

- **낱말** 일정한 뜻과 기능을 가지고 있으면서 홀로 쓰일 수 있는 낱개의 말.
- **헷갈리기** 여러 가지가 뒤섞여 구별이 잘 안되기.
- **사실**(事 일 사, 實 열매 실) 실제로 일어났거나 일어나고 있는 일.
- **표** 어떤 내용을 일정한 형식과 순서에 따라 나타낸 것.
- **반듯이** 물체의 모양이나 사람의 생각·행동 등이 바르게.
- **반드시** 무슨 일이 있어도 꼭.

지문 독해

1 ㉠에 들어갈 수 있는 말을 보기 에서 두 가지 찾아 쓰세요.

보기

빠르게,　　　바르게,　　　틀리게,　　　알맞게,　　　강하게

(　　　　　,　　　　　　)

내용 이해

2 다음 중 이 글의 내용으로 알맞지 **않은** 것을 두 가지 고르세요. (　　,　　)

① 소리와 글자가 같은 낱말은 없다.

② 낱말은 상황에 맞게 잘 써야 한다.

③ 소리는 같지만 글자가 다른 낱말이 있다.

④ 낱말을 사용할 때는 뜻을 잘 몰라도 된다.

⑤ 낱말을 바르게 사용해야 말하려는 내용을 잘 전할 수 있다.

적용하기

3 다음 중 밑줄 친 낱말이 바르게 사용된 문장은 무엇인가요? (　　　　)

① 너는 동생보다 키가 <u>작니</u>?

② 선생님께서 어제 <u>가리켜</u> 준 문제이다.

③ 친구와 나는 신발 크기가 서로 <u>틀리다</u>.

④ <u>잊어버렸던</u> 구슬을 책상 위에서 찾았다.

⑤ 눈사람을 만들 때 위에 올릴 눈덩이는 <u>적어야</u> 해.

추론하기

4 다음 중 ㉡의 예로 알맞은 것은 무엇인가요? (　　　　)

① 아침밥[아침빱], 점심밥[점:심빱]

② 갔다[갇따], 같다[갇따], 갖다[갇따]

③ 꽃잎[꼰닙], 꽃받침[꼳빧침], 꽃만[꼰만]

④ 머리카락[머리카락], 살코기[살코기], 암탉[암탁]

⑤ 먹었다[머걷따], 먹었고[머걷꼬], 먹는다[멍는다]

지문 분석

1 문단 요약

다음은 이 글에 나타난 각 문단의 중심 내용입니다. 알맞은 것에 ○표, 틀린 것에 ×표를 하세요.

1문단	바르고 고운 말의 중요성	( )
2문단	뜻이 헷갈리기 쉬운 낱말	( )
3문단	소리와 글자가 같은 낱말	( )

2 글의 구조

다음 표의 빈칸을 채워 이 글의 내용을 정리해 보세요.

```
                    낱말을 바르게 사용하기
        ┌─────────────────────┴─────────────────────┐
  뜻이 헷갈리기 쉬운 낱말              소리는 같지만 글자가 다른 낱말

  예 '다르다'와 '❶□□□'            소리는 같지만 뜻과 글자가 다
     '작다'와 '적다'                른 경우
     '잊어버리다'와 '잃어버리다'      예 '반드시'와 '❸□□□'
     '가르치다'와 '❷□□□□'
```

❶( )　❷( )　❸( )

배경지식 물건에는 높임 표현을 사용하지 않아요

'음식이 나왔습니다.'라고 하는 것이 바른 표현이에요.

'오늘 새로 들어온 것입니다.'라고 하는 것이 바른 표현이에요.

오늘의 어휘

다음 낱말의 알맞은 뜻을 찾아 선으로 이으세요.

낱말 •

헷갈리기 •

사실 •

표 •

반드시 •

• 무슨 일이 있어도 꼭.

• 실제로 일어났거나 일어나고 있는 일.

• 여러 가지가 뒤섞여 구별이 잘 안되기.

• 어떤 내용을 일정한 형식과 순서에 따라 나타낸 것.

• 일정한 뜻과 기능을 가지고 있으면서 홀로 쓰일 수 있는 낱 개의 말.

1 다음 문장의 빈칸에 들어갈 알맞은 말을 오늘의 어휘 에서 찾아 쓰세요.

- 약속 시간은 ☐☐☐ 지켜야 한다.

- 동생과 ☐☐ 놀이를 했더니 아는 말이 많아졌다.

- 우리 반 친구들의 키와 몸무게를 ☐로 정리해 보자.

- ☐☐☐☐ 쉬운 것은 서로 다른 색깔로 표시해 두면 좋다.

- 나는 일찍 일어나야 한다는 ☐☐을 완전히 잊어버려서 지각을 했다.

2 다음 밑줄 친 말과 뜻이 비슷한 말을 ( )에서 찾아 ○표를 하세요.

책을 읽을 때는 빠르게 읽는 것보다는 뜻을 잘 이해하며 읽어야 해요. 특히 모르는 단어가 나왔을 때는 우선 앞뒤 문장의 내용을 통해 뜻을 생각해 봐야 해요. 그리고 사전에서 정확한 뜻을 찾아보아야 해요.

(소리, 낱말, 모양)

한글은 어떻게 만들어졌을까요?

1 한글의 **자음자**와 **모음자**는 어떻게 만들어졌을까요? 한글의 자음자는 소리를 내는 부분의 모양을 **본떠** 만든 것이고, 모음자는 하늘, 땅, 사람의 모양을 본떠 만든 것이에요.

2 먼저 자음자에는 'ㄱ', 'ㄴ', 'ㅁ', 'ㅅ', 'ㅇ'이 있어요. 'ㄱ'은 입안에 있는 혀의 뿌리 쪽이 입천장에 닿아 목구멍을 막는 모양을 본떠 만든 것이에요. 'ㄴ'은 혀끝이 윗잇몸에 닿는 모양을 본떠 만든 것이지요. 그리고 'ㅁ'은 입술의 모양, 'ㅅ'은 이의 모양, 'ㅇ'은 목구멍의 모양을 본떠 만든 것이에요. 이렇게 만든 다섯 개의 자음에 **획**을 더하거나, 같은 자음자를 **겹쳐서** 다른 자음도 만들었어요. 예를 들어 'ㄱ'에 획을 더하여 'ㅋ'을 만들고, 'ㄱ'에 'ㄱ'을 겹쳐 'ㄲ'을 만들었지요.

3 모음자에는 'ㆍ', 'ㅡ', 'ㅣ'가 있어요. 'ㆍ'는 하늘의 둥근 모양, 'ㅡ'는 땅의 **평평한** 모양, 'ㅣ'는 사람이 서 있는 모양을 본떠 만든 것이에요. 이렇게 만든 세 개의 모음자를 서로 **합하여** 다른 모음자도 만들었어요. 예를 들어 'ㅣ'의 오른쪽에 'ㆍ'를 합하여 'ㅏ'를 만들었지요.

KEY WORD

한글이 만들어진 원리

글자 수

505
200 400 600 800

- **자음자**(子 아들 자, 音 소리 음, 字 글자 자) 'ㄱ', 'ㄴ', 'ㅁ' 등의 자음을 나타내는 글자.
- **모음자**(母 어머니 모, 音 소리 음, 字 글자 자) 'ㅏ', 'ㅓ', 'ㅗ' 등의 모음을 나타내는 글자.
- **본떠** 어떤 일이나 물건을 바탕으로 하여 그대로 꾸미거나 만들어.
- **획** 글씨나 그림에서, 붓 등으로 한 번 그은 줄이나 점.
- **겹쳐서** 여럿이 서로 포개져서.
- **평평한** 바닥이 고르고 반듯하게 펴져 있는.
- **합하여** 여럿을 모아 하나로 만들어.

지문 독해

설명 대상

1 이 글에서 설명하는 것이 무엇인지 빈칸에 들어갈 알맞은 낱말을 쓰세요.

• 한글의 [　][　][　] 와 [　][　][　] 가 만들어진 원리

내용 이해

2 다음 중 자음 기본자에 대한 설명으로 알맞은 것은 무엇인가요? (　　　)

① ㅁ : 입술의 모양을 본떠 만들었다.
② ㅇ : 둥근 하늘의 모양을 본떠 만들었다.
③ ㄴ : 기본자에 획을 한 번 더하여 만들었다.
④ ㄱ : 혀끝이 윗잇몸에 닿는 모양을 본떠 만들었다.
⑤ ㅅ : 혀의 뿌리 쪽이 입천장에 닿아 목구멍을 막는 모양을 본떠 만들었다.

적용하기

3 다음 중 모음자에 대해 잘못 이해한 친구의 이름을 쓰세요.

> 지철: 'ㅡ'의 위쪽에 'ㆍ'를 합하여 'ㅗ'를 만들었네.
> 윤아: 'ㅏ'의 오른쪽에 'ㆍ'를 합하여 'ㅓ'를 만들었네.
> 선호: 'ㅡ'의 아래쪽에 'ㆍ'를 합하여 'ㅜ'를 만들었네.

(　　　　　　　)

추론하기

4 이 글을 읽고 답할 수 없는 질문은 무엇인가요? (　　　)

① '쌈'에서 'ㅆ'은 어떻게 만들어진 것일까요?
② '벌'에서 'ㅓ'는 어떻게 만들어진 것일까요?
③ 모음자의 'ㅡ'는 무엇을 본떠 만든 것일까요?
④ 자음자의 'ㅇ'은 무엇을 본떠 만든 것일까요?
⑤ 자음자는 왜 소리 내는 부분의 모양을 본뜬 것일까요?

지문 분석

1 문단 요약

다음은 이 글에 나타난 각 문단의 중심 내용입니다. 알맞은 것에 ○표, 틀린 것에 ×표를 하세요.

1 문단	모양을 본떠 만든 한글의 자음자와 모음자	( )
2 문단	한글의 자음자를 만든 방법	( )
3 문단	한글이 우수한 글자인 까닭	( )

2 글의 구조

다음 표의 빈칸을 채워 이 글의 내용을 정리해 보세요.

한글의 자음자와 모음자는 ❶ ☐☐ 을 본떠서 만듦.

❷ ☐☐☐ 를 만든 원리

❸ ☐☐☐ 를 만든 원리

기본 글자	나머지 자음	기본 글자	나머지 모음
소리를 내는 부분의 모양을 본떠서 'ㄱ, ㄴ, ㅁ, ㅅ, ㅇ'을 만듦.	기본자에 획을 더하거나 같은 자음자를 겹쳐서 만듦.	'·'는 하늘, '一'는 땅, 'ㅣ'는 사람을 본떠서 만듦.	'·', '一', 'ㅣ'를 서로 합쳐서 만듦.

❶( ) ❷( ) ❸( )

배경지식

소리를 내는 부분의 모양을 본떠 만든 자음 기본자

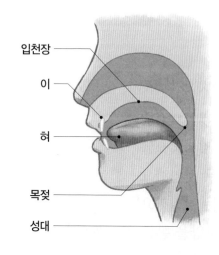

입천장
이
혀
목젖
성대

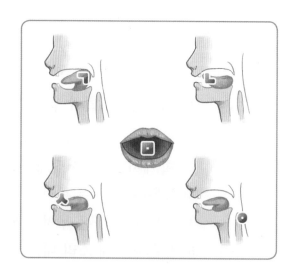

오늘의 어휘

다음 낱말의 알맞은 뜻을 찾아 선으로 이으세요.

본떠 •   • 여럿이 서로 포개져서.

획 •   • 여럿을 모아 하나로 만들어.

겹쳐서 •   • 바닥이 고르고 반듯하게 펴져 있는.

평평한 •   • 글씨나 그림에서, 붓 등으로 한 번 그은 줄이나 점.

합하여 •   • 어떤 일이나 물건을 바탕으로 하여 그대로 꾸미거나 만들어.

1 다음 문장의 빈칸에 들어갈 알맞은 말을 `오늘의 어휘` 에서 찾아 쓰세요.

• 자음자는 기본자에 □ 을 더해서 만들기도 했다.

• 이 그림은 유명 화가의 그림을 □□ 그린 것이다.

• 얇은 종이를 여러 장 □□□ 꽃 모양을 만들었다.

• 이 값은 여기 있는 모든 수를 □□□ 나온 것이다.

• 어제 갔던 산은 □□□ 바위가 많아서 오르기 쉬웠다.

2 다음 밑줄 친 말과 뜻이 반대되는 말을 ( )에서 찾아 ○표를 하세요.

시골에 가 본 적이 있나요? 길이 잘 만들어져 있는 도시와 달리 시골에는 <u>울퉁불퉁한</u> 길이 많아요. 그래서 자동차를 타면 들썩들썩 몸이 움직여지지요. 하지만 걸을 때면 흙을 직접 밟을 수 있어서 자연을 더 잘 느낄 수 있다는 좋은 점이 있어요.

(구불구불한, 평평한, 자잘한)

KEY WORD

학급 신문

글자 수

545

200 400 600 800

2학년 1반 학급 신문

발행 날짜: 2021년 7월 27일

기자: 2학년 1반 학생들

편집자: 박현서 반장, 담임 선생님

방학 일주일 남기고 또 온라인 수업!

이번 주에 전염병에 걸린 사람이 다시 많아졌습니다. 따라서 우리 학교에서는 7월 19일 월요일부터 방학 전까지 온라인 수업을 하기로 하였습니다. 온라인 수업의 로그인 방법이나 자세한 학습 방법은 담임 선생님께서 따로 안내해 주시기로 하셨습니다.

또한 7월 26일부터 8월 18일까지는 우리 학교 여름 방학입니다. 선생님께서는 "전염병에 걸린 사람이 점점 늘어나는 **추세**가 **심각한** 상황이기 때문에 방학 동안 우리 반 친구들은 여러 사람이 모이는 곳에는 되도록 가지 말고 가정에서 충분한 휴식을 했으면 좋겠다."라고 말씀하셨습니다. 우리 모두 **예방 수칙**을 잘 지켜서 건강한 모습으로 다시 만나길 바랍니다.

김윤산 기자

시온이 팔이 다시 돌아왔다!

지난달에 팔을 다쳐서 깁스를 했던 시온이가 7월 11일 깁스를 풀고 자유의 팔을 갖게 되었습니다. 시온이는 그동안 학교생활에 도움을 준 반 친구들에게 고맙다는 말을 전하고 싶다고 하였습니다.

서채빈 기자

- **발행**(發 필 발, 行 다닐 행) 책, 신문 같은 출판물을 찍어서 세상에 내놓는 것.
- **기자** 신문사 · 잡지사 · 방송국 등에서, 기사를 조사하거나 쓰는 사람.
- **편집자** 기사를 모으고, 정리하여 알맞게 짜 맞추는 일을 하는 사람.
- **추세** 일이 어떤 방향으로 계속하여 변하여 나가는 것.
- **심각한** 상태나 정도가 매우 깊고 중대한.
- **예방** 병이나 사고 등이 일어나기 전에 미리 막는 것.
- **수칙** 지켜야 할 것들을 정한 규칙.

지문 독해

1 이와 같은 글의 종류로 알맞은 것을 보기 에서 찾아 쓰세요.

> 보기
>
> 일기,   학급 신문,   동화,   편지

(   )

2 다음 중 이 글의 내용으로 알맞지 **않은** 것은 무엇인가요? (   )

① 여름 방학은 8월 18일까지이다.

② 시온이는 지난달에 팔을 다쳐서 깁스를 했다.

③ 방학 이후까지 온라인 수업이 이어질 예정이다.

④ 선생님께서는 방학 동안 충분한 휴식을 하라고 말씀하셨다.

⑤ 온라인 수업의 로그인 방법은 선생님께서 따로 안내해 주실 예정이다.

3 다음 중 두 번째 기사에 대한 설명으로 알맞은 것에 ○표를 하세요.

(1) 친구에게 생긴 특별한 일을 소개하는 기사이다.   (   )

(2) 많은 사람이 알아야 하는 학교 일정에 대한 기사이다.   (   )

(3) 선생님께서 학생들에게 전하는 말씀을 담은 기사이다.   (   )

4 이와 같은 글에 다루면 좋을 내용으로 가장 알맞은 것은 무엇인가요? (   )

① 어제 본 TV 프로그램 줄거리를 알려 주기

② 내가 좋아하는 연예인의 오늘 일정을 알려 주기

③ 내가 읽은 재미있는 책을 반 친구들에게 소개하기

④ 학교 숙제 중 어려운 내용을 올려서 함께 고민하기

⑤ 친구들이 떠들거나 잘못한 일을 기록하여 소개하기

지문 분석

1 글의 특징 다음은 이 글의 특징입니다. 빈칸에 들어갈 알맞은 말을 쓰세요.

> 이 글은 2학년 1반 학생들이 만든 학급 신문이에요. 신문에는 발행된
> ❶ ☐☐가 언제인지 나와 있으며 기사를 쓴 ❷ ☐☐와, 기사를 모으고
> 정리한 ❸ ☐☐☐가 누구인지 나와 있어요. 그리고 두 가지 기사를 다
> 루고 있지요.

❶(   ) ❷(   ) ❸(   )

2 글의 구조 다음 표의 빈칸을 채워 이 글의 내용을 정리해 보세요.

> 2학년 1반 ❶ ☐☐☐☐

첫 번째 기자	두 번째 기자
• ❷ ☐☐☐ 수업을 한다는 소식을 알림. • 방학 일정과 담임 선생님 말씀을 전함.	❸ ☐을 다쳐서 깁스를 했던 친구가 깁스를 풀게 되었다는 소식을 알림.

❶(   ) ❷(   ) ❸(   )

배경지식 **학급 신문 만들기**

학급 회의를 통해 학급 신문에 들어갈 내용과 맡을 사람을 정해요.

각자 맡은 기사를 위한 자료를 찾고, 기사를 써요.

기사를 모아 학급 신문을 만들어요.

오늘의 어휘

다음 낱말의 알맞은 뜻을 찾아 선으로 이으세요.

기자 •　　　　　•　지켜야 할 것들을 정한 규칙.

편집자 •　　　　　•　병이나 사고 등이 일어나기 전에 미리 막는 것.

추세 •　　　　　•　일이 어떤 방향으로 계속하여 변하여 나가는 것.

예방 •　　　　　•　기사를 모으고, 정리하여 알맞게 짜 맞추는 일을 하는 사람.

수칙 •　　　　　•　신문사·잡지사·방송국 등에서, 기사를 조사하거나 쓰는 사람.

1 다음 문장의 빈칸에 들어갈 알맞은 말을 오늘의 어휘 에서 찾아 쓰세요.

- 물놀이를 할 때에는 안전 ☐☐ 을 잘 지켜야 한다.

- 요즘에는 온라인 수업이 점점 늘어나는 ☐☐ 이다.

- ☐☐ 는 신문에 올림픽에 출전한 선수들의 이야기를 실었다.

- 겨울철에는 손을 깨끗이 씻어 감기에 걸리지 않도록 ☐☐ 해야 한다.

- 우리 반 학급 신문의 ☐☐☐ 는 꼼꼼한 현정이가 맡는 것이 좋겠다.

2 다음 밑줄 친 말과 뜻이 비슷한 말을 ( )에서 찾아 ○표를 하세요.

　　요즘 사람들이 스마트폰을 지나치게 사용하는 <u>경향</u>이 생기고 있어요. 특히 어린이나 청소년 들이 이와 같은 경우가 많아서 문제가 되고 있지요. 스마트폰의 사용을 줄이기 위해서는 스마트폰을 정해진 시간 동안만 사용한다거나 다른 활동을 늘리는 등의 여러 방법을 생각해 볼 수 있어요.

(추수, 추세, 추후)

KEY WORD

선생님께 감사했던 일

글자 수

531

200 400 600 800

선생님, 감사해요

선생님께

선생님, 안녕하세요. 저 하은이예요.

어제 갑자기 **소나기**가 내렸지요. 저는 우산이 없어서 급하게 어머니께 전화를 드렸는데, 어머니께서 일을 하시는 중이셔서 바로 오실 수가 없었어요. 사실 저는 그때 일을 하느라 늦게 오시는 엄마가 밉고 **원망**스러워서 어머니께 전화로 짜증을 많이 부렸어요. 특히 다른 친구들이 어머니께서 미리 챙겨 주신 우산을 들고 집으로 돌아가거나, 우산을 들고 학교 앞으로 데리러 오신 부모님과 집으로 가는 걸 보며 더 속상했어요. 그때 선생님께서 저를 보시고 우산을 들고 나와 주셨지요. 저는 정말 반갑고 고마웠어요. 선생님께서 "어머니께서 바로 못 오셔서 속상하구나?"라고 물어보셨을 땐 ㉠눈물이 핑 돌았지요.

선생님께서는 자신도 일을 하느라 자녀들을 **제때** 데리러 가지 못한 적이 많다고 말씀해 주셨어요. 그래서 아이들에게 무척 미안한 마음이 든다고 하셨지요. 선생님의 말씀을 들으니 어쩌면 우리 어머니께서도 같은 마음이셨을 것 같다는 생각이 들었어요. 그래서 어머니께 짜증이 났던 마음이 어느새 가라앉았어요. 저를 **배려**해 주시고, 좋은 말씀으로 **위로**도 해 주셔서 정말 고맙습니다.

6월 21일

하은 올림

5

10

15

- **소나기** 여름철에 세차게 내리다가 곧 그치는 비.
- **원망**(怨 원할 원, 望 비랄 망) 자기가 당한 일을 억울하게 여기어 남을 탓하거나 섭섭하게 여기는 마음.
- **제때** 일이 있는, 바로 알맞은 그때.
- **배려** 도와주거나 보살펴 주려고 마음을 쓰는 것.
- **위로** 좋은 말과 행동으로 따뜻하게 대하여 괴로움이나 슬픔 등을 달래 주는 것.

지문 독해

1 다음은 편지에 들어가야 하는 요소입니다. 이 글에 들어 있지 **않은** 것을 보기 에서 찾아 쓰세요.

> 보기
>
> 받을 사람,   첫인사,   전하고 싶은 말
> 끝인사,   쓴 날짜,   쓴 사람

(   )

2 ㉠의 까닭으로 알맞은 것은 무엇인가요? (   )

① 엄마가 보고 싶어서
② 친구들에게 화가 나서
③ 선생님께서 무서우셔서
④ 선생님께서 혼을 내셔서
⑤ 선생님께서 내 마음을 알아주셔서

3 다음 중 하은이가 어제 느꼈던 마음의 변화로 알맞은 것은 무엇인가요?

(   )

① 짜증이 남. → 짜증이 가라앉음. → 속상함. → 고마움.
② 짜증이 가라앉음. → 속상함. → 고마움. → 짜증이 남.
③ 고마움. → 짜증이 남. → 속상함. → 짜증이 가라앉음.
④ 속상함. → 짜증이 가라앉음. → 짜증이 남. → 고마움.
⑤ 짜증이 남. → 속상함. → 고마움. → 짜증이 가라앉음.

4 다음 중 이 글을 쓴 목적으로 알맞은 것은 무엇인가요? (   )

① 선생님께 고마운 마음을 전하기 위해서
② 선생님께 죄송한 마음을 전하기 위해서
③ 선생님께 속상한 마음을 전하기 위해서
④ 선생님께 서운한 마음을 전하기 위해서
⑤ 선생님께 화가 난 마음을 전하기 위해서

지문 분석

1 글의 특징

다음은 이 글의 특징입니다. 빈칸에 들어갈 알맞은 말을 쓰세요.

이 글은 하은이가 ❶☐☐☐께 고마운 마음을 전하기 위해 쓴 ❷☐☐예요. 편지에는 하은이가 선생님께 전하고자 하는 ❸☐☐, 그러한 마음이 들었던 까닭 등이 나타나 있어요.

❶(   )   ❷(   )   ❸(   )

2 글의 구조

다음 표의 빈칸을 채워 이 글의 내용을 정리해 보세요.

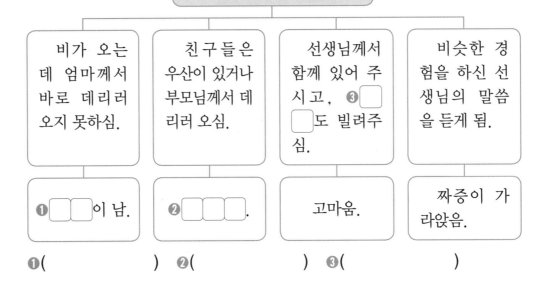

글쓴이의 마음 변화

비가 오는데 엄마께서 바로 데리러 오지 못하심.	친구들은 우산이 있거나 부모님께서 데리러 오심.	선생님께서 함께 있어 주시고, ❸☐☐도 빌려주심.	비슷한 경험을 하신 선생님의 말씀을 듣게 됨.
❶☐☐이 남.	❷☐☐☐.	고마움.	짜증이 가라앉음.

❶(   )   ❷(   )   ❸(   )

배경지식 마음을 어떻게 알 수 있을까요?

마음을 나타내는 말을 통해서 알 수 있어요.

넌 좋아해.

마음이 담겨 있는 표정을 통해서 알 수 있어요.

마음이 담겨 있는 행동을 통해서 알 수 있어요.

오늘의 어휘

다음 낱말의 알맞은 뜻을 찾아 선으로 이으세요.

소나기 •

원망 •

제때 •

배려 •

위로 •

• 일이 있는, 바로 알맞은 그때.

• 여름철에 세차게 내리다가 곧 그치는 비.

• 도와주거나 보살펴 주려고 마음을 쓰는 것.

• 자기가 당한 일을 억울하게 여기어 남을 탓하거나 섭섭하게 여기는 마음.

• 좋은 말과 행동으로 따뜻하게 대하여 괴로움이나 슬픔 등을 달래 주는 것.

1 다음 문장의 빈칸에 들어갈 알맞은 말을 오늘의 어휘 에서 찾아 쓰세요.

• 몸이 아플 때는 ☐☐ 병원에 가야 한다.

• 약한 사람을 ☐☐ 하는 사람이 멋진 사람이다.

• 나는 내 말을 믿어 주지 않는 친구가 ☐☐ 스러웠다.

• 나는 성적이 떨어져 속상해하는 짝꿍에게 ☐☐ 를 해 주었다.

• 여름에는 ☐☐☐ 가 자주 내리므로 우산을 가지고 다녀야 한다.

2 다음 밑줄 친 말과 뜻이 반대되는 말을 ( )에서 찾아 ○표를 하세요.

<u>가랑비</u>는 빗줄기는 약하지만 꾸준히 내리는 비를 말해요. 우리 속담에 '가랑비에 옷 젖는 줄 모른다'는 말이 있어요. 가늘게 내리는 비라서 우산을 쓰지 않게 되면 나중에는 옷이 흠뻑 젖게 된다는 뜻으로, 아무리 작은 일이라도 계속되면 나중에 큰 어려움을 겪게 된다는 뜻이에요.

(부슬비, 소나기, 이슬비)

언니의 감기

20○○년 10월 5일 화요일　　　　　　　**날씨**: **흐**리고 쌀쌀함.

1 어제 콧물을 흘리고, 기침을 하던 언니는 오늘 결국 학교에 가지 못했다. 어젯밤 언니는 평소와 달리 나랑 자지 않고 안방에서 부모님과 잤다. 아침에 학교에 가려고 일어나 보니 엄마는 **한숨**도 못 주무신 듯 보였고, 언니는 자고 있었다. **밤새** 열이 내리지 않아서 잠을 못 자다가 아침이 돼서야 잠이 들었다고 말씀하셨다. 나만 편하게 잘 잔 것 같아서 미안한 마음이 들었다. 늘 언니랑 같이 가던 **등굣길**을 나 혼자 가려니, 신이 나지 않았다. 학교에 도착해서도 언니가 계속 열이 나면 어쩌나 하는 걱정에 공부도 되지 않았다.

2 수업이 끝나자마자 집에 와 보니, 언니는 언제 아팠냐는 듯이 엄마가 해 주신 떡볶이를 맛있게 먹고 있었다. "언니, 이제 열 안 나는 거야? 이제 괜찮아?"라고 물어보니 점심 먹은 뒤로 열이 내려서 괜찮아졌다고 했다. 하루 종일 내 가슴 안에 무거운 돌 하나가 들어앉은 기분이었는데, 갑자기 나는 ㉠날개 달린 새처럼 몸이 가벼워진 것 같았다. 엄마도 아침보다 훨씬 기분 좋은 표정이셨다.

3 가족 중 한 사람이 아프면 모든 가족들의 가슴에 ㉡무거운 돌들이 굴러 들어오나 보다. 언니가 아프지 않았으면 좋겠다.

5

10

15

- **날씨** 비, 눈, 구름, 바람, 안개, 기온 등의 상태.
- **흐리고** (하늘에 구름이나 안개 등이 끼어서) 햇빛이 밝지 못하고.
- **한숨** 잠깐 동안의 휴식이나 잠.
- **밤새** 밤이 지나는 동안.
- **등굣길** 학교 가는 길.

지문 독해

글의 특징

1 이와 같은 글의 종류로 알맞은 것을 보기 에서 찾아 쓰세요.

보기

일기,   동화,   편지

(   )

내용 이해

2 이 글에서 일이 일어난 순서대로 기호를 쓰세요.

㉮ 언니가 떡볶이를 먹고 있었다.

㉯ 언니가 콧물을 흘리고 기침을 했다.

㉰ 언니는 잠이 들고 '나'만 혼자 학교에 갔다.

㉱ '나'는 언니가 걱정되어 학교에서도 공부가 되지 않았다.

(   ) → (   ) → (   ) → (   )

추론하기

3 이 글을 통해 알 수 있는 내용으로 알맞지 <u>않은</u> 것은 무엇인가요? (   )

① 언니는 점심 먹은 뒤로 열이 내렸다.

② 평소에 '나'는 언니와 같이 잠을 잔다.

③ 언니는 며칠 전부터 계속 열이 많이 났다.

④ '나'는 항상 학교에 갈 때 언니와 함께 갔다.

⑤ 밤에 잠을 잘 잔 '나'는 가족에게 미안한 마음이 들었다.

추론하기

4 다음 중 ㉠과 ㉡에 담겨 있는 뜻은 무엇인가요? (   )

㉠	㉡
① 밝은 표정의 엄마	살이 찐 느낌
② 떡볶이를 먹고 있는 언니	속상해하는 마음
③ 기분이 좋아진 나	걱정하는 마음
④ 언니를 걱정하는 나	움직이기 싫은 마음
⑤ 열이 내린 언니	열이 나게 만든 병균

지문 분석

1 문단 요약

다음은 이 글에 나타난 각 문단의 중심 내용입니다. 알맞은 것에 ○표, 틀린 것에 ✕표를 하세요.

| **1**문단 | 아파서 학교에 가지 못한 '나' | ( ) |

| **2**문단 | '나'는 언니가 몸이 나아져서 기분이 좋아짐. | ( ) |

| **3**문단 | '나'는 언니가 아프지 않았으면 좋겠다고 생각함. | ( ) |

2 글의 구조

다음 표의 빈칸을 채워 이 글의 내용을 정리해 보세요.

10월 5일 ❶ ☐☐	❷ ☐☐가 아파서 학교에 가지 못함.
	'나'는 혼자 ❸ ☐☐에 갔고, 학교에서도 언니가 걱정됨.
	집에 오자 몸이 나아져서 떡볶이를 먹고 있는 언니를 보고 '나'의 기분이 좋아짐.

❶(   ) ❷(   ) ❸(   )

배경지식 「안네의 일기」

「안네의 일기」는 1942년부터 1944년까지 안네 프랑크가 쓴 일기예요. 안네는 유대인이었어요. 당시는 제2차 세계 대전 중이었고 독일이 주변 여러 나라를 점령하고 있었지요. 이 기간 동안 많은 유대인들이 독일군에 의해 고통받고 죽어 갔어요. 안네는 가족들과 함께 독일의 군대를 피해 숨어 지냈는데, 이때 쓴 일기가 「안네의 일기」예요. 「안네의 일기」는 어려운 상황에서도 용기를 잃지 않는 안네의 모습이 담겨 있어서 지금까지도 많은 사람들에게 감동을 주고 있어요.

오늘의 어휘

다음 낱말의 알맞은 뜻을 찾아 선으로 이으세요.

날씨 •　　　　　• 학교 가는 길.

흐리고 •　　　　　• 밤이 지나는 동안.

한숨 •　　　　　• 잠깐 동안의 휴식이나 잠.

밤새 •　　　　　• 비, 눈, 구름, 바람, 안개, 기온 등의 상태.

등굣길 •　　　　　• (하늘에 구름이나 안개 등이 끼어서) 햇빛이 밝지 못하고.

1 다음 문장의 빈칸에 들어갈 알맞은 말을 오늘의 어휘 에서 찾아 쓰세요.

• 나는 ☐☐☐ 에 항상 함께 가는 친구가 있다.

• ☐☐ 비가 내렸는지 마당에 물기가 촉촉이 남아 있었다.

• 여름에는 ☐☐ 가 더워서 자꾸 시원한 음식만 먹고 싶다.

• 이모는 너무 피곤하다며 늘어지게 ☐☐ 자고 싶다고 했다.

• 날이 잔뜩 ☐☐☐ 바람이 부는 것을 보니 태풍이 올 것 같다.

2 다음 밑줄 친 말과 뜻이 반대되는 말을 (　　　)에서 찾아 ○표를 하세요.

장마란 여름철에 여러 날 계속해서 비가 내리는 현상이나 날씨를 말해요. 그래서 장마철에는 집 안도 눅눅해지지요. 여름이라 덥기까지 해서 불쾌감도 높아져요. 그래서 맑고 화창한 날씨를 기다리고는 하지요.

(밝고, 옅고, 흐리고)

지문분석

KEY WORD

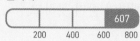
환경 보호에 대한 생각

글자 수

607
200 400 600 800

환경을 보호해요

1 우리가 살아가는 지구의 **환경**은 사람만의 것이 아니에요. 환경이란 사람과 동물, 식물이 함께 살아가는 삶의 **터전**이기 때문이에요.

2 하지만 사람들은 이러한 삶의 터전인 환경을 마음대로 **파괴**했어요. 나무를 사용하기 위해 숲을 **훼손**했고, 땅을 넓히기 위해 바다를 메우는 **간척** 사업을 하여 바다의 환경도 파괴했지요. 또한 사람들은 플라스틱과 **일회용품**을 함부로 사용하고 버려서 많은 양의 쓰레기를 만들었어요. 그리고 그 쓰레기를 바다에 버리거나 땅에 묻었지요. 그래서 바다와 땅은 모두 **오염**되었어요. 이대로 내버려 두면 우리의 지구는 온통 쓰레기장이 될지도 몰라요.

3 이미 파괴되어 버린 환경을 다시 깨끗하게 돌리는 일은 매우 어려운 일이에요. 따라서 우리는 이제부터라도 환경을 **보호**해야 해요. 모두 ㉠'나 하나쯤이야.' 하는 생각은 버리고 더 이상 환경이 파괴되지 않도록 노력해야 해요.

4 환경을 보호하기 위해 우리가 실천할 수 있는 일들은 어렵거나 복잡한 일들이 아니에요. 음식을 남김없이 먹기, 가까운 거리는 차를 이용하지 않고 걸어 다니기 등 환경을 생각하여 할 수 있는 일이 많아요. 또한 재활용 **분리배출**을 잘하고 일회용품 사용을 줄이는 것도 환경을 깨끗하게 만들 수 있는 중요한 일 중 하나이지요.

5

10

15

● **환경** 사람과 생물에게 두루 영향을 끼치는 자연이나 사회의 조건이나 상태.

● **터전** 생활의 근거지.

● **파괴** 못 쓰게 부수거나 깨뜨려 헐어 버리는 것.

● **훼손** 헐거나 깨뜨려 못 쓰게 만듦.

● **간척** 바다나 호수에 둑을 쌓고 그 안의 물을 빼내어 땅으로 만드는 일.

● **일회용품** 한 번 쓰고 버리는 물건.

● **오염**(汚 더러울 오, 染 물들일 염) 물, 공기, 흙 등이 더러워지는 것.

● **보호** 사람이나 사물이 위험하지 않게 지키고 보살펴 주는 것.

● **분리배출** 쓰레기 등을 종류별로 나누어서 버림.

핵심어

1 이 글에서 글쓴이의 중심 생각을 나타내는 낱말을 보기 에서 찾아 쓰세요.

보기

환경 파괴,   환경 보호,   환경 오염

(   )

내용 이해

2 다음 중 환경을 파괴하거나 오염시키는 일이 <u>아닌</u> 것은 무엇인가요? (   )

① 음식물을 남김없이 다 먹기
② 바다를 메우는 간척 사업하기
③ 쓰레기를 땅이나 바다에 묻기
④ 종이를 만들기 위해 나무 베기
⑤ 플라스틱과 일회용품 사용하기

추론하기

3 다음 중 ㉠과 비슷한 생각은 무엇인가요? (   )

① "나는 안 해도 돼."   ② "나만 잘하면 돼."
③ "나부터 해야 해."   ④ "나도 잘할 수 있어."
⑤ "나부터 잘해야겠어."

적용하기

4 다음은 이 글을 읽은 서인이가 '환경 보호 실천'에 대해 쓴 글입니다. 글의 내용으로 알맞지 <u>않은</u> 것은 무엇인가요? (   )

○○ 초등학교 2학년 김서인

환경을 보호하기 위해서는 첫째, ①비닐봉지와 플라스틱 등의 사용을 줄여야 합니다. 비닐봉지와 플라스틱은 환경을 오염시키는 쓰레기가 되기 때문입니다. 둘째, ②나무젓가락 사용을 줄여야 합니다. 줄이는 만큼 나무를 보호할 수 있기 때문입니다. 셋째, ③가까운 거리는 걷거나 자전거를 이용합니다. 자동차를 많이 타면 매연 때문에 공기가 나빠지기 때문입니다. 넷째, ④꽃이나 풀을 함부로 꺾거나 뽑지 않습니다. 식물 역시 함께 살아가야 할 존재이기 때문입니다. 다섯째, ⑤손과 발을 잘 씻어야 합니다. 오염된 환경에서 생활하다 보면 나쁜 세균에 의해 병에 걸릴 수 있기 때문입니다.

지문 분석

1 글의 특징   다음은 이 글의 특징입니다. 빈칸에 들어갈 알맞은 말을 쓰세요.

> 이 글은 **❶**☐☐을 보호하기 위해 우리가 실천할 수 있는 일을 하자고 주장하는 글이에요. 글쓴이는 환경 파괴의 원인과 문제점을 말하고, 환경을 **❷**☐☐하기 위해 우리가 **❸**☐☐할 수 있는 일이 무엇인지 알려 주고 있어요.

❶(   )   ❷(   )   ❸(   )

2 글의 구조   다음 표의 빈칸을 채워 이 글의 내용을 정리해 보세요.

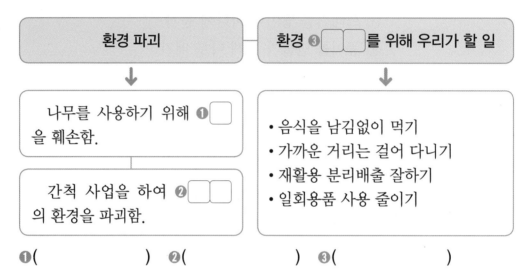

환경 파괴	환경 **❸**☐☐를 위해 우리가 할 일
↓	↓
나무를 사용하기 위해 **❶**☐을 훼손함. 간척 사업을 하여 **❷**☐☐의 환경을 파괴함.	• 음식을 남김없이 먹기 • 가까운 거리는 걸어 다니기 • 재활용 분리배출 잘하기 • 일회용품 사용 줄이기

❶(   )   ❷(   )   ❸(   )

배경지식 올바른 재활용 분리배출 방법

페트병의 내용물을 비우고, 스티커는 떼어서 따로 배출하세요.

유리병은 비워서 깨끗이 헹군 후 배출하세요.

스티로폼의 테이프는 떼어 내고 배출하세요.

폐지와 우유갑은 따로 분리해서 배출하세요.

오늘의 어휘

다음 낱말의 알맞은 뜻을 찾아 선으로 이으세요.

터전 •
•생활의 근거지.

훼손 •
•헐거나 깨뜨려 못 쓰게 만듦.

간척 •
•물, 공기, 흙 등이 더러워지는 것.

오염 •
•쓰레기 등을 종류별로 나누어서 버림.

분리배출 •
•바다나 호수에 둑을 쌓고 그 안의 물을 빼내어 땅으로 만드는 일.

1 다음 문장의 빈칸에 들어갈 알맞은 말을 오늘의어휘 에서 찾아 쓰세요.

• 자동차에서 나오는 매연은 공기를 ☐☐시킨다.

• 땅을 넓히는 ☐☐ 사업을 반대하는 사람들이 많다.

• 사람들은 개발을 하면서 자연환경을 ☐☐해 버렸다.

• 전쟁으로 인해 삶의 ☐☐을 잃어버린 사람들이 많다.

• 재활용 쓰레기는 알맞은 방법으로 ☐☐☐☐해야 한다.

2 다음 밑줄 친 말과 뜻이 비슷한 말을 ( )에서 찾아 ○표를 하세요.

휴대 전화와 컴퓨터, 냉장고, 에어컨 등 전자 기기의 사용은 환경을 파괴하는 원인 중 하나예요. 전자 기기를 만드는 공장에서 내뿜는 매연, 냉장고와 에어컨에서 발생하는 온실가스는 환경 오염의 주범이지요. 따라서 전자 기기 사용을 줄여 환경 오염을 조금이라도 줄여 나가야 해요.

(손실, 손해, 훼손)

KEY WORD

가족회의

글자 수

515

200 400 600 800

가족회의를 해 볼까요

1 가족이란 부모를 중심으로 한곳에 모여 사는 사람들을 말해요. 가족이 함께 살다 보면 의견을 나누어야 할 문제가 생기거나 중요한 일을 결정해야 하는 일이 생겨요. 이때 다 같이 모여 그 문제에 대해서 함께 **의논**하는 것을 가족회의라고 해요.

2 가족회의에서 다룰 수 있는 주제는 다양해요. 서로에게 바라는 점이나 여행을 갈 장소 정하기 등과 같이 **일상**에서 생길 수 있는 일들이나 이사 갈 동네를 정하는 것과 같은 가족에게 생긴 특별한 일까지 다양한 일을 주제로 삼을 수 있어요.

3 가족회의를 하면 좋은 점이 많아요. 첫째, 가족이 한자리에 모여 서로 이야기를 나눌 수 있어요. 둘째, 가족회의에 참석함으로써 스스로 가정 안에서 안정된 **권리**와 **역할**을 가질 수 있지요. 셋째, 대화를 통해 가족 간의 **대립**을 줄일 수도 있어요.

4 가족회의의 좋은 점이 잘 나타나려면 한 사람이 **일방적**으로 회의를 진행하면 안 돼요. 가족들이 서로 **존중**하고 각자의 생각을 **인정**해 주며 모두 함께 대화를 ㉠나눌 수 있어야 해요.

5

10

15

- **의논** 어떤 일에 대하여 서로 의견을 주고받음.
- **일상**(日 날 일, 常 항상 상) 매일 일어나는 비슷한 일. 늘 있는 일.
- **권리**(權 권세 권, 利 이로울 리) 어떤 일을 자기 마음대로 할 수 있는 자격.
- **역할** 마땅히 해야 할 일. 또는 맡아서 해야 할 일.
- **대립**(對 대답할 대, 立 설 립) 의견 등이 서로 반대되어 맞서거나 버팀.
- **일방적** 남은 생각하지 않고 자기 생각대로 정하여 하는 것.
- **존중** 아주 귀중하게 여기는 것.
- **인정** 확실히 그렇다고 여김.

설명 대상

1 이 글에서 설명하는 것이 무엇인지 보기 에서 찾아 쓰세요.

보기

부모,   이야기,   가족회의,   주제

(   )

내용 이해

2 다음 중 이 글의 내용으로 알맞지 <u>않은</u> 것은 무엇인가요? (   )

① 가족회의를 하면 가족 간의 대립을 줄일 수 있다.

② '여행 장소 정하기'는 가족회의에서 다룰 수 있는 주제이다.

③ 가족이란 부모를 중심으로 한곳에 모여 사는 집단을 말한다.

④ 가족에게 생긴 특별한 일은 가족회의 주제로 어울리지 않는다.

⑤ 가족회의를 하면 가족들이 가정 안에서 안정된 권리와 역할을 가질 수 있다.

내용 이해

3 다음 보기 에 나타난 가족회의의 문제점으로 알맞은 것은 무엇인가요? (   )

보기

　　우리 집 가족회의는 언제나 아빠의 말로 시작해서 아빠의 말로 끝이 납니다. 제가 말하고 싶은 것이 있어 손을 들고 말하면, 제 말이 끝나기도 전에 아빠는 "넌 어리니까 잘 몰라."라고 하십니다.

① 가족회의 시간이 너무 길다.

② 가족이 서로 각자 하고 싶은 말만 한다.

③ 가족회의에서 다룰 주제를 잘못 선택했다.

④ 가족 구성원이 바빠서 제대로 모이지 않는다.

⑤ 한 사람이 일방적으로 회의를 진행하고 다른 가족을 존중하지 않는다.

어휘·어법

4 ㉠은 어떤 뜻으로 사용된 것인가요? (   )

① 같은 핏줄을 타고나다.

② 하나를 둘 이상으로 가르다.

③ 여러 부분이나 갈래로 가르다.

④ 수학에서 어떤 수를 다른 수로 나눗셈을 하다.

⑤ 다른 사람과 말이나 이야기, 인사 등을 주고받다.

지문 분석

정답과 해설 10쪽

1 문단 요약

다음은 이 글에 나타난 각 문단의 중심 내용입니다. 알맞은 것에 ○표, 틀린 것에 ×표를 하세요.

1문단	가족회의의 뜻	( )
2문단	가족회의에서 다룰 수 있는 주제	( )
3문단	가족회의의 부정적 기능	( )
4문단	가족회의에서 주의해야 할 점	( )

2 글의 구조

다음 표의 빈칸을 채워 이 글의 내용을 정리해 보세요.

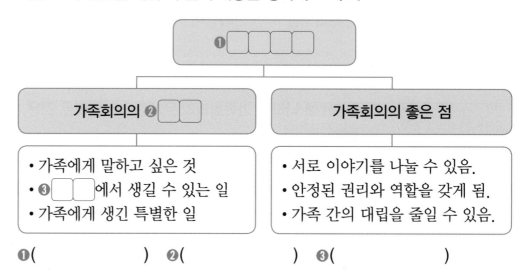

❶ □□□□

가족회의의 ❷ □□

- 가족에게 말하고 싶은 것
- ❸ □□에서 생길 수 있는 일
- 가족에게 생긴 특별한 일

가족회의의 좋은 점

- 서로 이야기를 나눌 수 있음.
- 안정된 권리와 역할을 갖게 됨.
- 가족 간의 대립을 줄일 수 있음.

❶( ) ❷( ) ❸( )

배경지식 **학급 회의는 무엇일까요?**

학급 회의란 학급의 문제를 해결하기 위하여 반 친구들이 함께 의논하여 좋은 방법을 결정하는 과정을 말합니다.

교실 청소 당번 정하기, 짝 꿍 바꾸기 등의 규칙을 정할 때 학급 회의를 해요.

운동회 응원 방법, 불우 이웃 돕기 성금 모금 등 중요한 일을 결정할 때 학급 회의를 해요.

오늘의 어휘

다음 낱말의 알맞은 뜻을 찾아 선으로 이으세요.

의논	•	• 매일 일어나는 비슷한 일. 늘 있는 일.
일상	•	• 의견 등이 서로 반대되어 맞서거나 버팀.
역할	•	• 어떤 일에 대하여 서로 의견을 주고받음.
대립	•	• 마땅히 해야 할 일. 또는 맡아서 해야 할 일.
일방적	•	• 남은 생각하지 않고 자기 생각대로 정하여 하는 것.

1 다음 문장의 빈칸에 들어갈 알맞은 말을 **오늘의 어휘** 에서 찾아 쓰세요.

- 우리들은 바쁜 ☐☐ 을 살아가고 있다.

- 게임의 규칙을 형이 ☐☐☐ 으로 정해 버렸다.

- 아버지께서는 회사에서 중대한 ☐☐ 을 맡으셨다.

- 우리는 청소 당번을 어떻게 정할 것인지 ☐☐ 을 하였다.

- 나와 동생의 ☐☐ 이 점점 심해지자 부모님께서는 화를 내셨다.

2 다음 밑줄 친 말과 뜻이 비슷한 말을 ( )에서 찾아 ○표를 하세요.

> 이야기가 재미있는 까닭은 그 안에 등장하는 인물들 사이에 일어난 다툼이나 갈등이 있기 때문이에요. 다툼이나 갈등으로 인해 어떤 일이 생기고, 그 일을 해결해 나가는 과정을 통해 내용이 흥미진진해지고 재미있어지지요.

(대면, 대립, 대우)

사회 01

우리 동네를 ㉠ 해요

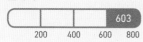

KEY WORD

우리 동네 청소하기

글자 수

603
200 400 600 800

1 일요일 아침, 현정이는 아침 일찍 일어났어요. 일요일은 이웃들과 함께 동네를 깨끗이 청소하는 날이거든요.

2 현정이는 동생 현서와 함께 골목으로 나왔어요. 골목에는 이미 동네 사람들이 많이 나와 있었어요. 모인 사람들은 조를 짜서 쓰레기를 줍는 사람들과 버스 정류장을 청소하는 사람들로 나뉘었어요. 현정이와 현서는 쓰레기 줍는 일을 맡았어요. 쓰레기를 줍는 일을 맡은 사람들은 동네를 세 개의 **구역**으로 나누어 각자 맡은 구역에서 **인도**와 **가로수**, **화단**에 버려진 각종 쓰레기와 담배꽁초 등을 **수거**하는 일을 하였어요. 생각보다 너무 많은 쓰레기가 버려져 있었어요. 그래서 가지고 갔던 쓰레기봉투가 금방 가득 찼지요. 청소하는 사람들로 인해 버스 정류장도 얼룩진 먼지가 닦여 깨끗해지고 있었어요. 버스를 이용하는 사람들의 기분이 참 좋을 것 같았어요.

3 현정이는 집에 돌아오면서 깨끗해진 동네를 보고 뿌듯했고, 자신의 마음도 깨끗해지는 것 같았어요. 현정이는 동네를 늘 깨끗이 하기 위해 무엇을 할 수 있을지 인터넷에서 **검색**해 보았어요. 그리고 '줍깅' 캠페인을 알게 되었어요. '줍깅'은 환경을 위해 걸으면서 쓰레기를 줍는 활동이라고 해요. 현정이와 현서는 내일부터 **하굣길**에 '줍깅'을 하기로 약속했어요.

5

10

15

- **구역** 한 지역을 어떤 기준이나 특성에 따라 여럿으로 나누어 놓은 것의 하나.
- **인도** 사람들이 사용하도록 된 도로.
- **가로수** 큰길가에 줄지어 심은 나무.
- **화단**(花 꽃 화, 壇 단 단) 흙을 한층 높게 쌓아 올리고 꽃을 심은 꽃밭.
- **수거**(收 거둘 수, 去 갈 거) (주로 많은 쓰레기 등을) 거두어 가는 것.
- **검색** 책이나 컴퓨터에서, 필요한 자료나 정보를 찾아내는 일.
- **하굣길** 수업을 끝내고 학교에서 집으로 돌아가는 길.

지문 독해

제목

1 ㉠에 들어갈 알맞은 낱말을 넣어 이 글의 제목을 완성하세요.

• 우리 동네를 ☐☐해요.

내용 이해

2 다음 중 현정이가 동네를 깨끗이 하기 위해 한 일로 알맞은 것에 ○표를 하세요.

(1) 쓰레기 줍기 ( )
(2) 버스 정류장 청소하기 ( )

추론하기

3 이 글에서 알 수 있는 현정이의 마음으로 알맞은 것은 무엇인가요? ( )

① 청소가 빨리 끝나서 신나는 마음
② 일요일에 일찍 일어나서 귀찮은 마음
③ 계속 청소해야 해서 부담스러운 마음
④ 쓰레기가 너무 많아서 화가 나는 마음
⑤ 동네를 계속 깨끗하게 만들고 싶은 마음

적용하기

4 다음 중 우리가 사는 동네를 깨끗하게 할 수 있는 방법으로 알맞지 <u>않은</u> 것은 무엇인가요? ( )

① 쓰레기 버리지 않기
② 쓰레기가 보이면 줍기
③ 화단 한쪽에 쓰레기 쌓아 두기
④ 버스 정류장을 깨끗하게 이용하기
⑤ 깨끗한 동네 만들기 캠페인을 펼치기

지문 분석

1 문단 요약   이 글에 나타난 각 문단의 중심 내용으로 알맞은 것을 찾아 선으로 이으세요.

1문단 ・

2문단 ・

3문단 ・

・ 현정이는 사람들과 쓰레기를 주우며 동네를 청소함.

・ 현정이는 동네를 깨끗이 청소하기로 한 날에 아침 일찍 일어남.

・ 현정이는 동네를 깨끗하게 만드는 방법을 검색하여 '줍깅' 캠페인을 알게 됨.

2 글의 구조   다음 표의 빈칸을 채워 이 글의 내용을 정리해 보세요.

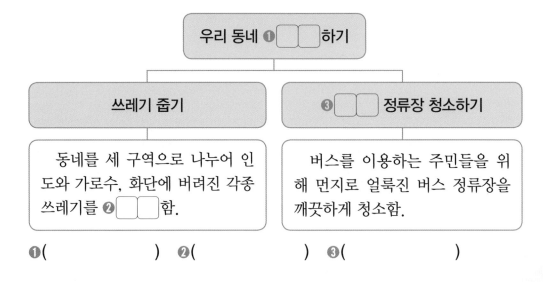

우리 동네 ❶◻◻하기

쓰레기 줍기

❸◻◻ 정류장 청소하기

동네를 세 구역으로 나누어 인도와 가로수, 화단에 버려진 각종 쓰레기를 ❷◻◻함.

버스를 이용하는 주민들을 위해 먼지로 얼룩진 버스 정류장을 깨끗하게 청소함.

❶(   )   ❷(   )   ❸(   )

배경지식   '줍깅' 캠페인

스웨덴에서 시작된 '플로깅(plogging)'은 '이삭을 줍는다.'는 뜻의 스웨덴어(plocka upp)와 조깅(jogging)을 합한 말로, 조깅하며 쓰레기를 줍는 운동이에요. 우리나라에서는 '줍다'와 '조깅'을 합해 '줍깅'이라고 부르지요. '줍깅'을 하면 운동도 하고 환경도 지킬 수 있어요. 산책하기 좋은 날에 '줍깅'에 참여해 보는 것은 어떨까요?

오늘의 어휘

다음 낱말의 알맞은 뜻을 찾아 선으로 이으세요.

가로수 •　　　　• 큰길가에 줄지어 심은 나무.

화단 •　　　　• (주로 많은 쓰레기 등을) 거두어 가는 것.

수거 •　　　　• 흙을 한층 높게 쌓아 올리고 꽃을 심은 꽃밭.

검색 •　　　　• 수업을 끝내고 학교에서 집으로 돌아가는 길.

하굣길 •　　　　• 책이나 컴퓨터에서, 필요한 자료나 정보를 찾아내는 일.

1 다음 문장의 빈칸에 들어갈 알맞은 말을 오늘의 어휘 에서 찾아 쓰세요.

- 잎이 무성한 ☐☐☐ 가 바람에 흔들리고 있었다.

- 나는 꽃들이 어서 피길 기대하며 매일 ☐☐ 에 물을 주었다.

- 오후가 되면 ☐☐☐ 의 아이들로 온 동네가 시끌벅적하다.

- 우리 조는 인터넷에서 발표할 주제에 맞는 자료를 ☐☐ 했다.

- 오늘은 쓰레기 분리 ☐☐ 를 하는 날이어서 쓰레기를 밖에 내어놓았다.

2 다음 밑줄 친 말과 뜻이 반대되는 말을 (　　　　)에서 찾아 ○표를 하세요.

　　3월 새 학기가 시작되면 학생들은 긴장되고 설레는 마음으로 집을 나서서 학교에 갑니다. 등굣길에서는 오랜만에 만난 친구들과 같은 반이 되었을지 궁금해하며 정답게 이야기도 나누지요. 학교에 도착하면 새로운 선생님과 반 친구들을 만나 반갑게 인사를 해요.

(갈림길, 하굣길, 골목길)

도서관에서 규칙을 지켜요

1 도서관은 책을 읽거나 빌릴 수 있는 곳이에요. 도서관을 이용할 때는 꼭 지켜야 할 **규칙**이 있어요.

2 첫째, 책을 **대출**하거나 **반납**할 때는 차례대로 줄을 서야 해요. 그리고 빌린 책은 정해진 **기한** 안에 반납해야 하지요. 반납하는 날을 지키지 않으면 그 책을 기다리고 있는 친구들에게 피해를 줄 수 있기 때문이에요.

3 둘째, 도서관 안에서는 큰 소리로 떠들거나 뛰어다니지 말아야 해요. 책을 읽는 다른 사람들에게 방해가 되기 때문이에요. 따라서 책을 읽을 때에는 정해진 자리에 바르게 앉아야 하고, 해야 할 말이 있을 때는 작은 소리로 이야기해야 해요.

4 셋째, 빌린 책을 읽으면서 더럽히거나 찢지 말아야 해요. 책이 더럽혀지면 다른 사람들이 책을 읽을 때 불편할 수 있기 때문이에요. 또한 다 읽은 책은 책 **수레**나 반납하는 곳에 두어야 해요. 그렇게 해야 다음에 읽을 사람들이 책을 쉽게 찾을 수 있어요.

5 도서관은 여러 사람이 함께 이용하는 곳이에요. 따라서 도서관을 이용할 때는 다른 사람을 배려하는 마음을 가지고 질서와 규칙을 잘 지키는 태도가 필요해요.

5

10

15

- **규칙**(規 법 규, 則 법 칙) 한 조직에 속한 여러 사람이 다 같이 지키기로 정한 법칙.
- **대출**(貸 빌릴 대, 出 날 출) 도서관에서 책이나 자료를 빌려주는 것.
- **반납** (빌린 것을) 다시 돌려주는 것.
- **기한** 어떤 일을 하기로 미리 정해 놓은 때.
- **수레** 바퀴를 달아서 굴러가게 만든 기구.

지문 독해

설명 대상

1 다음은 이 글에서 설명하고 있는 것입니다. 빈칸에 들어갈 알맞은 낱말을 쓰세요.

• ☐☐☐ 을 이용할 때 지켜야 할 ☐☐

내용 이해

2 다음 중 보기 에서 설명하는 곳은 어디인가요? (   )

> **보기**
>
> 이곳은 여러 사람이 이용하는 곳으로, 읽고 싶은 책을 빌리거나 읽을 수 있는 곳입니다.

① 미술관   ② 도서관   ③ 체육관
④ 전시관   ⑤ 박물관

추론하기

3 이 글을 통해 답을 알 수 <u>없는</u> 질문은 무엇인가요? (   )

① 빌린 책을 잃어버렸을 때는 어떻게 해야 하나요?
② 도서관에서 지켜야 할 규칙에는 어떤 것이 있나요?
③ 책을 정해진 기한 안에 반납해야 하는 까닭은 무엇인가요?
④ 다 읽은 책을 정해진 곳에 두어야 하는 까닭은 무엇인가요?
⑤ 도서관 안에서 큰 소리로 떠들면 안 되는 까닭은 무엇인가요?

적용하기

4 다음 중 도서관에서 동생에게 해 줄 말로 알맞은 것은 무엇인가요? (   )

① (다 읽은 책을 주는 동생에게) "아무 곳에나 두면 돼."
② (빌린 책에 그림을 그리는 동생에게) "글자가 없는 부분에 그리렴."
③ (책을 빌릴 때 줄을 서지 않는 동생에게) "줄을 서지 말고 앞으로 가자."
④ (도서관에서 작은 소리로 말하는 동생에게) "잘 안 들리니까 크게 말해."
⑤ (여기저기 뛰어다니는 동생에게) "자리에 앉아. 책을 읽는 사람들에게 방해가 되잖아."

지문 분석

1 중심 내용

다음은 이 글의 중심 내용입니다. 빈칸에 들어갈 알맞은 말을 쓰세요.

> ❶☐☐☐은 책을 읽거나 빌릴 수 있는 곳이에요. 도서관에서 책을 대출하거나 반납할 때, 도서관 안에서 책을 읽을 때는 지켜야 할 ❷☐☐이 있어요. 도서관은 여러 사람이 함께 이용하는 곳이므로, 다른 사람을 ❸☐☐하는 마음을 가지고 질서와 규칙을 잘 지켜야 해요.

❶(   )   ❷(   )   ❸(   )

2 글의 구조

다음 표의 빈칸을 채워 이 글의 내용을 정리해 보세요.

도서관을 이용할 때 지켜야 할 규칙	
책을 대출하거나 반납할 때	**도서관 안에서 ❸☐을 읽을 때**
• 차례대로 ❶☐을 서야 함. • 빌렸던 책을 정해진 기한 안에 ❷☐☐해야 함.	• 큰 소리로 떠들거나 돌아다니면 안 됨. • 책을 더럽히거나 찢으면 안 됨. • 다 읽은 책은 반납하는 곳에 두어야 함.

❶(   )   ❷(   )   ❸(   )

배경지식 질서를 지켜야 하는 공공장소

휴지를 아무 데나 버리면 안 돼요.

뛰어다니거나 아무거나 만지면 안 돼요.

뛰어다니거나 장난을 치면 안 돼요.

오늘의 어휘

다음 낱말의 알맞은 뜻을 찾아 선으로 이으세요.

규칙 •   • (빌린 것을) 다시 돌려주는 것.

대출 •   • 바퀴를 달아서 굴러가게 만든 기구.

반납 •   • 어떤 일을 하기로 미리 정해 놓은 때.

기한 •   • 도서관에서 책이나 자료를 빌려주는 것.

수레 •   • 한 조직에 속한 여러 사람이 다 같이 지키기로 정한 법칙.

1 다음 문장의 빈칸에 들어갈 알맞은 말을 오늘의 어휘 에서 찾아 쓰세요.

• 도서관 [ ][ ]에 책이 가득 쌓여 있었다.

• 우리 스스로 학급의 [ ][ ]을 만들고 지키도록 해야 한다.

• 동생은 학교에서 [ ][ ]한 책이 재미있다며 밤새도록 읽었다.

• 나는 어제 유통 [ ][ ]이 지난 우유를 먹은 탓에 배가 너무 아팠다.

• 동생은 책을 제때 [ ][ ]하지 않아서 당분간 책을 빌릴 수 없게 되었다.

2 다음 밑줄 친 말과 뜻이 비슷한 말을 (   )에서 찾아 ○표를 하세요.

축구는 각각 11명으로 구성된 두 팀이 공을 가지고 정해진 <u>규율</u>을 지키며 하는 경기예요. 상대방의 골대로 공을 많이 넣은 팀이 승리하는 운동 경기이지요. 경기를 하는 방법이 간단해서 축구공 하나만 있으면 누구든 즐겁게 할 수 있는 운동 경기예요.

(규칙, 변칙, 반칙)

사회 **03**

지문분석

KEY WORD

병원의 종류

글자 수

516
200 400 600 800

ⓐ 의 종류

① 병원은 환자를 진찰하고 치료하는 곳이에요. 병원은 크게 1차, 2차, 3차 **의료 기관**으로 나눌 수 있어요.

② 1차 의료 기관은 환자의 **초기 진료**를 보는 병원이에요. 병이 생기지 않도록 미리 돕거나 간단한 치료를 해 주는 가장 기본적인 병원이지요. 이러한 1차 의료 기관에는 우리가 주변에서 흔히 볼 수 있는 의원이나 보건소 등이 있고, 병원의 수도 2, 3차 의료 기관보다 훨씬 많아요.

③ 2차 의료 기관은 네 개 이상의 진료 과목을 갖추고 있는 병원이에요. 환자가 진료를 받으러 찾아오거나, 병을 치료하기 위해 **입원**할 수 있는 시설이 갖춰져 있는 병원이지요. 2차 의료 기관은 최소 30명 이상의 환자를 받을 수 있는 병실과 의사, 간호사 등을 갖추고 있어요.

④ 3차 의료 기관은 진료 과목이 많고 1, 2차 의료 기관에서 치료가 어렵거나 **위급한** 환자들이 진료를 받을 수 있는 병원이에요. 밤에도 진료가 가능한 **응급실**도 있어서 언제든지 환자가 치료받을 수 있지요. 3차 의료 기관은 500명 이상의 환자를 받을 수 있는 아주 큰 병원이에요.

5

10

15

- **의료 기관** 의사가 병을 치료하는 기관.
- **초기**(初 처음 초, 期 기약할 기) 어떤 기간이나 일의 처음이 되는 때.
- **진료** 의사가 환자를 진찰하고 치료하는 일.
- **입원**(入 들 입, 院 집 원) 환자가 병을 고치기 위하여 일정 기간 동안 병원에 들어가서 머무는 것.
- **위급한** 몹시 위태롭고 급한.
- **응급실** 병원 같은 데서 환자의 응급 처치를 할 수 있는 시설을 갖추어 놓은 방.

지문 독해

제목

1 ㉠에 들어갈 알맞은 낱말을 넣어 이 글의 제목을 완성하세요.

• ☐☐의 종류

내용 이해

2 다음 중 이 글의 내용으로 알맞은 것을 두 가지 고르세요. (,   )

① 병원은 환자를 진찰하고 치료하는 곳이다.
② 2차 의료 기관은 환자의 초기 진료를 담당한다.
③ 병원의 수가 가장 많은 것은 2차 의료 기관이다.
④ 1차 의료 기관은 병이 생기지 않도록 돕는 일만 한다.
⑤ 의원이나 보건소는 환자의 초기 진료를 보는 기관이다.

내용 이해

3 다음 중 3차 의료 기관에 대한 설명으로 알맞지 <u>않은</u> 것은 무엇인가요?

(   )

① 진료하는 과목이 많은 병원이다.
② 500명 이상의 환자를 받을 수 있다.
③ 밤에는 진료를 하지 않기 때문에 낮에만 갈 수 있다.
④ 위급한 환자를 언제든지 받을 수 있는 응급실이 있다.
⑤ 1, 2차 의료 기관에서 치료가 어려운 환자들이 찾아가는 곳이다.

적용하기

4 다음 중 병원에 가야 할 사람과 가야 할 병원이 알맞게 짝 지어진 것을 두 가지 찾아 ○표를 하세요.

(1) 밤에 갑자기 열이 나고 아픈 사람: 3차 의료 기관 (   )
(2) 자전거를 타다 넘어져 무릎에서 피가 나는 사람: 3차 의료 기관 (   )
(3) 눈이 건강한 상태인지 검사를 받아 보려는 사람: 1차 의료 기관 (   )

지문 분석

1 글의 특징 다음은 이 글의 특징입니다. 빈칸에 들어갈 알맞은 말을 쓰세요.

> 이 글은 병원의 종류를 1, 2, 3차 ❶ ☐☐☐ 으로 나누어 설명하는 글이에요. 병원은 환자를 진찰하고 ❷ ☐☐ 하는 곳으로 1, 2, 3차 의료 기관으로 나뉘어요. 병원의 수가 가장 많은 것은 1차 의료 기관이고, 병원의 크기가 가장 큰 것은 ❸ ☐☐ 의료 기관이에요.

❶(   )   ❷(   )   ❸(   )

2 글의 구조 다음 표의 빈칸을 채워 이 글의 내용을 정리해 보세요.

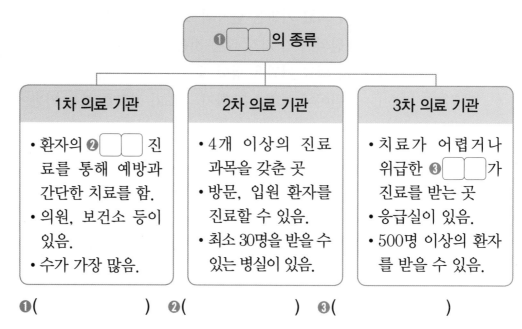

❶ ☐☐ 의 종류

1차 의료 기관	2차 의료 기관	3차 의료 기관
• 환자의 ❷ ☐☐ 진료를 통해 예방과 간단한 치료를 함. • 의원, 보건소 등이 있음. • 수가 가장 많음.	• 4개 이상의 진료 과목을 갖춘 곳 • 방문, 입원 환자를 진료할 수 있음. • 최소 30명을 받을 수 있는 병실이 있음.	• 치료가 어렵거나 위급한 ❸ ☐☐ 가 진료를 받는 곳 • 응급실이 있음. • 500명 이상의 환자를 받을 수 있음.

❶(   )   ❷(   )   ❸(   )

배경지식 진료를 위해 가야 하는 알맞은 병원

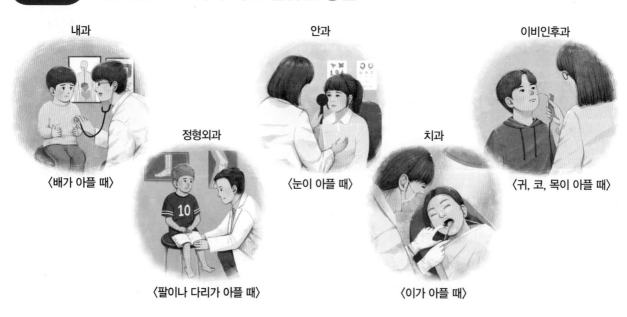

내과 〈배가 아플 때〉

안과 〈눈이 아플 때〉

이비인후과 〈귀, 코, 목이 아플 때〉

정형외과 〈팔이나 다리가 아플 때〉

치과 〈이가 아플 때〉

오늘의 어휘

다음 낱말의 알맞은 뜻을 찾아 선으로 이으세요.

의료 기관 •

초기 •

진료 •

위급한 •

응급실 •

• 몹시 위태롭고 급한.

• 의사가 병을 치료하는 기관.

• 어떤 기간이나 일의 처음이 되는 때.

• 의사가 환자를 진찰하고 치료하는 일.

• 병원 같은 데서 환자의 응급 처치를 할 수 있는 시설을 갖추어 놓은 방.

1 다음 문장의 빈칸에 들어갈 알맞은 말을 오늘의 어휘 에서 찾아 쓰세요.

• 의원이나 보건소는 1차 ☐☐☐☐ 이다.

• 동생은 이가 아파서 치과에 가서 ☐☐ 를 받았다.

• 할머니께서 ☐☐☐ 상태여서 구급차를 불렀다.

• 감기에 걸리면 ☐☐ 에 약을 먹고 잘 쉬어야 빨리 나을 수 있다.

• 나는 새벽에 갑자기 배가 아파서 ☐☐☐ 에 가서 진료를 받았다.

2 다음 밑줄 친 말과 뜻이 반대되는 말을 ( )에서 찾아 ○표를 하세요.

옛날 조선 시대에 살았던 양반들은 쉴 때 주로 시조를 지어 불렀어요. 시조란 짧은 길이의 노래를 말해요. 하지만 조선 말기로 갈수록 양반들뿐만이 아니라 서민들도 시조를 부르기 시작했지요.

(후기, 시기, 초기)

⑤ 과 ⑥ 이 하는 일

KEY WORD
경찰관, 소방관

글자 수
563
200 400 600 800

1 우리가 안전하게 학교에 다니고 친구들과 재미있게 놀고 편안히 잠들 수 있는 것은 우리를 지켜 주는 고마운 분들이 있기 때문이에요. 우리를 지켜 주는 고마운 분들 중 경찰관과 소방관에 대해 알아볼까요?

2 경찰관은 국민의 생명과 재산을 **범죄자**로부터 보호하는 일을 해요. 또한 도둑질, **사기** 등의 범죄가 일어났을 때 **수사**를 해서 범인을 잡지요. 경찰관은 범죄가 일어나지 않도록 미리 예방하기 위해 동네를 **순찰**하는 일도 해요. 그리고 교통사고를 미리 예방하기 위해서 교통 **단속**을 하기도 하지요.

3 소방관은 국민의 생명과 재산을 화재나 자연재해로부터 보호하는 일을 해요. 소방관은 불이 났을 때 빠르게 출동하여 불을 꺼요. 또한 불이 나는 것을 미리 예방하기 위해 학교나 병원, 마트 등에 있는 소방 시설의 안전 **점검**을 하기도 하지요. 그리고 홍수, 산사태 등의 자연재해나 건물이 무너지는 큰 사고가 발생했을 때 위급한 환자를 구하고 병원에 옮기는 역할도 하지요.

4 이처럼 경찰관과 소방관은 우리의 생명과 재산을 보호하고, 우리가 안전하게 지낼 수 있도록 지켜 주는 분들이에요. 모두 나라의 **평화**와 질서를 **유지**하기 위해 노력하시는 고마운 분들이지요.

5

10

15

- **범죄자** 죄를 저지른 사람.
- **사기** 나쁜 꾀로 남을 속임.
- **수사**(搜 찾을 수, 査 사실할 사) 국가 기관에서 범인을 찾기 위해 조사하는 일.
- **순찰** 재해나 범죄를 예방하기 위하여 여러 곳을 두루 돌아다니며 사정을 살피는 것.
- **단속** 법률·규칙·명령 등을 어기지 않게 통제하는 것.
- **점검** 낱낱이 검사함. 또는 그런 검사.
- **평화**(平 평평할 평, 和 화목할 화) 평온하고 화목함.
- **유지** 어떤 상태나 상황을 그대로 보존하거나 변함없이 계속하여 지탱함.

지문 독해

1 ㉠과 ㉡에 들어갈 알맞은 낱말을 넣어 이 글의 제목을 완성하세요.

• ☐☐☐ 과 ☐☐☐ 이 하는 일

내용 이해

2 다음 중 경찰관과 소방관이 하는 일의 같은 점을 두 가지 찾아 ○표를 하세요.

(1) 불 끄기 ( )
(2) 범죄를 수사하기 ( )
(3) 나라의 평화와 질서 유지하기 ( )
(4) 국민의 생명과 재산을 보호하기 ( )

적용하기

3 다음 중 소방관이 필요한 때로 알맞은 것은 무엇인가요? ( )

① 집에 도둑이 들었을 때
② 나쁜 사람에게 사기를 당했을 때
③ 큰 사고로 위급한 환자가 발생했을 때
④ 길에 쓰레기나 담배꽁초를 함부로 버리는 사람이 있을 때
⑤ 교통질서를 지키지 않는 사람이 많아서 도로가 혼잡할 때

추론하기

4 다음 중 이 글을 읽고 답을 알 수 <u>없는</u> 질문은 무엇인가요? ( )

① 경찰관이 하는 일은 무엇인가요?
② 소방관이 하는 일은 무엇인가요?
③ 범죄를 예방하기 위해 경찰관이 하는 일은 무엇인가요?
④ 화재를 예방하기 위해 소방관이 하는 일은 무엇인가요?
⑤ 경찰관과 소방관이 되기 위해서는 무엇을 준비해야 하나요?

지문 분석

1 글의 특징 **다음은 이 글의 특징입니다. 빈칸에 들어갈 알맞은 말을 쓰세요.**

> 이 글은 경찰관과 소방관이 하는 일을 설명하는 글이에요. 경찰관과 소방관은 모두 국민의 생명과 재산을 ❶ ☐☐ 하는 일을 하는 분들로, 경찰관은 범인을 잡는 일이나 범죄를 예방하는 일, 소방관은 ❷ ☐ 을 끄거나 화재를 예방하는 일을 하지요. 모두 ❸ ☐☐ 의 평화와 질서를 유지하기 위해 노력하는 분들이에요.

❶(   )   ❷(   )   ❸(   )

2 글의 구조 **다음 표의 빈칸을 채워 이 글의 내용을 정리해 보세요.**

우리를 지켜 주는 고마운 분들

❶ ☐☐☐	❷ ☐☐☐
• 범죄를 예방하기 위해 순찰함. • 범죄가 발생했을 때 수사를 통해 범인을 잡음. • 교통사고 예방을 위해 교통 단속을 함.	• 불이 났을 때 출동하여 불을 끔. • 화재 ❸ ☐☐ 을 위해 소방 시설을 점검함. • 자연재해나 사고가 났을 때 위급한 환자를 병원으로 옮김.

❶(   )   ❷(   )   ❸(   )

배경지식   경찰차와 소방차

경찰차   경고등   구명부표   안전등   안테나   칸막이   구급상자   소화기   바리케이드 테이프

소방차 – 펌프차

소방차 – 물탱크차

오늘의 어휘

다음 낱말의 알맞은 뜻을 찾아 선으로 이으세요.

사기 •   • 평온하고 화목함.

수사 •   • 나쁜 꾀로 남을 속임.

순찰 •   • 낱낱이 검사함. 또는 그런 검사.

점검 •   • 국가 기관에서 범인을 찾기 위해 조사하는 일.

평화 •   • 재해나 범죄를 예방하기 위하여 여러 곳을 두루 돌아다니며 사정을 살피는 것.

1 다음 문장의 빈칸에 들어갈 알맞은 말을 오늘의 어휘 에서 찾아 쓰세요.

• 군인은 나라의 ☐☐를 지키기 위해 열심히 일한다.

• 얼마 전에 옆집 아저씨는 범죄자에게 ☐☐를 당하셨다.

• 도둑질한 사람이 누구인지는 ☐☐를 통해 밝혀질 것이다.

• 우리 동네 경찰관 아저씨들은 밤마다 동네 곳곳을 ☐☐하신다.

• 장비들이 고장 나는 것을 막기 위해서는 정기적으로 ☐☐을 해야 한다.

2 다음 밑줄 친 말과 뜻이 비슷한 말을 ( )에서 찾아 ○표를 하세요.

속임수에는 흔히 하얀 속임수와 검은 속임수가 있다고 해요. 하얀 속임수는 마술이나 개그 프로그램에서 볼 수 있는 기발한 재치이지만, 검은 속임수는 못된 꾀를 사용하여 남을 속이는 것으로 범죄이지요.

(사기, 오기, 각오)

KEY WORD

온돌

글자 수

553
200 400 600 800

온돌은 무엇일까요?

1 우리나라는 **사계절**이 뚜렷해서 여름에는 덥고 겨울에는 춥지요. 온돌은 우리 조상들이 겨울에 추위를 이기기 위해 만들어 낸 **독창적**이고 과학적인 **난방** 장치예요.

2 온돌방은 어떻게 만들까요? 먼저 방 옆쪽에 구멍을 뚫어서 불을 땔 수 있는 **아궁이**를 만들어야 해요. 그리고 방고래를 만들어요. 방고래는 아궁이에서 땐 불길과 연기가 나가는 길이에요.

3 그다음엔 구들장을 만들어야 해요. '구들'은 '구운 돌'에서 나온 말이에요. 넓고 평평한 돌인 구들장은 방고래 위에 만들어야 해요. 그래서 구들장을 만들 때는 방고래 둘레에 구들장을 받칠 수 있는 두둑도 만들지요.

4 마지막으로 만들어 놓은 구들장 위에 흙을 발라 방바닥을 만들어요. 온돌방 옆에는 굴뚝을 만들어서 연기가 빠져나오는 길도 만들어야 하지요.

5 이제 아궁이에 불을 때면 연기와 함께 들어온 뜨거운 공기가 방고래를 지나면서 구들장을 뜨겁게 **달궈** 주지요. 그러면 방바닥이 따뜻해져요.

6 이러한 온돌의 구조로 온돌방은 사람이 앉았을 때 머리 쪽은 차갑고, 엉덩이 쪽은 따뜻한 쾌적한 환경이 되어요. 이렇게 온돌은 아주 자랑스럽고 **우수한** 우리의 문화예요.

- **사계절**(四 넉 사, 季 계절 계, 節 마디 절) 봄·여름·가을·겨울의 네 철.
- **독창적** 다른 것을 본뜨거나 본받는 것 없이 새로운 것을 처음으로 만들어 내거나 생각해 내는 것.
- **난방** 방이나 건물 안을 따뜻하게 하는 일.
- **아궁이** 방이나 가마솥 등을 덥히려고 불을 피우는 구멍.
- **달궈** 철이나 돌에 불을 대어 뜨겁게 하여.
- **우수한** 뛰어난.

지문 독해

핵심어

1 이 글에서 가장 중심이 되는 낱말을 **보기** 에서 찾아 쓰세요.

> **보기**
>
> 사계절,   문화,   난방 장치,   온돌

(   )

내용 이해

2 다음 **보기** 에서 설명하는 것은 무엇인가요? (   )

> **보기**
>
> '구운 돌'에서 나온 말로, 온돌방을 만들 때 쓰는 넓고 평평한 돌

① 굴뚝   ② 두둑   ③ 방고래
④ 구들장   ⑤ 아궁이

추론하기

3 다음 중 이 글을 읽고 답을 알 수 없는 질문은 무엇인가요? (   )

① 온돌이란 무엇인가요?
② 온돌은 어떤 구조인가요?
③ 온돌은 언제까지 사용했나요?
④ 온돌의 우수한 점은 무엇인가요?
⑤ 온돌방은 어떤 방법으로 따뜻해지나요?

적용하기

4 이 글을 읽고 온돌에 대해 바르게 소개한 친구는 누구인가요? (   )

① 기정: 온돌은 더운 지방에 알맞은 난방 장치예요.
② 혜정: 온돌방에는 연기가 빠져나가는 길이 없기 때문에 조심해야 해요.
③ 예지: 구들장 위에 두둑을 세워서 방고래를 만들기 때문에 방바닥이 따뜻
　　해요.
④ 동욱: 온돌방은 머리 쪽은 차갑고 엉덩이 쪽은 따뜻해서 앉아서 생활하기
　　에 쾌적해요.
⑤ 민주: 온돌은 외국에서 들어온 문화이지만, 우리의 문화로 자리 잡혀서
　　이어져 왔어요.

지문 분석

1 문단 요약 다음은 이 글에 나타난 각 문단의 중심 내용입니다. 알맞은 것에 ○표, 틀린 것에 ✕표를 하세요.

1문단	우리나라의 독창적인 난방 장치인 온돌	( )
2~**5**문단	온돌의 구조와 난방 원리	( )
6문단	오늘날의 난방 장치	( )

2 글의 구조 다음 표의 빈칸을 채워 이 글의 내용을 정리해 보세요.

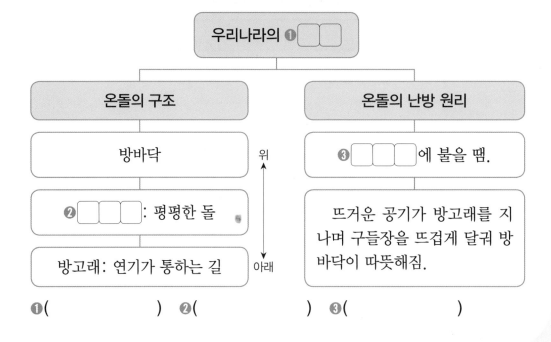

❶(   )   ❷(   )   ❸(   )

배경지식 **우리 조상들의 여름 나기, '마루'**

마루는 집 안의 땅바닥보다 높게 널빤지를 깔아 놓은 곳으로, 우리 조상들이 여름에 더위를 이기기 위해 집에 바람이 잘 통하도록 만든 공간이에요.

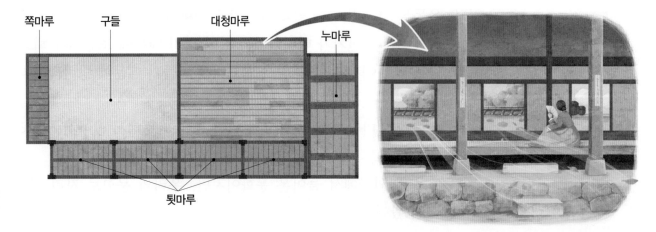

오늘의 어휘

다음 낱말의 알맞은 뜻을 찾아 선으로 이으세요.

독창적 •

난방 •

아궁이 •

달궈 •

우수한 •

• 뛰어난.

• 철이나 돌에 불을 대어 뜨겁게 하여.

• 방이나 건물 안을 따뜻하게 하는 일.

• 방이나 가마솥 등을 덥히려고 불을 피우는 구멍.

• 다른 것을 본뜨거나 본받는 것 없이 새로운 것을 처음으로 만들어 내거나 생각해 내는 것.

1 다음 문장의 빈칸에 들어갈 알맞은 말을 오늘의 어휘 에서 찾아 쓰세요.

• 추운 곳일수록 ☐☐ 장치를 잘 갖춰야 한다.

• 옛날에는 ☐☐☐ 에 불을 피워 밥을 해 먹었다.

• 대장간은 쇠를 ☐☐ 호미나 낫 등을 만드는 곳이다.

• 친구가 페트병을 이용해서 ☐☐☐ 인 화분을 만들었다.

• 온돌과 같이 ☐☐☐ 우리나라의 문화를 세계에 알려야 한다.

2 다음 밑줄 친 말과 뜻이 반대되는 말을 ( )에서 찾아 ○표를 하세요.

옛날과 달리 오늘날에는 냉방 시설이 매우 발달해 있어요. 그래서 더운 여름도 시원하게 보낼 수 있지요. 하지만 이러한 시설로 인해 에너지 사용이 많아져서 환경이 오염되는 심각한 문제가 발생하고 있어요.

(순환, 환기, 난방)

KEY WORD

배추김치

글자 수

568

200 400 600 800

배추김치를 만들어 볼까요?

1 김치는 오래전부터 이어져 온 우리나라의 **전통** 음식이에요. 김치는 배추나 무 등을 고춧가루와 다양한 양념과 뒤섞어서 만드는 것으로, 각종 **영양소**가 풍부한 **발효** 식품이지요. 김치는 재료에 따라 만드는 방법과 종류가 매우 다양해요. 그중 가장 대표적인 김치는 바로 배추김치예요. 배추김치를 만드는 방법을 알아볼까요?

2 배추김치를 만들 때는 가장 먼저 배추에 소금을 뿌려 두어야 해요. 이렇게 소금에 절이면 배추 안에 들어 있던 물이 적당히 빠지면서 짭짤한 소금의 맛이 배게 되어요. 적당히 소금에 절여진 배추는 깨끗하게 씻은 뒤에 물기를 빼 두어야 해요.

3 그다음엔 배추의 잎 사이사이에 바를 양념인 **소**를 만들어야 해요. 소는 무를 가늘고 길게 자른 뒤 여기에 고춧가루, 파, 마늘 등의 양념을 잘 섞어서 만들어요. 그런 다음 물기를 뺀 배춧잎 사이사이에 만들어진 소를 골고루 잘 발라 넣어요.

4 마지막으로 소를 넣은 배추김치를 담아 두고 잘 익혀야 해요. 김치는 소금의 **농도**가 높을수록 익는 데 시간이 많이 걸려요. 익는 과정에서 김치의 나쁜 균은 줄어들고, 우리 몸에 좋은 **유산균**들이 많아지며 맛도 아주 좋아져요.

5

10

15

- **전통** 어떤 집단이나 공동체에서, 예로부터 이어 내려오는 습관.
- **영양소** 생물의 영양이 되는 물질. 사람에게 필요한 영양소는 탄수화물·지방·무기질·물·비타민 등이 있음.
- **발효** 효모·세균·곰팡이 등의 작용으로 유기물을 분해시키는 현상.
- **소** 만두나 찐빵과 같은 음식 속에 넣어 맛을 내는 여러 가지 재료.
- **농도** 액체 등의 짙은 정도.
- **유산균** 우리 몸에서 나쁜 세균을 물리쳐서 건강하게 만들어 주는 세균.

지문 독해

핵심어

1 이 글에서 가장 중심이 되는 낱말을 보기 에서 찾아 쓰세요.

보기

양념,   발효,   유산균,   김치

(   )

내용 이해

2 다음 중 이 글의 내용으로 알맞지 <u>않은</u> 것은 무엇인가요? (   )

① 김치는 발효 식품이다.

② 김치는 익을수록 맛이 좋다.

③ 모든 김치는 담그는 방법이 같다.

④ 김치에는 각종 영양소가 들어 있다.

⑤ 김치의 소에는 다양한 양념이 들어간다.

내용 이해

3 다음 중 배추김치를 만드는 과정으로 알맞은 것은 무엇인가요? (   )

① 소 만들기 → 소 넣기 → 배추 소금에 절이기 → 익히기

② 소 만들기 → 익히기 → 배추 소금에 절이기 → 소 넣기

③ 배추 소금에 절이기 → 소 만들기 → 소 넣기 → 익히기

④ 배추 소금에 절이기 → 소 넣기 → 소 만들기 → 익히기

⑤ 소 넣기 → 배추 소금에 절이기 → 소 만들기 → 익히기

적용하기

4 친구들과 모둠별로 김치를 담그려고 합니다. 알맞게 말한 친구는 누구인가요?

(   )

① 하진: 음식은 오래 두면 상하니까, 김치도 되도록 빨리 먹어 치우자.

② 서현: 소금에 절이는 과정이 중요하니까 무조건 오래오래 절여 두자.

③ 시온: 짠 음식은 몸에 좋지 않으니까 배추를 소금에 절이지 말고 김치 소
만 넣자.

④ 윤재: 배추김치는 익는 과정에서 나쁜 균이 줄어드니까 만든 김치를 잘
익혀서 먹자.

⑤ 동욱: 김치는 시간이 지나면 우리 몸에 좋은 유산균이 없어지니까 담그자
마자 바로 먹자.

지문 분석

1 문단 요약 다음은 이 글에 나타난 각 문단의 중심 내용입니다. 알맞은 것에 ○표, 틀린 것에 ×표를 하세요.

1문단	계절에 따른 김치의 종류	( )
2문단	배추김치 만들기: 배추를 소금에 절이기	( )
3문단	배추김치 만들기: 소를 만들어 배춧잎 사이에 넣기	( )
4문단	배추김치 만들기: 김치를 만들자마자 바로 먹기	( )

2 글의 구조 다음 표의 빈칸을 채워 이 글의 내용을 정리해 보세요.

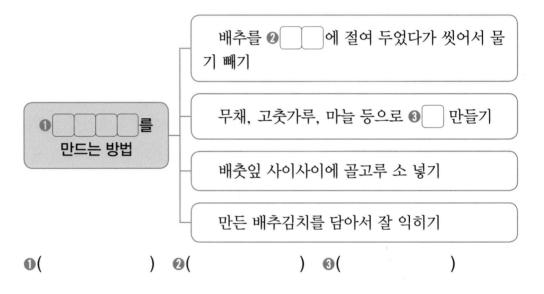

❶□□□□를
만드는 방법

배추를 ❷□□에 절여 두었다가 씻어서 물기 빼기

무채, 고춧가루, 마늘 등으로 ❸□ 만들기

배춧잎 사이사이에 골고루 소 넣기

만든 배추김치를 담아서 잘 익히기

❶( ) ❷( ) ❸( )

배경지식 배추김치를 만드는 과정을 그림으로 살펴보아요

배추를 소금에 절여 두어요.   소를 만들어요.   배춧잎 사이사이에 소를 넣어요.   배추김치를 잘 익혀요.

오늘의 어휘

다음 낱말의 알맞은 뜻을 찾아 선으로 이으세요.

전통 •　　　• 액체 등의 짙은 정도.

발효 •　　　• 어떤 집단이나 공동체에서, 예로부터 이어 내려오는 습관.

소 •　　　• 만두나 찐빵과 같은 음식 속에 넣어 맛을 내는 여러 가지 재료.

농도 •　　　• 우리 몸에서 나쁜 세균을 물리쳐서 건강하게 만들어 주는 세균.

유산균 •　　　• 효모·세균·곰팡이 등의 작용으로 유기물을 분해시키는 현상.

1 다음 문장의 빈칸에 들어갈 알맞은 말을 오늘의 어휘 에서 찾아 쓰세요.

• 김치는 ⬚⬚ 될수록 신맛이 난다.

• 줄다리기는 우리나라의 ⬚⬚ 놀이이다.

• 소금물은 ⬚⬚ 가 높을수록 짠맛이 난다.

• 요구르트에는 ⬚⬚⬚ 이 많이 들어 있다.

• 밀가루 반죽으로 만든 얇은 만두피에 ⬚ 를 넣고 만두를 만들었다.

2 다음 밑줄 친 말과 뜻이 비슷한 말을 (　　　　)에서 찾아 ○표를 하세요.

　　조선 시대 화가들은 물과 먹을 이용해서 그림을 그렸어요. 검은 먹을 벼루에 갈아서 먹물을 만들고, 화선지에 그림을 그릴 때에는 물로 색의 짙은 정도를 맞췄어요. 물의 양에 따라 진하고 묽음의 정도가 달라졌지요.

(반도, 농도, 온도)

KEY WORD

독도는 우리 땅

글자 수

550

200 400 600 800

독도는 우리 땅!

1 독도는 동쪽 끝에 있는 우리나라의 땅이에요. 그런데 일본은 독도가 일본의 땅이라고 **주장**해요. 독도가 왜 우리나라의 땅인지 알아볼까요?

2 우리나라의 과거 역사를 살펴보면 독도가 우리나라의 땅이라는 점을 잘 알 수 있어요. 1454년 조선 시대에 만들어진 『세종실록지리지』라는 책에 독도가 우리 땅이라는 내용이 나와요. 그리고 〈팔도총도〉라는 우리나라의 지도에도 독도가 표시되어 있지요. 또한 1900년에 이미 우리나라는 '칙령 제41호'를 발표해서 독도가 울릉도에 속한 우리나라의 땅이라는 것을 분명하게 밝혔어요.

3 이러한 상황에도 일본은 1905년에 독도가 일본의 땅이라는 **억지** 주장을 펼쳤어요. 하지만 일본에는 독도가 일본의 땅이라고 **기록된 공식 문서**가 없어요. 오히려 1877년에 쓰인 일본의 한 문서에서는 독도가 일본의 땅이 아님을 명확히 밝히고 있지요.

4 일본은 현재도 독도가 일본의 땅이라는 억지 주장을 계속 펼치고 있어요. 따라서 우리는 우리의 땅인 독도를 **보존**하고 지키기 위해서 독도에 대한 **지식**과 이해를 넓히고 독도에 많은 관심을 가져야 해요.

5

10

15

- **주장** 자기의 생각이나 의견을 내세우는 것. 또는 그런 의견이나 이론.
- **억지** 자신의 생각이나 행동을 무리하게 내세우려는 고집.
- **기록된** 어떤 생각이나 사실에 대하여 적는 것 또는 그 글.
- **공식** 국가나 사회적으로 인정된 방식이나 형식.
- **문서** 어떤 일의 참고나 증명이 되는 내용을 적은 종이.
- **보존** 중요하거나 가치가 있는 것을 잘 보살펴서 그대로 남아 있게 하는 것.
- **지식** 연구하거나 교육받거나 체험해서 알게 된 내용.

지문 독해

1 이 글에서 가장 중심이 되는 낱말을 보기 에서 찾아 쓰세요.

> **보기**
>
> 독도,   울릉도,   우리 땅,   일본

(   )

목적

2 다음 중 글쓴이가 이 글을 쓴 까닭으로 알맞은 것을 두 가지 찾아 ○표를 하세요.

⑴ 독도에 관심을 가져야 한다고 말하기 위해서   (   )

⑵ 독도가 우리나라의 땅인 까닭을 설명하기 위해서   (   )

⑶ 독도가 일본의 땅이라는 기록이 담긴 문서가 있다는 것을 알리기 위해서

(   )

내용 이해

3 다음 중 이 글에서 알 수 있는 독도가 우리나라의 땅인 까닭으로 알맞지 <u>않은</u> 것은 무엇인가요? (   )

① 독도가 일본의 땅이라는 공식 문서는 발견되지 않았다.

② 우리나라의 옛 지도인 〈팔도총도〉에 독도가 표시되어 있다.

③ 『세종실록지리지』에 독도가 우리나라의 땅이라고 되어 있다.

④ 일본의 여러 문서에도 독도가 우리나라의 땅이라고 되어 있다.

⑤ 우리나라는 '칙령 제41호'에서 독도가 우리나라의 땅임을 밝혔다.

추론하기

4 다음 중 우리가 독도에 관심을 가져야 하는 까닭으로 알맞은 것은 무엇인가요?

(   )

① 독도에 수많은 사람이 살고 있기 때문이다.

② 독도가 사람들로 인해 오염되었기 때문이다.

③ 우리나라의 땅이 된 지 얼마 안 되었기 때문이다.

④ 독도에 대한 문제가 학교 시험에 자주 나오기 때문이다.

⑤ 우리나라의 땅인 독도를 빼앗기지 않고 지켜야 하기 때문이다.

지문 분석

1 문단 요약   다음은 이 글에 나타난 각 문단의 중심 내용입니다. 알맞은 것에 ○표, 틀린 것에 ×표를 하세요.

1 문단	독도 이름의 유래	( )
2 문단	독도가 우리나라의 땅인 까닭	( )
3 문단	독도가 일본의 땅이라는 주장이 억지인 까닭	( )
4 문단	독도에 대한 지식을 키울 수 있는 곳	( )

2 글의 구조   다음 표의 빈칸을 채워 이 글의 내용을 정리해 보세요.

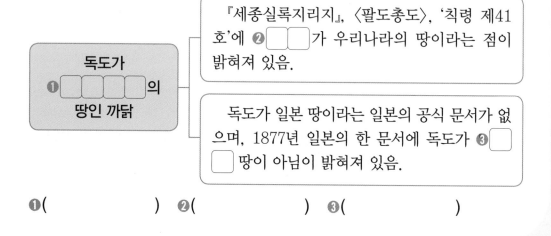

독도가 ❶ ☐☐☐☐ 의 땅인 까닭

『세종실록지리지』, 〈팔도총도〉, '칙령 제41호'에 ❷ ☐☐ 가 우리나라의 땅이라는 점이 밝혀져 있음.

독도가 일본 땅이라는 일본의 공식 문서가 없으며, 1877년 일본의 한 문서에 독도가 ❸ ☐☐ 땅이 아님이 밝혀져 있음.

❶( )   ❷( )   ❸( )

배경지식   독도의 모습

독도는 두 개의 섬으로 이루어진 섬이에요. 경상북도 울릉군에 속한 독도는 대한민국 정부 소유의 국유지로, 천연기념물 제336호로 지정되어 있지요.

탕진봉 / 삼형제굴바위 / 한반도바위 / 서도 / 동도 / 촛대바위 / 얼굴바위

다음 낱말의 알맞은 뜻을 찾아 선으로 이으세요.

주장 •

• 국가나 사회적으로 인정된 방식이나 형식.

억지 •

• 어떤 생각이나 사실에 대하여 적는 것. 또는 그 글.

기록된 •

• 자신의 생각이나 행동을 무리하게 내세우려는 고집.

공식 •

• 자기의 생각이나 의견을 내세우는 것. 또는 그런 의견이나 이론.

보존 •

• 중요하거나 가치가 있는 것을 잘 보살펴서 그대로 남아 있게 하는 것.

1 다음 문장의 빈칸에 들어갈 알맞은 말을 오늘의 어휘 에서 찾아 쓰세요.

• 독도가 우리 땅이라는 ☐☐ 문서가 많이 있다.

• 동생은 과자를 다 먹고는 더 달라며 ☐☐ 를 부렸다.

• 우리나라의 문화재가 망가지지 않도록 잘 ☐☐ 해야 한다.

• 나는 공부를 잘하기 위해서 컴퓨터가 필요하다고 ☐☐ 했다.

• 일기에 ☐☐☐ 날씨를 보니 지난주에는 비가 많이 왔었다.

2 다음 밑줄 친 말과 뜻이 비슷한 말을 ( )에서 찾아 ○표를 하세요.

나는 어제 가족들과 시장에 장을 보러 갔다. 시장에는 맛있는 것들이 아주 많이 있었다. 내가 좋아하는 생선과 과일을 샀다. 부모님께서는 우리에게 꽈배기를 사 주셨다. 그런데 동생은 호빵도 사 달라며 <u>생떼</u>를 부렸다. 하지만 부모님께서는 곧 저녁을 먹어야 한다고 사 주지 않으셨다. 그러자 동생이 울어서 창피했다. 동생은 참 못 말린다.

(엉망, 억지, 억압)

흥인지문을 구경해요

1 조선 시대의 **도읍**은 지금의 서울이 있는 곳인 **한양**이었어요. 당시 한양을 보호하기 위해 사대문이 세워졌는데 이 네 개의 대문이 동대문인 흥인지문, 서대문인 돈의문, 남대문인 숭례문, 북대문인 숙정문이에요. 이 중 흥인지문을 자세히 알아볼까요?

2 동쪽에 있는 성문인 흥인지문은 조선을 세운 이성계가 한양으로 도읍을 옮긴 1396년에 만들어진 것이에요. 흥인지문은 세 글자인 다른 문의 이름과 달리 네 글자로 되어 있어요. 당시 흥인지문을 지을 때 사람들은 한양 동쪽 땅의 기운이 약하다고 생각하였어요. 그래서 땅의 기운을 높이기 위해 **산맥**을 뜻하는 한자인 '지(之)'라는 글자를 더 넣어서 이름을 지은 것이에요.

3 흥인지문에는 돌을 쌓아 만든 머리띠 모양의 성문인 홍예문이 있고, 성문 위에는 사방이 탁 트인 다락집인 **문루**로 이루어져 있어요. 그리고 문 바깥쪽에 반달 모양의 벽인 옹성이 있어요. 옹성은 한양의 여

문루

홍예문

▲ 흥인지문

러 문 중에 유일하게 흥인지문에만 있는 것으로, **외적**이 쉽게 넘어오지 못하도록 **방어**하기 위해 지은 것이에요.

4 흥인지문뿐만 아니라 모든 성문은 아주 중요한 곳이었어요. 특히 한양에는 임금이 살고 있는 궁궐과 나라의 중요한 시설들이 있었기 때문에 성문 출입을 엄격히 **제한**하기도 하였지요.

- **도읍** 한 나라의 중앙 정부가 있는 곳.
- **한양** 조선 시대에 '서울'을 이르던 이름.
- **산맥** 많은 산들이 길게 이어져 줄기 모양을 하고 있는 것.
- **문루** 성문 등의 바깥문 위에 높이 지은 다락집.
- **외적** 외부에서 쳐들어오는 적.
- **방어** 상대편의 공격을 막는 것.
- **제한** 일정한 한계나 범위를 넘지 못하게 막는 것.

지문 독해

1 이 글에서 가장 중심이 되는 낱말을 보기 에서 찾아 쓰세요.

> 보기
>
> 홍인지문,   돈의문,   숭례문,   숙정문

(   )

내용 이해

2 다음 중 한양의 다른 성문들과 달리 흥인지문만이 가진 특징을 두 가지 찾아 ○ 표를 하세요.

(1) 이름의 글자 수   (   )

(2) 한양에 지어진 까닭   (   )

(3) 반달 모양의 벽인 옹성   (   )

적용하기

3 다음은 이 글을 읽고, 흥인지문에 대해 발표하려고 쓴 글입니다. 알맞지 <u>않은</u> 것은 무엇인가요? (   )

> 제목: 흥인지문
>
> 발표 학생: 송하율
>
> ①흥인지문은 오늘날 '동대문'으로 불립니다. ②흥인지문은 이성계가 도읍을 한양으로 옮긴 1396년 지어졌습니다. ③흥인지문은 홍예문, 문루, 옹성으로 이루어져 있습니다. ④다른 성문과 달리 흥인지문에만 옹성이 지어져 있는데 이것은 외적들이 쉽게 넘어오지 못하도록 하려고 지은 것입니다. 또한 ⑤흥인지문은 중요한 한양을 지키는 곳이었기 때문에 문을 잠가 두고 아무도 오가지 못하게 했습니다. 이상으로 발표를 마치겠습니다.

추론하기

4 이 글을 읽고 알 수 있는 조선 시대 한양에 대한 설명으로 알맞은 것은 무엇인가요? (   )

① 한양에는 궁궐과 중요한 시설들이 있었다.

② 한양의 성문은 모두 같은 구조로 지어졌다.

③ 한양을 보호하는 성문은 흥인지문 하나였다.

④ 땅의 기운이 약한 곳이 성문을 짓기에 좋은 곳이라 생각했다.

⑤ 한양에 있는 성문은 모든 사람이 자유롭게 오고 갈 수 있었다.

지문 분석

1 중심 내용 다음은 이 글의 중심 내용입니다. 빈칸에 들어갈 알맞은 말을 쓰세요.

> 흥인지문은 조선 시대의 도읍인 ❶⬜⬜에 세워진 성문으로, 지금은 ❷⬜⬜⬜으로 불립니다. 흥인지문은 ❸⬜⬜⬜, 문루, 옹성으로 이루어져 있으며, 옹성은 외적이 쳐들어오는 것에 대비하여 만들어진 것입니다.

❶(   )   ❷(   )   ❸(   )

2 글의 구조 다음 표의 빈칸을 채워 이 글의 내용을 정리해 보세요.

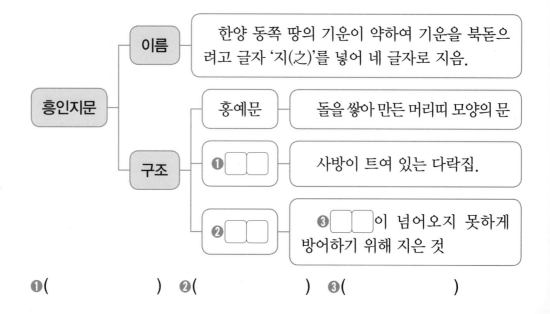

흥인지문

- **이름** — 한양 동쪽 땅의 기운이 약하여 기운을 북돋으려고 글자 '지(之)'를 넣어 네 글자로 지음.
- **구조**
  - 홍예문 — 돌을 쌓아 만든 머리띠 모양의 문
  - ❶⬜⬜ — 사방이 트여 있는 다락집.
  - ❷⬜⬜ — ❸⬜⬜이 넘어오지 못하게 방어하기 위해 지은 것

❶(   )   ❷(   )   ❸(   )

배경지식 흥인지문의 옛 모습

문루

옹성   홍예문

오늘의 어휘

다음 낱말의 알맞은 뜻을 찾아 선으로 이으세요.

도읍 •　　　• 외부에서 쳐들어오는 적.

문루 •　　　• 상대편의 공격을 막는 것.

외적 •　　　• 한 나라의 중앙 정부가 있는 곳.

방어 •　　　• 성문 등의 바깥문 위에 높이 지은 다락집.

제한 •　　　• 일정한 한계나 범위를 넘지 못하게 막는 것.

1 다음 문장의 빈칸에 들어갈 알맞은 말을 오늘의 어휘 에서 찾아 쓰세요.

• 조선 시대의 □□ 은 한양이었다.

• □□ 이 쳐들어오지 못하도록 성문을 닫아야 한다.

• 전염병으로 인해 사람들의 모임에 □□ 이 많아졌다.

• 옛날에는 어떤 공격도 □□ 할 수 있도록 성을 튼튼히 쌓았다.

• □□ 는 성문 위에 만들어진 다락집으로, 주변의 경치를 둘러볼 수 있다.

2 다음 밑줄 친 말과 뜻이 비슷한 말을 (　　　)에서 찾아 ○표를 하세요.

조선 시대에 이성계가 한양을 수도로 정한 까닭은 나라의 중심에 있고 한 강이 있어서 교통이 편리했기 때문이에요. 또한 한양은 산으로 둘러싸여 있어서 적이 나타났을 때 잘 방어할 수도 있었지요.

(도민, 도읍, 도전)

경제 **01**

지문분석

은행은 어떤 일을 하는 곳일까요?

KEY WORD

은행

글자 수

459
200 400 600 800

1 은행은 돈과 관련된 일을 하는 곳이에요. 은행의 일은 크게 예금과 대출, **공과금**, **외환**과 관련된 일로 나눌 수 있어요.

2 첫째, 은행은 예금을 받고 대출하는 일을 해요. 은행은 개인이나 기업이 맡긴 돈, 즉 예금을 관리해요. 또한 맡은 돈을 필요로 하는 개인이나 기업에 빌려주는 일도 하지요. 이것을 대출이라고 해요. 은행은 예금을 한 개인이나 기업에게 돈을 맡긴 값으로 **이자**를 주고, 대출을 받은 개인이나 기업에게 돈을 빌려준 값으로 이자를 받아요. 따라서 은행에 돈을 예금하면 이자가 붙어서 돈이 늘어나고, 은행에서 대출을 받으면 이자를 내야 해요.

3 둘째, 은행은 나라에 내는 세금이나, 전기세, 수도세, 도시가스 요금과 같은 공과금을 받는 일을 해요.

4 셋째, 은행은 외환, 즉 외국의 돈과 관련된 일을 해요. 외국의 돈을 우리나라의 돈으로 바꾸거나, 우리나라의 돈을 외국의 돈으로 바꿔 주는 일을 하지요. 외국을 대상으로 사업을 하는 사람들이나 해외 관광객은 필요한 다른 나라의 돈을 은행에서 바꿀 수 있어요.

5 우리가 은행에 저축한 돈은 기업의 **자금**으로 활용되어 국가의 **경제** 발전에 도움을 주어요. 또한 은행에 돈을 보관하면 **도난**의 염려가 없어 안전하고, 이자가 붙어서 **소득**이 늘어날 수 있어요.

5

10

15

- **공과금** 국가나 공공 기관이 국민에게 받는 돈.
- **외환(外** 바깥 외, **換** 바꿀 환**)** 외국의 돈.
- **이자(利** 이로울 이, **子** 아들 자**)** 남에게 돈을 빌려 쓴 값으로 치르는 일정한 비율의 돈.
- **자금(資** 재물 자, **金** 쇠 금**)** 어떤 목적에 쓰는 큰돈.
- **경제** 한 사회나 국가의 돈·자원·산업 등을 잘 다스리는 일과 생산·유통·소비 등에 관련된 사람들의 활동.
- **도난** 도둑에게 물건을 잃는 일.
- **소득** 경제 활동의 대가로 생기는 돈.

정답과 해설 19쪽

지문 독해

1 이 글에서 가장 중심이 되는 낱말을 보기 에서 찾아 쓰세요.

보기

예금,   대출,   이자,   은행

(   )

내용 이해

2 다음 중 은행에서 하는 일이 <u>아닌</u> 것은 무엇인가요? (   )

① 기업에게 대출을 해 준다.

② 기업으로부터 예금을 받는다.

③ 세금이나 각종 공과금을 받는다.

④ 이자와 세금을 받아서 외국에 빌려준다.

⑤ 돈을 다른 나라의 돈으로 바꿔 주기도 한다.

추론하기

3 다음 중 은행에 돈을 맡기면 좋은 점으로 알맞은 것을 두 가지 고르세요.

(,   )

① 도난의 염려가 없어 안전하다.

② 외국의 돈이 늘어나 해외 관광객이 많아질 수 있다.

③ 외국의 돈으로 바꿀 때 이자가 붙어 돈이 늘어난다.

④ 돈을 돼지 저금통에 넣고 있는 것보다 소득이 늘어날 수 있다.

⑤ 아무 때나 돈을 찾을 수 있기 때문에 국가 경제 발전에 도움이 된다.

추론하기

4 이 글을 읽고, 보기 의 ㉠과 ㉡에 공통으로 들어갈 알맞은 말을 찾아 ○표를 하세요.

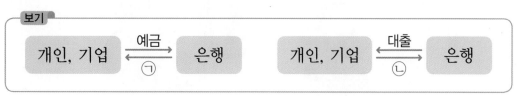

(외환, 이자, 세금)

지문 분석

1 문단 요약

다음은 이 글에 나타난 각 문단의 중심 내용입니다. 알맞은 것에 ○표, 틀린 것에 ×표를 하세요.

1문단	은행의 뜻과 하는 일	( )
2문단	공과금을 받는 은행	( )
3문단	예금을 받고 대출을 해 주는 은행	( )
4문단	외국의 돈과 관련된 일을 하는 은행	( )
5문단	은행에 돈을 맡기면 좋은 점	( )

2 글의 구조

다음 표의 빈칸을 채워 이 글의 내용을 정리해 보세요.

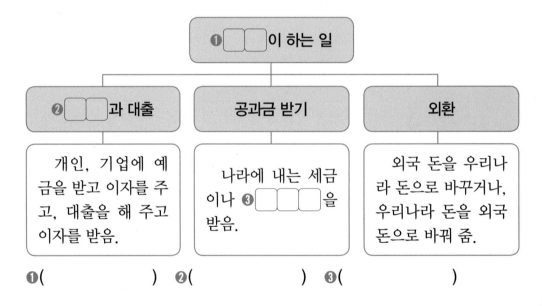

❶ ☐☐이 하는 일

❷ ☐☐과 대출

개인, 기업에 예금을 받고 이자를 주고, 대출을 해 주고 이자를 받음.

공과금 받기

나라에 내는 세금이나 ❸ ☐☐☐을 받음.

외환

외국 돈을 우리나라 돈으로 바꾸거나, 우리나라 돈을 외국 돈으로 바꿔 줌.

❶ ( ) ❷ ( ) ❸ ( )

배경지식 은행에서 하는 또 다른 일들

다른 사람이나 외국으로 돈 보내기

신용 카드를 발급하고 결제하기

귀금속이나 보석 등 보관해 주기

다음 낱말의 알맞은 뜻을 찾아 선으로 이으세요.

공과금 •

• 어떤 목적에 쓰는 큰돈.

이자 •

• 도둑에게 물건을 잃는 일.

자금 •

• 경제 활동의 대가로 생기는 돈.

도난 •

• 국가나 공공 기관이 국민에게 받는 돈.

소득 •

• 남에게 돈을 빌려 쓴 값으로 치르는 일정한 비율의 돈.

1 다음 문장의 빈칸에 들어갈 알맞은 말을 오늘의 어휘 에서 찾아 쓰세요.

• 삼촌은 결혼 ☐☐ 을 열심히 모았다.

• 그 가게는 장사가 잘되어 많은 ☐☐ 을 얻었다.

• 국민은 국가나 공공 기관에 ☐☐☐ 을 내야 한다.

• 과거에 ☐☐ 당한 우리나라의 문화재를 되찾아야 한다.

• 사람들은 예금을 했을 때 ☐☐ 를 더 많이 주는 은행을 찾는다.

2 다음 밑줄 친 말과 뜻이 비슷한 말을 ( )에서 찾아 ○표를 하세요.

우리가 학교를 졸업하고 어른이 되면 사회에서 생산 활동을 하게 되어요. 회사에 취업을 할 수도 있고, 직접 사업을 할 수도 있지요. 생산 활동을 하게 되면 우리는 <u>수입</u>을 얻게 되어요. 생산 활동을 하고 그 대가로 돈을 받는 것이지요.

(대출, 소득, 세금)

KEY WORD

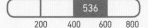
돈 관리

글자 수

	536		
200	400	600	800

ⓐ

① 우리가 살아가는 데에는 음식, 옷 등 다양한 물품이 필요해요. 이 물품들은 모두 돈을 주고 사야 해요. 그런데 우리가 경제 활동을 통해 얻게 되는 돈은 **한정**되어 있기 때문에 갖고 싶은 것을 모두 살 수는 없어요. 따라서 돈을 잘 관리하는 것이 중요해요.

② 돈을 잘 관리하는 방법으로는 **지출** 계획 세우기, 용돈 기입장 쓰기 등이 있어요. 먼저 지출 계획이란 자신에게 있는 돈을 어디에 얼마나 사용할 것인지 계획하는 것이에요. 용돈이 얼마인지 **예상**하여 당장 사용할 돈, 남는 돈 등으로 나누어 계획을 세운 뒤 돈을 사용하는 것이지요.

③ 다음으로 들어온 돈과 사용한 돈을 적어 놓는 용돈 기입장을 쓰는 것이에요. 용돈 기입장을 쓰면 얼마의 용돈을 받았고, 어디에 얼마나 사용했는지 한눈에 **파악**할 수 있어서 계획적으로 돈을 사용할 수 있지요. 용돈 기입장을 쓸 때에는 사용한 돈의 **쓰임새**를 자세하게 적는 것이 좋아요.

④ 이러한 방법으로 계획을 세워 돈을 잘 관리하면 필요한 때에 알맞게 쓸 수 있고, 저축도 할 수 있어요.

- **한정**(限 한계 한, 定 정할 정) 무엇의 수량이나 범위를 제한하여 정함.
- **지출**(支 지탱할 지, 出 날 출) 어떤 목적을 위해 돈을 치르는 것. 또는 치른 돈.
- **예상** 어떤 일이 있기 전에 미리 짐작하여 생각하는 것. 또는 그 생각.
- **파악** 어떤 일을 확실하게 이해하여 앎.
- **쓰임새** 쓰임의 정도나 쓰이는 바.

지문 독해

1 제목

다음은 ㉠에 들어갈 이 글의 제목입니다. 빈칸에 들어갈 알맞은 말을 쓰세요.

• 돈을 잘 ☐☐ 하는 방법

2 내용 이해

다음 중 이 글의 내용으로 알맞지 <u>않은</u> 것은 무엇인가요? (   )

① 사람이 살아가기 위해서는 돈이 필요하다.
② 지출 계획을 세우면 사용할 돈이 남는 돈보다 많아진다.
③ 용돈을 사용하기 전에 사용할 돈과 남는 돈을 나눠야 한다.
④ 소득은 한정되어 있기 때문에 갖고 싶은 것을 다 살 수는 없다.
⑤ 지출 계획을 세우면 필요할 때 알맞게 돈을 쓰고 저축도 할 수 있다.

3 적용하기

다음 중 용돈 기입장을 알맞게 작성한 친구는 누구인가요? (   )

① 민아: 사용한 돈만 적었다.
② 혜정: 만 원 이상 받은 용돈만 적었다.
③ 용준: 사용하고 남은 돈은 적지 않았다.
④ 재희: 사고 싶은 것들만 미리 적어 두었다.
⑤ 진영: 사용한 돈의 쓰임새를 자세하게 적었다.

4 추론하기

다음 중 용돈 기입장이 가장 필요한 사람을 두 명 찾아 기호를 쓰세요.

> ㉮ 돈을 전혀 쓰지 않는 구두쇠인 스크루지
> ㉯ 사고 싶은 것은 바로 사 버리는 신데렐라의 언니들
> ㉰ 곳간에 쌀이나 돈이 얼마나 있는지 전혀 모르고 쓰기만 하는 놀부

(,   )

지문 분석

정답과 해설 20쪽

1 문단 요약 다음은 이 글에 나타난 각 문단의 중심 내용입니다. 알맞은 것에 ○표, 틀린 것에 ×표를 하세요.

1문단	돈의 필요성과 돈 관리의 중요성	( )
2문단	지출 계획을 세워 돈을 잘 관리하기	( )
3문단	돈을 잘 관리하면 좋은 점	( )
4문단	용돈 기입장을 사용하여 돈을 잘 관리하기	( )

2 글의 구조 다음 표의 빈칸을 채워 이 글의 내용을 정리해 보세요.

❶☐☐을 잘 관리하는 방법

❷☐☐ 계획을 세우기

- 용돈이 얼마인지 예상하기
- 용돈을 사용할 돈과 남는 돈 등으로 나누어 계획하기

❸☐☐ 기입장 쓰기

- 받은 용돈과 사용한 용돈 쓰기
- 사용한 돈의 쓰임새를 구체적으로 쓰기

❶( ) ❷( ) ❸( )

배경지식 용돈 기입장 쓰는 방법

돈이 생긴 이유나 무엇을 샀는지 적는 곳

쓴 돈의 금액을 적는 곳

용돈 기입장

날짜	내용	수입	지출	합계
1/1	용돈 받음.	10,000원		10,000원
1/5	호떡 사 먹음.		1,000원	9,000원
⋮	⋮	⋮	⋮	⋮
⋮	⋮	⋮	⋮	⋮

용돈 받은 날짜나 돈을 사용한 날짜를 적는 곳

들어온 돈의 금액을 적는 곳

남은 돈의 금액을 적는 곳

오늘의 어휘

다음 낱말의 알맞은 뜻을 찾아 선으로 이으세요.

한정 •   • 쓰임의 정도나 쓰이는 바.

지출 •   • 어떤 일을 확실하게 이해하여 앎.

예상 •   • 무엇의 수량이나 범위를 제한하여 정함.

파악 •   • 어떤 목적을 위해 돈을 치르는 것. 또는 치른 돈.

쓰임새 •   • 어떤 일이 있기 전에 미리 짐작하여 생각하는 것. 또는 그 생각.

1 다음 문장의 빈칸에 들어갈 알맞은 말을 오늘의 어휘 에서 찾아 쓰세요.

• 내일은 비가 올 것으로 ☐☐ 된다.

• 이 옷은 ☐☐ 판매라 구하기 힘들었다.

• 나무는 그 종류에 따라 ☐☐☐가 다르다.

• 용돈 기입장을 썼더니 지난달보다 ☐☐이 줄었다.

• 시험을 볼 때는 문제에서 물어보는 것이 무엇인지를 잘 ☐☐ 해야 한다.

2 다음 밑줄 친 말과 뜻이 반대되는 말을 ( )에서 찾아 ○표를 하세요.

집안에 들어온 돈과 쓴 돈을 적는 것을 가계부라고 해요. 가계부를 쓰면 가족의 수입이 얼마인지, 그리고 그 수입을 어떻게 사용했는지 잘 알 수 있어요. 그렇기 때문에 돈을 잘 관리하는 데에 도움이 되지요.

(지출, 소득, 수확)

돈은 어떻게 변화했을까요?

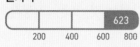
1 우리는 돈으로 **경제** 활동을 해요. 만약 돈이 없다면 어떨까요? 필요한 물품을 사기도 어렵고, 저축을 할 수도 없을 거예요. 이렇게 우리의 경제 활동을 편리하게 하는 돈은 어떻게 생기고 변화했을까요?

2 돈이 생겨나기 전인 옛날에는 **물품**과 물품을 서로 **교환**하였어요. 그러다가 소금이나 곡식과 같은 물품을 정하고 이를 **화폐**처럼 사용하여 **거래**하였지요. 이것을 물품 화폐라고 해요. 그러나 물품 화폐는 거래를 위해 직접 물품을 가지고 다녀야 했기 때문에 불편했어요. 그래서 점차 금, 은과 같은 금속 화폐가 쓰이게 되어요. 하지만 금속 화폐 역시 무겁고, 매번 저울로 무게를 달아야 해서 불편했어요. 그래서 사람들은 좀 더 사용하기 쉽고 편리한 화폐를 고민하게 됐어요. 그렇게 탄생하게 된 것이 엽전과 같은 동전이에요.

3 오늘날에는 옛날보다 경제가 발전하여 많은 금액의 돈을 주고받게 되었어요. 그래서 동전 외에도 가벼운 종이로 만든 지폐가 널리 사용되게 되었지요. 최근에는 더 편리한 신용 카드나 전자 화폐를 사용하는 사람들이 많아졌어요. 신용 카드는 은행과 연결하여, 물건을 사고 화폐 대신 일정 기간 뒤에 돈을 지급하는 방법이에요. 그리고 전자 화폐는 인터넷에 연결된 컴퓨터나 스마트폰을 통해 화폐처럼 사용하는 거래 **수단**이지요.

5

10

15

- **경제** 인간 생활에 필요한 물건을 생산하고 소득을 나누어 가지며 소비하는 일.
- **물품**(物 만물 물, 品 물건 품) 쓸모 있는 물건이나 제품.
- **교환** (물건이나 정보 등을) 서로 맞바꾸거나, 주고받는 것.
- **거래**(去 갈 거, 來 올 래) 서로 주고받거나 사고파는 일.
- **화폐** 사회에서 물건을 사거나 팔 때 값을 치르는 데에 쓰이는 돈.
- **수단** 어떤 목적을 이루기 위한 방법. 또는 그 도구.

지문 독해

1 핵심어

이 글에서 가장 중심이 되는 낱말을 보기 에서 찾아 쓰세요.

보기

물품,　　　화폐,　　　지폐,　　　신용 카드

(　　　　　　　　　　　　　　　)

2 내용 이해

다음 보기 에서 설명하는 화폐는 무엇인가요? (　　　)

보기

금, 은과 같은 것을 사용하며, 매번 저울로 무게를 달아야 함.

① 지폐　　　　　　② 동전　　　　　　③ 신용 카드
④ 물품 화폐　　　　⑤ 금속 화폐

3 내용 이해

다음을 화폐가 만들어진 순서대로 기호를 쓰세요.

㉮ 지폐
㉯ 동전
㉰ 신용 카드
㉱ 금속 화폐
㉲ 물품 화폐

(　　　) → (　　　) → (　　　) → (　　　) → (　　　)

4 추론하기

이 글을 통해 알 수 있는 화폐의 변화에 대한 설명으로 알맞은 것은 무엇인가요? (　　　)

① 화폐의 중요성이 시대에 따라 달라진다.
② 점차 화폐를 사용하는 사람들이 줄어들었다.
③ 경제가 발전할수록 금속 화폐의 사용량이 늘었다.
④ 사람들은 사용하기 쉽고 편리한 화폐를 만들기 위해 노력했다.
⑤ 최근에는 물품 화폐를 사용하는 사람이 많아져서 지폐를 쓰지 않는다.

지문 분석

1 문단 요약 다음은 이 글에 나타난 각 문단의 중심 내용입니다. 알맞은 것에 ○표, 틀린 것에 ×표를 하세요.

1 문단	돈의 편리함.	( )
2 문단	돈으로 살 수 있는 것	( )
3 문단	오늘날의 변화된 화폐	( )

2 글의 구조 다음 표의 빈칸을 채워 이 글의 내용을 정리해 보세요.

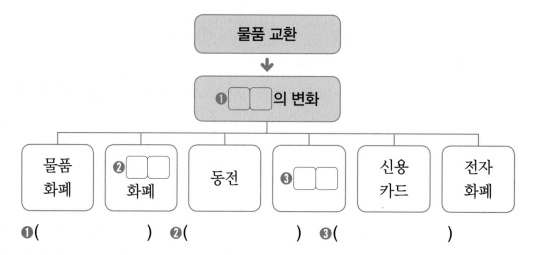

물품 교환
↓
❶☐☐의 변화

| 물품 화폐 | ❷☐☐ 화폐 | 동전 | ❸☐☐ | 신용 카드 | 전자 화폐 |

❶( ) ❷( ) ❸( )

배경지식 화폐의 변화

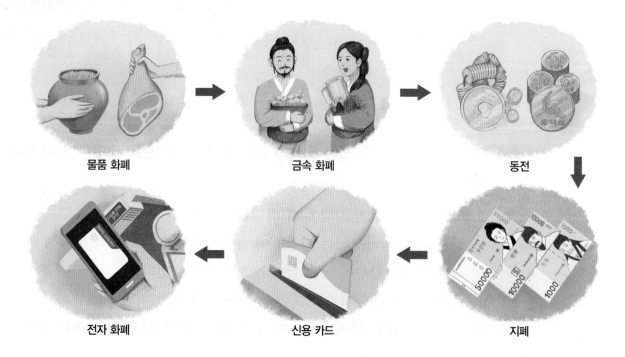

물품 화폐 → 금속 화폐 → 동전

전자 화폐 ← 신용 카드 ← 지폐

오늘의 어휘

다음 낱말의 알맞은 뜻을 찾아 선으로 이으세요.

경제 •   • 쓸모 있는 물건이나 제품.

물품 •   • 서로 주고받거나 사고파는 일.

교환 •   • (물건이나 정보 등을) 서로 맞바꾸거나, 주고받는 것.

거래 •   • 사회에서 물건을 사거나 팔 때 값을 치르는 데에 쓰이는 돈.

화폐 •   • 인간 생활에 필요한 물건을 생산하고 소득을 나누어 가지며 소비하는 일.

1 **다음 문장의 빈칸에 들어갈 알맞은 말을 오늘의 어휘 에서 찾아 쓰세요.**

- 그 가게에는 다양한 ☐☐ 이 있었다.

- ☐☐ 가 없던 시절에는 물건과 물건을 서로 교환했다.

- 친구와 나는 생일이 같아서 늘 선물을 서로 ☐☐ 하곤 한다.

- 시장에 가면 손님과 상인 사이에 이루어지는 ☐☐ 를 볼 수 있다.

- 우리가 살아가기 위해 필요한 것들을 만들고, 나누고, 쓰는 모든 활동을 ☐☐ 활동이라고 한다.

2 **다음 밑줄 친 말과 뜻이 비슷한 말을 (   )에서 찾아 ○표를 하세요.**

옛날 조선 후기 박지원이 쓴 『양반전』은 양반의 신분을 <u>사고파는</u> 문서를 통해 당시 양반들의 모습을 비판하고 있어요. 조선 시대에는 양반과 평민이 구별되어 있었어요. 하지만 사회가 혼란스러워지자 양반이라는 신분도 사고팔 수 있게 되었지요.

(물품, 거래, 교환)

KEY WORD

낮과 밤이 생기는 까닭

글자 수

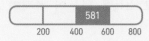
200   400   600   800

낮과 밤은 왜 생길까요?

1 해가 뜰 때부터 질 때까지를 낮, 해가 진 때부터 다시 뜨기 전까지를 밤이라고 해요. 이러한 낮과 밤은 왜 생길까요?

2 지구는 스스로 하루에 한 바퀴를 도는데, 이러한 현상을 '자전'이라고 해요. 자전이란 스스로 **회전**한다는 뜻이에요. 낮과 밤은 지구가 자전하기 때문에 생기는 현상이에요.

3 지구의 자전은 간단한 **실험**으로 이해할 수 있어요. 밝은 **전등**과 회전의자를 준비해요. 전등을 켜 두고 그 앞에 회전의자를 놓고 앉아 볼게요. 의자에 앉아서 시계가 도는 반대 방향, 즉 왼쪽으로 한 바퀴 천천히 돌아보세요. 이때 전등은 태양, 회전의자는 지구, 의자에 앉아 있는 사람은 지구에 있는 사람이라고 생각해 볼게요. 의자에 앉은 사람이 한 바퀴 도는 것이 바로 지구의 자전이 되겠지요. 이때 의자에 앉은 사람에게 전구의 불빛이 보이기 시작하는 때가 해가 뜨는 낮의 시작이고, 전구의 불빛이 보이지 않게 되는 때가 해가 지는 밤의 시작이에요. 이렇게 해서 낮과 밤이 생기는 것이에요.

- **회전** 어떤 것을 축으로 물체 자체가 빙빙 도는 것.
- **실험**(實 열매 실, 驗 시험 험) 일정한 조건이나 상황을 만들어서 관찰하고 측정하는 일.
- **전등** 전기를 이용하여 밝은 빛을 내는 등.
- **주변** 어떤 대상의 둘레.
- **반대편** 반대가 되는 방향이나 반대되는 쪽.

4 세계 여러 나라는 낮과 밤이 달라요. 우리나라가 낮이 시작될 때 우리나라의 **주변**에 있는 나라는 대부분 낮이 시작되겠지만, **반대편**에 있는 나라는 밤이 시작되지요.

지문 독해

설명 대상

1 다음은 이 글에서 설명하는 것입니다. 빈칸에 알맞은 낱말을 쓰세요.

• ⬚ 과 ⬚ 이 생기는 까닭

어휘·어법

2 이 글에서 사용된 낱말의 뜻으로 알맞은 것은 무엇인가요? ( )

① 낮: 해가 질 때부터 뜰 때까지를 말한다.
② 밤: 해가 뜰 때부터 질 때까지를 말한다.
③ 지구의 자전: 지구가 하루에 한 바퀴 도는 것을 말한다.
④ 자전: 무언가에 의해 반대 방향으로 움직이는 것을 말한다.
⑤ 자전: 지구가 태양의 끌어당기는 힘에 의해 태양 주변을 도는 것을 말한다.

내용 이해

3 다음 중 이 글의 내용으로 알맞지 <u>않은</u> 것을 두 가지 고르세요. (,)

① 지구는 한 달에 두 바퀴를 회전한다.
② 낮과 밤이 생기는 까닭은 지구의 자전 때문이다.
③ 지구는 시계 반대 방향으로 하루 한 바퀴를 돈다.
④ 세계 모든 나라의 낮과 밤이 시작되는 시간은 같다.
⑤ 우리나라와 가까이 있는 나라는 낮이 시작하는 시간이 비슷하다.

적용하기

4 이 글에 나타난 실험을 알맞게 이해한 친구는 누구인가요? ( )

① 승온: 전등은 태양 역할을 하겠군.
② 현정: 회전의자는 모든 방향으로 돌려 봐야 해.
③ 가연: 회전의자에 앉은 사람이 태양 역할이 되는 것이지.
④ 은재: 회전의자에 앉은 사람은 한 바퀴 도는 동안의 시간을 재야 해.
⑤ 윤서: 회전의자에 사람이 앉는 이유는 의자가 돌아가지 않게 하기 위해서야.

지문 분석

1 문단 요약 다음은 이 글에 나타난 각 문단의 중심 내용입니다. 알맞은 것에 ○표, 틀린 것에 ×표를 하세요.

1 문단	지구의 자전과 공전	( )
2 문단	낮과 밤이 생기는 까닭	( )
3 문단	실험으로 이해하는 지구의 크기	( )
4 문단	지구의 자전이 여러 나라의 낮과 밤에 미치는 영향	( )

2 글의 구조 다음 표의 빈칸을 채워 이 글의 내용을 정리해 보세요.

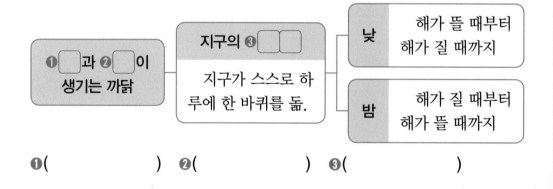

❶과 ❷이 생기는 까닭

지구의 ❸

지구가 스스로 하루에 한 바퀴를 돎.

낮 해가 뜰 때부터 해가 질 때까지

밤 해가 질 때부터 해가 뜰 때까지

❶( )　❷( )　❸( )

배경지식 지구의 공전

지구는 자전만 하는 것이 아니라 공전을 해요. 지구는 태양을 중심으로 하여 1년에 한 바퀴씩 서쪽에서 동쪽으로 (시계 반대 방향) 회전하지요. 지구가 이렇게 공전을 하기 때문에 계절의 변화가 나타나요. 북반구에 속하는 우리나라는 아래 그림과 같이 지구의 공전에 따라 계절이 바뀌게 되어요.

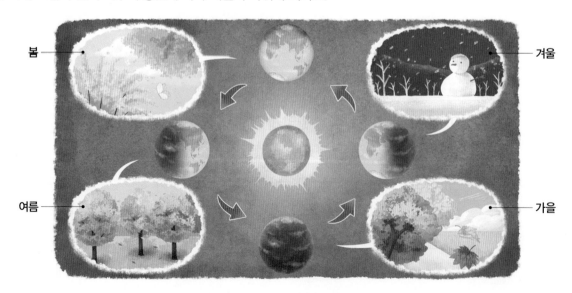

오늘의 어휘

다음 낱말의 알맞은 뜻을 찾아 선으로 이으세요.

회전 •	• 어떤 대상의 둘레.
실험 •	• 반대가 되는 방향이나 반대되는 쪽.
전등 •	• 전기를 이용하여 밝은 빛을 내는 등.
주변 •	• 어떤 것을 축으로 물체 자체가 빙빙 도는 것.
반대편 •	• 일정한 조건이나 상황을 만들어서 관찰하고 측정하는 일.

1 다음 문장의 빈칸에 들어갈 알맞은 말을 오늘의 어휘 에서 찾아 쓰세요.

- 그 건물은 ☐☐☐ 쪽에도 문이 있다.

- 크리스마스트리에 아름다운 장식과 ☐☐을 달아 꾸몄다.

- 과학 수업 시간에는 배운 내용을 ☐☐할 수 있어서 재미있다.

- 피겨 스케이팅에는 공중에서 세 바퀴를 ☐☐하는 기술이 있다.

- 의사 선생님께서는 ☐☐ 환경을 깨끗이 해야 한다고 말씀하셨다.

2 다음 밑줄 친 말과 뜻이 비슷한 말을 ( )에서 찾아 ○표를 하세요.

우리 학교 운동장 둘레에는 나무가 심어져 있어요. 나무 아래에는 꽃과 잔디가 있어서 봄에 정말 아름답지요. 그래서 봄이 되면 점심시간마다 친구들과 함께 학교 운동장 둘레를 돌면서 이야기를 나누어요.

(중앙, 주변, 가운데)

KEY WORD

열이 전달되는 방법

글자 수

511
200 400 600 800

열이 전달되는 세 가지 방법

1 열은 **물체**의 온도를 변하게 하는 **에너지**예요. 열은 **일반적**으로 뜨거운 곳에서 차가운 곳으로 움직이면서 온도를 달라지게 해요. 이렇게 열이 전달되는 방법에는 **전도, 대류, 복사** 이렇게 세 가지가 있어요.

2 전도란 물체를 타고 열이 직접 전달되는 것이에요. 예를 들어 뜨거운 물에 숟가락의 한쪽 끝만 넣어도 숟가락 전체가 뜨거워지는 것이 바로 열의 전도 때문이에요. 철과 같은 금속에서는 열이 잘 이동하지만, 플라스틱이나 나무에서는 잘 이동하지 못해요. 물체의 중간이 끊어져 있어도 열은 이동하지 못하지요.

3 대류는 물이나 공기와 같은 물질이 직접 움직이면서 열을 전달하는 것이에요. 예를 들어 냄비에 물을 넣고 끓이면 아래쪽 물은 뜨거워져서 위로 올라가고, 위에 있는 차가운 물은 아래로 밀려 내려오는데 이것이 바로 열의 대류 현상이에요.

4 복사란 빛으로 열이 직접 전달되는 것이에요. 예를 들어 태양은 지구에 직접 닿지도 않고, 태양과 지구 사이에 열을 전달해 주는 물질도 없지만 빛을 통해 지구를 따뜻하게 해 주는 것이지요.

- **물체**(物 만물 물, 體 몸 체) 물질이 모여서 일정한 모양을 이루고 있는 것.
- **에너지** 물체가 가지고 있는 일을 하는 능력의 양.
- **일반적** 어떤 특정한 부분에만 한정되지 않고 전체에 두루 해당되는 것.
- **전도** 열이나 전기가 물체의 한 부분에서 다른 부분으로 점차 옮아가는 현상.
- **대류** 액체나 기체가 열을 받으면 위로 올라가고, 식으면 아래로 내려오는 현상.
- **복사** 열이나 빛을 한 점으로부터 사방으로 내쏘는 현상.

5
10
15
20

설명 대상

1 다음은 이 글에서 설명하고 있는 것입니다. 빈칸에 들어갈 알맞은 말을 쓰세요.

• ☐ 이 ☐☐ 되는 방법

내용 이해

2 다음 중 열이 움직이는 방법에 대한 설명으로 알맞은 것은 무엇인가요?

(   )

① 위치가 높은 곳에서 낮은 곳으로
② 전도가 높은 물질에서 낮은 물질로
③ 무게가 무거운 곳에서 가벼운 곳으로
④ 온도가 뜨거운 곳에서 차가운 곳으로
⑤ 온도가 차가운 곳에서 뜨거운 곳으로

내용 이해

3 다음 중 열이 전달되는 방법의 예를 <u>잘못</u> 말한 친구의 이름을 쓰세요.

> 만세: 프라이팬 손잡이를 철이 아닌 플라스틱으로 만드는 것은 전도가
> 낮아 안전하기 때문이야.
> 하림: 냄비에 물을 끓일 때 아래쪽 물만 계속 뜨거워지고 위쪽 물은 차
> 가운 것은 열의 대류 때문이야.
> 재경: 병원에 가면 코에 적외선 빛을 쬐어 주시는데, 코에 직접 닿지 않
> 는데도 따뜻한 것을 보면 열의 복사 때문인가 봐.

(   )

추론하기

4 다음은 이 글에서 알 수 있는 열이 전달되는 방법입니다. 질문에 알맞은 방법을 찾아 ○표를 하세요.

(1) 직접 닿아서 전달되나요?   (전도, 대류, 복사)
(2) 공기나 물과 같은 물질로 전달되나요?   (전도, 대류, 복사)
(3) 빛으로 열이 직접 전달되나요?   (전도, 대류, 복사)

지문 분석

① 문단 요약

다음은 이 글에 나타난 각 문단의 중심 내용입니다. 알맞은 것에 ○표, 틀린 것에 ×표를 하세요.

1 문단	에너지의 뜻과 종류	( )
2 문단	전도를 통한 열 전달	( )
3 문단	대류를 통한 열 전달	( )
4 문단	복사를 통한 열 전달	( )

② 글의 구조

다음 표의 빈칸을 채워 이 글의 내용을 정리해 보세요.

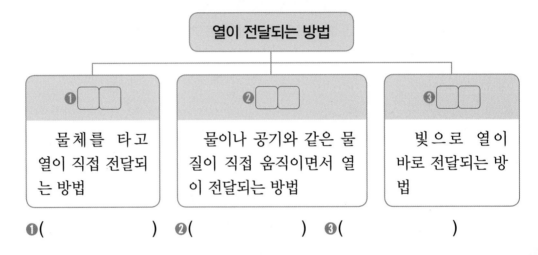

열이 전달되는 방법

| ❶ ☐☐ | ❷ ☐☐ | ❸ ☐☐ |
| 물체를 타고 열이 직접 전달되는 방법 | 물이나 공기와 같은 물질이 직접 움직이면서 열이 전달되는 방법 | 빛으로 열이 바로 전달되는 방법 |

❶( ) ❷( ) ❸( )

배경지식

태양에서 보내는 빛 때문에 지구가 계속 뜨거워지나요?

태양에서 보내는 빛으로 인해 지구가 계속해서 뜨거워지기만 하지는 않아요. 지구가 태양으로부터 받은 열을 다시 우주로 되돌려 보내기 때문이에요.

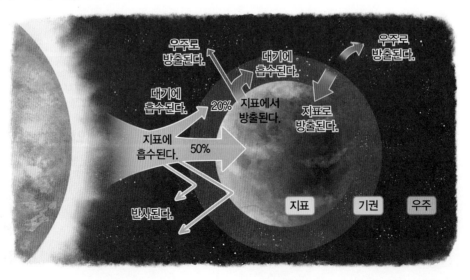

오늘의 어휘

다음 낱말의 알맞은 뜻을 찾아 선으로 이으세요.

에너지 •

• 물체가 가지고 있는 일을 하는 능력의 양.

일반적 •

• 열이나 빛을 한 점으로부터 사방으로 내쏘는 현상.

전도 •

• 어떤 특정한 부분에만 한정되지 않고 전체에 두루 해당되는 것.

대류 •

• 열이나 전기가 물체의 한 부분에서 다른 부분으로 점차 옮아 가는 현상.

복사 •

• 액체나 기체가 열을 받으면 위로 올라가고, 식으면 아래로 내려오는 현상.

1 다음 문장의 빈칸에 들어갈 알맞은 말을 오늘의 어휘 에서 찾아 쓰세요.

• 아이들은 ☐☐☐으로 만화를 좋아한다.

• 여름이 더운 까닭은 태양의 ☐☐에너지 때문이다.

• 나무젓가락으로 라면을 먹으면 열의 ☐☐가 적어 뜨겁지 않다.

• 에어컨을 높은 곳에 두면 열의 ☐☐로 인해 방 전체가 시원해진다.

• 수력 발전소에서는 물이 흐르거나 떨어지는 힘으로 ☐☐☐를 얻는다.

2 다음 밑줄 친 말과 뜻이 반대되는 말을 ( )에서 찾아 ○표를 하세요.

동물 사육사란 동물이 태어나서 자라는 과정을 함께하는 사람이에요. 동물을 먹이고 건강히 자랄 수 있도록 보살피는 일을 하지요. 하지만 그 외에도 <u>부분적</u>으로 동물 연구를 하거나 동물의 인공 수정을 돕기도 해요.

(특수적, 일반적, 비공식적)

KEY WORD

글자 수

561

200 400 600 800

비나 눈은 어떻게 만들어질까요?

1 하늘에서 내리는 비나 눈은 어떻게 만들어질까요? 비나 눈은 구름에서 만들어져요. 하늘에 떠 있는 구름은 ㉠작은 물방울과 얼음 알갱이로 이루어져 있어요. 이것이 비나 눈이 되는데, 어떻게 구름이 비나 눈이 되어 땅으로 떨어지는 것일까요? 구름이 비나 눈이 되는 과정은 크게 두 가지로 나누어 **설명**할 수 있어요.

2 먼저, ㉡따뜻한 구름 속에서 비가 만들어지는 **과정**이에요. **사계절**이 있는 곳의 여름철이나 더운 **적도 지방** 위에 떠 있는 구름 속에는 작은 물방울들이 많아요. 이 물방울들이 서로 부딪치고 합쳐지기도 하지요. 그 과정에서 물방울들이 점점 ㉢커져서 무거워지면 비가 되어 떨어지는 것이에요. 이렇게 내리는 비를 따뜻한 비라고 해요.

따뜻한 비가 내리는 모습

차가운 비가 내리는 모습

3 그다음은 차가운 구름 속에서 비나 눈이 만들어지는 과정이에요. 사계절이 있는 곳의 겨울철이나 남극과 북극 지방 위에 떠 있는 구름 속에는 물방울과 얼음 알갱이가 뒤섞여 있어요. 이 물방울들이 얼음 알갱이에 달라붙어 얼음 알갱이가 점점 커져서 ㉣무거워지면 땅으로 ㉤떨어지게 되어요. 떨어지다가 녹지 않으면 눈이 되고, 녹으면 비가 되어 내리게 되지요. 이렇게 내리는 비를 차가운 비라고 해요.

5

10

15

- **설명**(說 말씀 설, 明 밝을 명) 내용이나 이유 등을 상대편이 잘 알기 쉽게 풀어서 밝혀 말함. 또는 그런 말.
- **과정**(過 지날 과, 程 단위 정) 어떤 일이 되어 가는 형편이나 순서.
- **사계절** 봄·여름·가을·겨울의 네 계절.
- **적도** 위도 0°로, 위도의 기준이 되는 선. 적도 지역은 태양의 직사광선을 받는 일이 많음.
- **지방** 어느 장소나 지역이 있는 방향의 땅.

지문 독해

설명 대상

1 다음은 이 글에서 설명하고 있는 것입니다. 빈칸에 들어갈 알맞은 말을 쓰세요.

• 구름이 ☐ 나 ☐ 이 되는 과정

내용 이해

2 다음 중 이 글의 내용으로 알맞지 <u>않은</u> 것은 무엇인가요? ( )

① 비나 눈은 구름에서 만들어진다.
② 따뜻한 구름 속에서 비가 만들어진다.
③ 차가운 구름 속에서 비나 눈이 만들어진다.
④ 구름이 비나 눈이 되는 과정은 한 가지뿐이다.
⑤ 구름 속에는 작은 물방울이나 얼음 알갱이가 들어 있다.

추론하기

3 다음 중 '따뜻한 비'에 해당하는 것은 무엇인가요? ( )

① 차가운 지역에서 내리는 비
② 우리나라의 겨울에 내리는 비
③ 우리나라의 여름에 내리는 비
④ 남극이나 북극에서 내리는 비
⑤ 구름 속 얼음 알갱이가 커져서 내리는 비

어휘·어법

4 ㉠~㉤과 뜻이 반대되는 말을 알맞게 짝 지은 것을 두 가지 고르세요. (,)

① ㉠: 작은 ↔ 큰
② ㉡: 따뜻한 ↔ 미지근한
③ ㉢: 커져서 ↔ 적어져서
④ ㉣: 무거워지면 ↔ 가벼워지면
⑤ ㉤: 떨어지게 ↔ 내려가게

지문 분석

1 문단 요약

다음은 이 글에 나타난 각 문단의 중심 내용입니다. 알맞은 것에 ○표, 틀린 것에 ×표를 하세요.

1 문단	구름이 만들어지는 과정	( )
2 문단	따뜻한 비가 내리는 과정	( )
3 문단	차가운 비나 눈이 내리는 과정	( )

2 글의 구조

다음 표의 빈칸을 채워 이 글의 내용을 정리해 보세요.

❶ [ ][ ]이 비와 눈이 되는 과정

따뜻한 비	차가운 비와 눈
사계절이 있는 지역의 여름철이나 더운 ❷[ ][ ] 지방 위에 떠 있는 구름 속의 물방울들이 서로 합쳐져 비가 되어 떨어짐.	겨울철이나 남극과 ❸[ ][ ] 지방 위에 떠 있는 구름 속의 물방울과 얼음 알갱이가 합쳐져 비나 눈이 되어 내림.

❶( )　❷( )　❸( )

배경지식　지구의 적도

북극(일 년 내내 추운 지역)

남극(일 년 내내 추운 지역)

적도(일 년 내내 더운 지역)

오늘의 어휘

다음 낱말의 알맞은 뜻을 찾아 선으로 이으세요.

설명 •

과정 •

사계절 •

적도 •

지방 •

• 봄·여름·가을·겨울의 네 계절.

• 어느 장소나 지역이 있는 방향의 땅.

• 어떤 일이 되어 가는 형편이나 순서.

• 내용이나 이유 등을 상대편이 잘 알기 쉽게 풀어서 밝혀 말함. 또는 그런 말.

• 위도 0°로, 위도의 기준이 되는 선. 적도 지역은 태양의 직사광선을 받는 일이 많음.

1 다음 문장의 빈칸에 들어갈 알맞은 말을 오늘의 어휘 에서 찾아 쓰세요.

• 우리나라는 ☐☐☐ 의 변화가 뚜렷하다.

• 지구 온난화로 인해서 북극 ☐☐ 의 빙하가 녹고 있다.

• 선생님의 ☐☐ 을 들으면 어려운 문제도 쉽게 이해된다.

• 수업 시간에 쌀이 우리 식탁에 오르기까지의 ☐☐ 을 배웠다.

• ☐☐ 지역은 태양 광선이 바로 내리쬐어서 날씨가 무덥고 습하다.

2 다음 밑줄 친 말과 뜻이 비슷한 말을 (   )에서 찾아 ○표를 하세요.

편지를 쓸 때는 다음과 같은 순서로 쓰는 것이 좋아요. 먼저 편지를 받을 사람을 생각해요. 그리고 그 사람에게 어떤 마음을 전하고 싶은지 떠올려요. 그러고 나서 편지 쓰는 차례에 맞게 쓰면 되어요. 받을 사람, 첫인사, 전하고 싶은 말, 끝인사, 쓴 날짜와 쓴 사람 순으로 쓰면 되지요.

(기회, 목적, 과정)

환경 오염에는 무엇이 있을까요?

1 환경 오염은 물, 흙, 공기 등의 자연환경이 훼손되는 것을 뜻해요. 환경 오염은 크게 **토양** 오염, **수질** 오염, **대기** 오염으로 나눌 수 있어요.

2 토양 오염은 생활하며 나오는 쓰레기나 지나친 농약 사용 등으로 인해 땅이 오염되는 것이에요. 땅이 오염되면 식물이 잘 자라지 못하거나, 식물이 자랄 때 좋지 않은 성분이 들어가서 이를 먹은 생물에게 여러 가지 병을 일으키게 만들기도 해요.

3 수질 오염은 가정이나 공장에서 쓰고 버리는 **폐수**, 기름 **유출** 등으로 인해 물이 오염되는 것이에요. 물이 오염되면 물이 더러워지고 심한 냄새가 나기도 해요. 오염된 물속에 살고 있는 생물들이 **떼죽음**을 당하거나, 이상한 모습으로 변하기도 해요.

4 대기 오염은 자동차나 공장에서 나오는 **매연**이나 먼지 등으로 인해 공기가 오염되는 것이에요. 공기가 오염되면 사람과 동물 등의 **호흡** 기관에 나쁜 영향을 주어서 병에 걸릴 수 있어요.

5 이러한 환경 오염을 줄이기 위해서 우리는 각자 노력해야 해요. 물과 전기를 아껴 쓰기, 일회용품 사용 줄이기처럼 작은 일부터 실천하도록 해요.

5

10

15

- **토양** 지구 바깥을 덮고 있는 흙과 모래 등의 물질.
- **수질** 물의 성질.
- **대기**(大 큰 대, 氣 기운 기) 지구를 둘러싸고 있는 공기를 달리 이르는 말.
- **폐수** 사용하고 난 뒤에 내버린 물.
- **유출**(流 흐를 유, 出 날 출) 액체 등이 밖으로 흘러 나가거나 흘려 내보냄.
- **떼죽음** 한꺼번에 모조리 죽음.
- **매연** 공기 중에 있는 오염 물질로, 연료를 태웠을 때 나오는 그을음과 연기.
- **호흡** 숨을 내쉬고 들이마시는 것.

핵심어

1 이 글에서 가장 중심이 되는 낱말을 보기 에서 찾아 쓰세요.

> 보기
>
> 토양 오염,　　　　환경 오염,　　　　수질 오염,　　　　대기 오염

　　　　　　　　　　　　　　　　　　　　(　　　　　　　　　　)

내용 이해

2 다음 중 대기 오염에 대한 설명으로 알맞은 것은 무엇인가요? (　　　)

① 지나친 농약 사용이 원인이 되기도 한다.

② 생활 쓰레기로 인해 땅이 오염되는 것이다.

③ 땅이 더러워져서 식물이 잘 자라지 못하는 것이다.

④ 물고기의 모습이 이상하게 변하게 할 수 있는 것이다.

⑤ 공기가 오염되어 사람들의 호흡 기관에 나쁜 영향을 주는 것이다.

추론하기

3 이 글에서 알 수 있는 환경 오염의 원인으로 알맞지 <u>않은</u> 것은 무엇인가요?

　　　　　　　　　　　　　　　　　　　　　　(　　　)

① 플라스틱의 재활용

② 농약의 지나친 사용

③ 바다에 유출된 기름

④ 공장에서 사용한 폐수

⑤ 땅에 묻은 컵라면 용기

적용하기

4 다음 중 환경 오염을 막기 위해 우리가 할 수 있는 일로 알맞은 것을 모두 고르세요. (　 , 　 , 　)

① 생활 쓰레기 줄이기

② 일회용품 사용 줄이기

③ 물과 전기를 아껴 쓰기

④ 입지 않는 옷 땅에 묻어 버리기

⑤ 식물에 농약을 많이 써서 벌레 죽이기

지문 분석

1 글의 특징 다음은 이 글의 특징입니다. 빈칸에 들어갈 알맞은 말을 쓰세요.

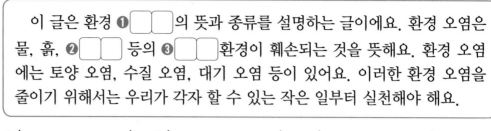

이 글은 환경 ❶☐☐의 뜻과 종류를 설명하는 글이에요. 환경 오염은 물, 흙, ❷☐☐ 등의 ❸☐☐ 환경이 훼손되는 것을 뜻해요. 환경 오염에는 토양 오염, 수질 오염, 대기 오염 등이 있어요. 이러한 환경 오염을 줄이기 위해서는 우리가 각자 할 수 있는 작은 일부터 실천해야 해요.

❶(   )   ❷(   )   ❸(   )

2 글의 구조 다음 표의 빈칸을 채워 이 글의 내용을 정리해 보세요.

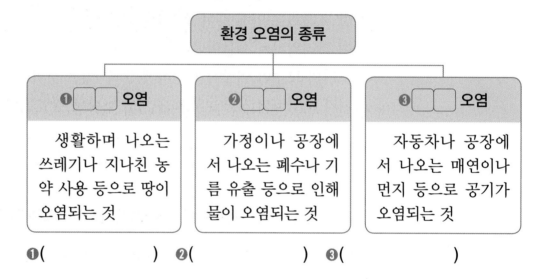

환경 오염의 종류

❶☐☐ 오염	❷☐☐ 오염	❸☐☐ 오염
생활하며 나오는 쓰레기나 지나친 농약 사용 등으로 땅이 오염되는 것	가정이나 공장에서 나오는 폐수나 기름 유출 등으로 인해 물이 오염되는 것	자동차나 공장에서 나오는 매연이나 먼지 등으로 공기가 오염되는 것

❶(   )   ❷(   )   ❸(   )

배경지식 나부터 실천하는 환경 보호!

양치를 할 때 컵에 물을 받아서 사용하여 물을 아껴요.

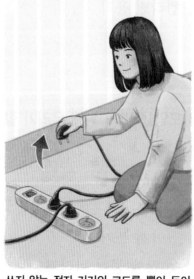

쓰지 않는 전자 기기의 코드를 뽑아 두어 전기를 아껴요.

일회용품을 사용하지 말고 오래 사용할 수 있는 물건을 사용해요.

다음 낱말의 알맞은 뜻을 찾아 선으로 이으세요.

토양 •

• 물의 성질.

수질 •

• 사용하고 난 뒤에 내버린 물.

폐수 •

• 지구 바깥을 덮고 있는 흙과 모래 등의 물질.

유출 •

• 액체 등이 밖으로 흘러 나가거나 흘려 내보냄.

매연 •

• 공기 중에 있는 오염 물질로, 연료를 태웠을 때 나오는 그을음과 연기.

1 **다음 문장의 빈칸에 들어갈 알맞은 말을** 오늘의 어휘 **에서 찾아 쓰세요.**

• 기름 ⬚⬚ 로 인해 바다가 오염된다.

• 사람들이 강의 쓰레기를 치우자 ⬚⬚ 이 좋아졌다.

• 공장에서 나오는 ⬚⬚ 로 인해 강이 오염되고 있다.

• 자동차에서 나오는 ⬚⬚ 으로 인해 공기가 오염된다.

• ⬚⬚ 오염을 줄이기 위해, 생활하며 나오는 쓰레기의 양을 줄이고 재활용해야 한다.

2 **다음 밑줄 친 말과 뜻이 비슷한 말을 (　　　)에서 찾아 ○표를 하세요.**

　수질 오염의 큰 부분을 차지하고 있는 것은 가정에서 나오는 하수예요. 하수를 줄이면 수질 오염을 막는 데 큰 도움이 되지요. 양치질을 할 때 컵에 물을 받아서 사용하거나 목욕을 할 때 물을 받아서 사용하는 등 작은 노력으로도 수질 오염을 줄일 수 있어요.

(폐수, 매연, 용수)

KEY WORD

글자 수

589

200 400 600 800

하늘을 나는 비행기의 역사

1 사람이 새처럼 하늘을 나는 일은 상상 속에서나 가능한 것이라고 생각하던 때가 있었어요. 하지만 라이트 형제에게는 하늘을 날겠다는 ㉠꿈이 있었지요. 형 오빌 라이트와 동생 윌버 라이트는 하늘을 나는 비행기를 **발명**하겠다는 목표를 세우고, 오랜 시간 그 목표를 이루기 위해 노력하였어요.

2 1903년 12월 17일, 드디어 라이트 형제는 **인류** 최초로 하늘을 나는 데 성공했어요. 공기보다 훨씬 무거운 비행 기계를 타고 하늘을 날았지요. 스스로의 **동력**으로 날아오른 최초의 비행기였어요. 이 비행기는 탄 사람이 직접 **조종**하여 **속도**를 유지하며 날았고, 날아오른 **지점**과 비슷한 높이의 땅에 무사히 도착했어요. 라이트 형제가 비행기를 처음 발명한 것이었으므로 당시 전 세계에는 비행기가 딱 한 대뿐이었고, 비행기를 타 본 사람도 두 형제뿐이었지요.

3 오늘날에는 기술의 발달로 비행기가 많아졌어요. 또 한꺼번에 많은 **승객**이 타고 세계 각국을 여행할 수 있는 대형 항공기도 생겼지요. 최근에는 조종사가 **탑승**하지 않고 **원격**으로 조종할 수 있는 **무인** 항공기까지 등장했어요. 또한 자동차처럼 개인이 이용할 수 있는 항공기도 생겨나 새로운 관심의 대상이 되고 있어요.

5

10

15

- **발명** 지금까지 없던 기술이나 물건 등을 새로 생각하여 만들어 냄.
- **인류**(人 사람 인, 類 무리 류) 세계의 모든 사람.
- **동력**(動 움직일 동, 力 힘 력) 전력·수력·풍력 등을 이용해 기계를 움직이게 하는 힘.
- **조종** 비행기·배 등을 다루고 부리는 것.
- **속도** 어떤 물체나 현상이 움직이거나 변하는 빠르기의 정도.
- **지점** 어떤 일정한 곳.
- **승객** 버스, 기차, 비행기 등의 탈것을 타는 손님.
- **탑승** 배나 비행기, 차 등에 올라탐.
- **원격** 시간적으로 또는 공간적으로 멀리 떨어져 있음.
- **무인** 사람이 없음.

지문 독해

핵심어

1 이 글에서 가장 중심이 되는 낱말을 보기에서 찾아 쓰세요.

> 보기
>
> 비행기,   하늘,   동력,   무인 항공기

(   )

내용 이해

2 다음 중 라이트 형제가 발명한 비행기의 특징으로 알맞은 것은 무엇인가요?

(   )

① 원격 조종 비행기이다.
② 바람의 힘을 이용한 비행기이다.
③ 스스로의 동력으로 날아오른 최초의 비행기이다.
④ 날아오르면서 속도가 점점 떨어지는 비행기이다.
⑤ 날아오른 지점과는 다른 높이의 땅에 도착한 비행기이다.

내용 이해

3 다음 중 오늘날의 발전된 비행기 기술로 알맞은 것은 무엇인가요? (   )

① 일정한 속도로 나는 기술
② 사람을 태울 수 있는 기술
③ 사람이 직접 조종이 가능한 기술
④ 조종사 없이 원격으로 나는 기술
⑤ 공기보다 무거운 기계로 나는 기술

적용하기

4 다음 밑줄 친 낱말 중 ㉠의 의미와 가장 비슷한 것은 무엇인가요? (   )

① 어젯밤 꿈에 하늘을 날았다.
② 어렸을 때 나의 꿈은 과학자였다.
③ 꿈에서 덜 깬 건지 정신이 안 차려진다.
④ 너를 보다니 꿈인지 생시인지 모르겠다.
⑤ 무서운 꿈을 꾸고 나면 혼자 잠을 자기가 무섭다.

지문 분석

1 정보 확인   이 글은 무엇에 대해 설명하고 있는지 빈칸에 들어갈 알맞은 말을 쓰세요.

· 비행기의 [ ][ ]과 발전

2 글의 구조   다음 표의 빈칸을 채워 이 글의 내용을 정리해 보세요.

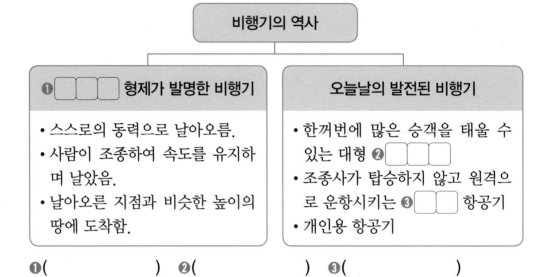

비행기의 역사

❶ [ ][ ][ ] 형제가 발명한 비행기

· 스스로의 동력으로 날아오름.
· 사람이 조종하여 속도를 유지하며 날았음.
· 날아오른 지점과 비슷한 높이의 땅에 도착함.

오늘날의 발전된 비행기

· 한꺼번에 많은 승객을 태울 수 있는 대형 **❷** [ ][ ][ ]
· 조종사가 탑승하지 않고 원격으로 운항시키는 **❸** [ ][ ] 항공기
· 개인용 항공기

❶(　　　　　　)　❷(　　　　　)　❸(　　　　　　)

배경지식   **초대형 항공기 A380**

초대형 항공기인 A380은 에어버스(Airbus)사가 제작한 현존하는 세계 최대의 여객기예요. A380의 내부 구조는 나라별 항공사나 제조 연도에 따라 조금씩 차이가 있어요.

엘리베이터
주방
이등석
화물칸 문
화물칸
조종실
일등석
식당
삼등석

오늘의 어휘

다음 낱말의 알맞은 뜻을 찾아 선으로 이으세요.

발명 •

인류 •

동력 •

탑승 •

원격 •

• 세계의 모든 사람.

• 배나 비행기, 차 등에 올라탐.

• 시간적으로 또는 공간적으로 멀리 떨어져 있음.

• 전력·수력·풍력 등을 이용해 기계를 움직이게 하는 힘.

• 지금까지 없던 기술이나 물건 등을 새로 생각하여 만들어 냄.

1 다음 문장의 빈칸에 들어갈 알맞은 말을 **오늘의 어휘** 에서 찾아 쓰세요.

• 드론은 □□으로 조종한다.

• 멈춰 있던 기계에 □□을 공급했다.

• 전 □□의 관심이 올림픽에 모아졌다.

• 노벨은 다이너마이트를 □□한 사람이다.

• 우리 가족은 공항에 일찍 도착하여 비행기 □□ 준비를 했다.

2 다음 밑줄 친 말과 뜻이 비슷한 말을 ( )에서 찾아 ○표를 하세요.

장영실은 측우기를 비롯해 해시계, 물시계 등 여러 과학 기구를 개발한 인물이에요. 세종 대왕은 노비 출신이었던 장영실의 능력을 알아보고 백성들을 위한 다양한 물건을 만들게 하였어요.

(발전, 발견, 발명)

KEY WORD

인공 지능

글자 수

585

200 400 600 800

인공 지능은 무엇일까요?

1 컴퓨터가 인간처럼 생각하고 **학습**하고 **판단**하여 스스로 행동하도록 만드는 기술을 인공 지능이라고 해요. 흔히 AI라고 불리는데, 이 말은 1956년 미국의 다트머스에서 열린 **학술** 회의에서 처음 사용되기 시작했어요.

2 인공 지능은 처음에는 게임이나 바둑 분야에 사용되는 정도였어요. 하지만 점차 기술이 **발전**되면서 실제 생활에 이용되기 시작하였고, 사람이 하는 일을 실제 할 수 있는 인공 지능 로봇까지 등장하게 되었지요. 특히 인공 지능의 문제 해결 방식은 인간의 뇌를 구성하는 신경 **구조**를 흉내 내어 만든 것이에요. 그래서 어떤 문제를 해결하기 위해 많은 양의 자료를 스스로 학습해서 **분석**하고 판단할 수 있도록 발전해 왔어요.

3 앞으로 인공 지능 기술은 사람과 자연스럽게 대화할 수 있는 로봇이 만들어질 정도로 발전할 것이라고 해요. 인공 지능이 문제 상황을 스스로 인식해서 해결책을 제시하고, 자신의 의견까지 표현할 수 있는 단계까지 발전하게 된 것이지요.

4 하지만 인공 지능이 발전할수록 인간의 삶에 나쁜 영향을 준다는 문제도 있어요. 힘든 일을 기계가 대신해 줄 수 있게 되면서 사람의 일자리를 빼앗을 수도 있기 때문이에요. 이것이 인공 지능의 발전과 사용에 대해 좀 더 깊은 고민이 필요한 까닭이기도 하지요.

5

10

15

- **학습**(學 배울 학, 習 익힐 습) 지식이나 기술 등을 배워서 익힘.
- **판단** 어떤 일에 대한 옳고 그름을 생각하고 마음속으로 결정함.
- **학술** 학문과 기술을 함께 이르는 말.
- **발전** 더 좋은 상태나 단계로 나아감.
- **구조** 물건이나 조직 등에서, 전체를 이루고 있는 부분들이 서로 짜인 관계.
- **분석**(分 나눌 분, 析 가를 석) 얽혀 있거나 복잡한 것을 그 요소나 성질에 따라서 나누는 일.

지문 독해

1 이 글에서 가장 중심이 되는 낱말을 보기 에서 찾아 쓰세요.

> 보기
>
> 컴퓨터,   인공 지능,   인간의 뇌,   로봇

(   )

내용 이해

2 인공 지능의 문제 해결 방식은 무엇을 흉내 낸 것인가요? (   )

① 컴퓨터의 내부 구조
② 로봇을 움직이는 원리
③ 무인 자동차의 작동 원리
④ 인간의 뇌를 구성하는 신경 구조
⑤ 컴퓨터가 정보를 처리하는 방식

적용하기

3 이 글을 통해 알 수 있는 인공 지능에 대한 설명으로 알맞지 <u>않은</u> 것은 무엇인가요? (   )

① 인간처럼 스스로 생각하는 것이다.
② 인간처럼 스스로 학습하는 것이다.
③ 인간처럼 스스로 행동하는 것이다.
④ 인간처럼 스스로 감정을 갖는 것이다.
⑤ 인간처럼 스스로 자료를 분석하는 것이다.

내용 이해

4 이 글을 통해 알 수 있는 인공 지능의 발전에 따른 문제로 알맞은 것은 무엇인지 기호를 쓰세요.

> ㉮ 인공 지능 때문에 사람들의 수가 줄어들 수 있다.
> ㉯ 인공 지능 때문에 사람들의 일자리가 줄어들 수 있다.
> ㉰ 인공 지능 때문에 사람들이 로봇에 대해 느끼는 고마움이 줄어들 수 있다.

(   )

지문 분석

1 문단 요약 　다음은 이 글에 나타난 각 문단의 중심 내용입니다. 알맞은 것에 ○표, 틀린 것에 ×표를 하세요.

1 문단	인공 지능의 뜻	(　)
2 문단	인공 지능의 장점과 단점	(　)
3 문단	인공 지능의 미래	(　)
4 문단	인공 지능의 부정적인 영향	(　)

2 글의 구조 　다음 표의 빈칸을 채워 이 글의 내용을 정리해 보세요.

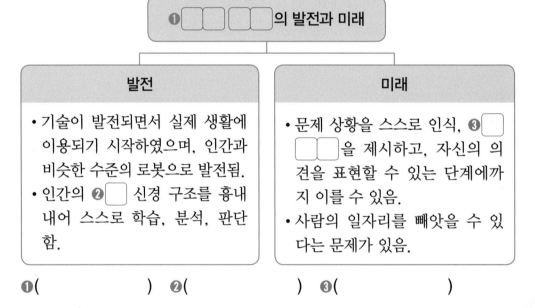

❶☐☐☐☐의 발전과 미래

발전	미래
• 기술이 발전되면서 실제 생활에 이용되기 시작하였으며, 인간과 비슷한 수준의 로봇으로 발전됨. • 인간의 ❷☐ 신경 구조를 흉내 내어 스스로 학습, 분석, 판단 함.	• 문제 상황을 스스로 인식, ❸☐☐☐을 제시하고, 자신의 의견을 표현할 수 있는 단계에까지 이를 수 있음. • 사람의 일자리를 빼앗을 수 있다는 문제가 있음.

❶(　　　　)　❷(　　　　)　❸(　　　　)

배경지식 　**딥러닝 기술로 만들어진 '알파고'**

　딥러닝 기술이란, 컴퓨터가 사람처럼 생각하고 배울 수 있도록 하는 기술을 말해요. 한국의 바둑 천재인 이세돌과 대결을 펼쳤던 알파고는 바로 이런 딥러닝 기술로 혼자 바둑을 공부했어요.

오늘의 어휘

다음 낱말의 알맞은 뜻을 찾아 선으로 이으세요.

학습 •　　　　• 더 좋은 상태나 단계로 나아감.

학술 •　　　　• 학문과 기술을 함께 이르는 말.

발전 •　　　　• 지식이나 기술 등을 배워서 익힘.

구조 •　　　　• 얽혀 있거나 복잡한 것을 그 요소나 성질에 따라서 나누는 일.

분석 •　　　　• 물건이나 조직 등에서, 전체를 이루고 있는 부분들이 서로 짜인 관계.

1 다음 문장의 빈칸에 들어갈 알맞은 말을 오늘의 어휘 에서 찾아 쓰세요.

- 이 장난감이 어떤 □□로 이루어졌는지 궁금하다.

- 그 문제는 너무 어려워서 □□하는 데 오래 걸렸다.

- 우리나라 산업의 □□ 속도는 다른 나라보다 훨씬 빨랐다.

- 대학은 국가와 사회 발전에 필요한 □□ 이론을 배우는 곳이다.

- 학생들이 집에서도 스스로 □□할 수 있는 환경을 만들어 주어야 한다.

2 다음 밑줄 친 말과 뜻이 비슷한 말을 (　　　)에서 찾아 ○표를 하세요.

　　과학의 발달이 우리에게 언제나 편리함과 행복만 주는 것은 아니에요. 과학의 발달로 인해 환경이 파괴되거나, 사람들이 더 큰 위험에 빠지는 경우도 있기 때문이지요.

(발전, 발생, 발견)

뮤지컬이 무엇일까요?

1 ㉠뮤지컬은 미국에서 시작된 ㉡**음악극**의 한 종류예요. 음악극이란 음악이 들어간 연극을 말해요. 어떤 **무대**가 있고, 무대를 보고 있는 **관객**이 있는 상황에서 무대 위의 배우들이 연기와 음악을 통해 이야기를 전하는 것이 바로 음악극이지요.

2 뮤지컬은 보는 사람들에게 노래와 **대사**를 통해 **사건**의 내용을 전 5 달해요. 연극을 보면 등장인물들이 무대로 나와서 대사와 연기를 통해 어떤 일이 벌어지고 있는지 전하지요. 뮤지컬은 이러한 연극적인 **요소**에 노래를 더해 이야기를 전해요. 즉 노래의 가사와 느낌을 통해 인물의 감정이나 일어난 일을 관객들에게 전하는 것이에요. 따라서 뮤지컬에서 음악과 노래는 빠질 수 없는 중요한 부분이에요. 10

3 또한 뮤지컬은 춤도 더해져 있어요. 배우들이 노래를 부르며 춤을 추지요. 노래와 함께 춤이 더해져 이야기를 전하기 때문에 보는 사람들이 더 신나고 즐거워요.

4 뮤지컬은 처음에는 무대 위에서 공연하는 것으로만 시작했어요. 하지만 지금은 다양한 형태로 발전하고 있어요. 〈알라딘〉이나 〈겨울 15 왕국〉처럼 뮤지컬 영화도 만들어져서 사람들에게 큰 사랑을 받고 있지요.

KEY WORD

뮤지컬

글자 수

545

200 400 600 800

- **음악극** 음악 반주가 있고 대사가 주로 노래로 되어 있는 연극 형식의 극.
- **무대** 노래·춤·연극 등을 공연하기 위하여 관람석 앞에 만들어 놓은 단.
- **관객** 운동 경기나 공연·영화 등을 보는 사람.
- **대사** 연극이나 영화 등에서 배우가 하는 말.
- **사건**(事 일 사, 件 사건 건) 문제가 되거나 관심을 끌 만한 일.
- **요소** 어떤 일을 이루는 데 꼭 필요한 성분. 또는 근본적인 조건.

지문 독해

1 이 글에서 가장 중심이 되는 낱말을 보기 에서 찾아 쓰세요.

보기

뮤지컬,	사건,	음악극,	연극

(   )

내용 이해

2 다음 중 이 글에서 알 수 있는 뮤지컬과 연극의 비슷한 점을 두 가지 찾아 ○표를 하세요.

(1) 배우들의 연기로 이야기를 전달한다.   (   )

(2) 배우들의 춤으로 이야기를 전달한다.   (   )

(3) 배우들의 대사로 이야기를 전달한다.   (   )

(4) 배우들의 노래로 이야기를 전달한다.   (   )

적용하기

3 다음 중 이 글의 내용을 알맞게 이해한 친구는 누구인가요? (   )

① 민아: 뮤지컬은 어린이들은 볼 수 없어.

② 소은: 뮤지컬은 우리나라에서 시작했어.

③ 예온: 뮤지컬은 관객이 필요 없는 공연이야.

④ 동욱: 뮤지컬은 노래와 춤으로 이야기를 전해.

⑤ 서준: 뮤지컬은 음악이 없이도 공연할 수 있어.

어휘·어법

4 다음 중 ㉠과 ㉡의 관계와 비슷한 것은 무엇인가요? (   )

	㉠	㉡
①	고래	동물
②	남자	여자
③	바다	육지
④	현악기	바이올린
⑤	어머니	엄마

지문 분석

1 문단 요약

다음은 이 글에 나타난 각 문단의 중심 내용입니다. 알맞은 것에 ○표, 틀린 것에 ✕표를 하세요.

1문단	뮤지컬과 다른 연극의 특징	( )
2문단	노래와 대사가 섞인 뮤지컬	( )
3문단	춤이 더해진 뮤지컬	( )
4문단	뮤지컬의 발전	( )

2 글의 구조

다음 표의 빈칸을 채워 이 글의 내용을 정리해 보세요.

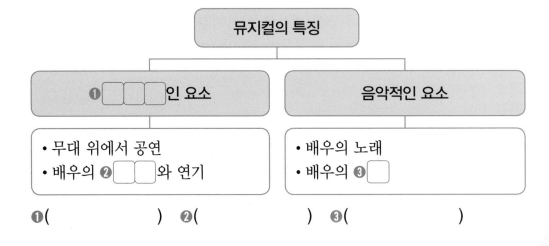

뮤지컬의 특징

❶☐☐☐인 요소 — 음악적인 요소

- 무대 위에서 공연
- 배우의 ❷☐☐와 연기

- 배우의 노래
- 배우의 ❸☐

❶( ) ❷( ) ❸( )

배경지식 뮤지컬 배우들이 화장을 진하게 하는 까닭

멀리 있는 관객에게까지 표정과 얼굴이 잘 보이게 하기 위해서예요.

배우가 맡은 역할의 성격이나 특징을 잘 드러내기 위해서예요.

오늘의 어휘

다음 낱말의 알맞은 뜻을 찾아 선으로 이으세요.

음악극 •

• 문제가 되거나 관심을 끌 만한 일.

관객 •

• 연극이나 영화 등에서 배우가 하는 말.

대사 •

• 운동 경기나 공연·영화 등을 보는 사람.

사건 •

• 어떤 일을 이루는 데 꼭 필요한 성분. 또는 근본적인 조건.

요소 •

• 음악 반주가 있고 대사가 주로 노래로 되어 있는 연극 형식의 극.

1 다음 문장의 빈칸에 들어갈 알맞은 말을 오늘의 어휘 에서 찾아 쓰세요.

- 뮤지컬은 [ ][ ][ ]의 한 종류이다.

- 물은 인간이 살아가는 데 꼭 필요한 [ ][ ]이다.

- 어제 우리 반에 유리창이 깨지는 [ ][ ]이 있었다.

- 연극이 끝나자 [ ][ ]들은 힘차게 박수를 보내 주었다.

- 드라마를 촬영할 때 배우들은 [ ][ ]를 외워서 연기한다.

2 다음 밑줄 친 말과 뜻이 비슷한 말을 ( )에서 찾아 ○표를 하세요.

사람이 살아가는 데 꼭 필요한 <u>조건</u>은 3가지예요. 입는 옷, 잠을 잘 집, 힘을 얻기 위한 식량이 그것인데, 흔히 '의식주'라고 하지요. 식량 중 가장 중요한 것은 물입니다. 물이 없다면 생명을 유지할 수 없기 때문이에요.

(요소, 미소, 해소)

영화는 어떻게 만들어질까요?

■ 영화란 어떤 의미를 갖고 움직임이 있는 영상과 소리를 촬영하여 보여 주는 **영상물**이에요. 한 편의 영화가 만들어지려면 작가, 감독, 배우, 촬영 제작진 등 많은 사람이 필요해요. 영화는 어떤 과정으로 만들어질까요?

■ 첫째, 준비 단계예요. 이 단계에서는 영화의 **대본**인 시나리오를 분석하고, 어울리는 배우를 정해요. 그런 다음 촬영 제작진을 구성해서 전체적인 촬영 계획을 세워요. 이런 준비가 끝나면 **콘티**를 만들고, 배우는 **연기** 연습을 시작하지요.

■ 둘째, 촬영 단계예요. 이 단계에서는 촬영 제작진들이 콘티에 따라 배우들의 연기를 촬영해요. 촬영 순서는 시나리오의 순서대로 찍는 것이 아니라 같은 장소에서 일어나는 장면을 모아서 한 번에 찍거나, 주어진 상황에 맞춰 장면을 찍기 때문에 마지막 장면을 먼저 찍는 경우도 있어요.

■ 셋째, 편집 단계예요. 편집이란 순서와 상관없이 찍은 장면들을 시나리오의 흐름에 맞게 다시 구성하는 것이에요. 이때 사용할 장면과 버릴 장면을 선택하면서 장면의 순서를 바꾸기도 하지요. 장면들의 편집이 끝나면 장면에 어울리는 음악이나 **효과음**, **자막** 등을 넣어 영화를 완성해요.

5

10

15

KEY WORD

영화

글자 수

610

200 400 600 800

- **영상물** 영화나 비디오, 텔레비전 등의 영상 매체로 전달되는 작품.

- **대본**(臺 돈대 대, 本 근본 본) 연극이나 드라마, 영화 제작 등에 기본이 되는 글.

- **콘티** 영화나 텔레비전 드라마의 촬영을 위하여 각본을 바탕으로 필요한 모든 사항을 기록한 것.

- **연기** 배우가 맡은 인물의 성격이나 행동 등을 표현해 내는 일.

- **효과음** (영화나 드라마에서) 어떤 장면을 진짜처럼 표현하기 위해서 넣는 소리.

- **자막** (영화나 텔레비전 등에서) 관객이나 시청자가 읽을 수 있도록 화면에 보여 주는 제목, 배역, 해설, 대사 등의 글자.

핵심어

1 이 글에서 가장 중심이 되는 낱말을 보기 에서 찾아 쓰세요.

보기

> 시나리오,   배우,   촬영,   영화

(   )

내용 이해

2 다음을 영화를 만드는 순서대로 기호를 쓰세요.

> ㉮ 콘티에 따라 배우들의 연기를 촬영한다.
> ㉯ 콘티에 따라 배우들은 연기 연습을 한다.
> ㉰ 촬영 제작진을 구성하고 촬영 계획을 세운다.
> ㉱ 배경에 어울리는 자막과 효과음, 음악 등을 넣는다.

(   ) → (   ) → (   ) → (   )

추론하기

3 이 글을 통해 답을 알 수 있는 질문으로 알맞은 것은 무엇인가요? (   )

① 편집은 누가 하나요?

② 대본에는 어떤 내용이 있나요?

③ 영화와 연극은 어떻게 다른가요?

④ 영화는 시나리오의 순서대로 촬영하나요?

⑤ 촬영 장소를 정할 때 가장 중요한 것은 무엇인가요?

적용하기

4 다음은 이 글을 읽은 친구들이 영화에 대해 말한 것입니다. **잘못** 말한 친구는 누구인가요? (   )

① 채현: 영화의 대본을 시나리오라고 해.

② 서연: 영화를 만들 때는 많은 사람이 필요해.

③ 이안: 영화에는 음악과 자막이 들어가기도 해.

④ 도율: 영화를 촬영할 때는 마지막 장면을 먼저 찍기도 해.

⑤ 하준: 영화를 편집할 때는 촬영한 모든 장면을 넣어야 해.

지문 분석

1 정보 확인 이 글은 무엇에 대해 설명하고 있는지 빈칸에 들어갈 알맞은 말을 쓰세요.

· ☐☐의 뜻과 제작 과정

2 글의 구조 다음 표의 빈칸을 채워 이 글의 내용을 정리해 보세요.

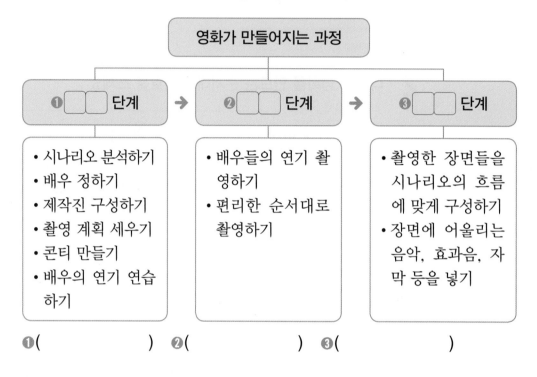

영화가 만들어지는 과정

❶☐☐ 단계 → ❷☐☐ 단계 → ❸☐☐ 단계

❶☐☐ 단계	❷☐☐ 단계	❸☐☐ 단계
· 시나리오 분석하기 · 배우 정하기 · 제작진 구성하기 · 촬영 계획 세우기 · 콘티 만들기 · 배우의 연기 연습하기	· 배우들의 연기 촬영하기 · 편리한 순서대로 촬영하기	· 촬영한 장면들을 시나리오의 흐름에 맞게 구성하기 · 장면에 어울리는 음악, 효과음, 자막 등을 넣기

❶(   ) ❷(   ) ❸(   )

배경지식 시나리오와 촬영

S# 12 체육관
하준과 서연, 체육관에 들어온다. 운동 기구를 하나씩 든다.

하준: 우왓, 너무 무거워.
서연: 넌 체력을 좀 길러야 해.

하준은 무거운 운동 기구를 들고 낑낑대고 있고, 서연은 가뿐하게 늘며 운동을 한다. 열심히 운동하는 모습들 몽타주.

시나리오

시나리오에 따라 촬영하는 모습

오늘의 어휘

다음 낱말의 알맞은 뜻을 찾아 선으로 이으세요.

영상물 •

• 연극이나 드라마, 영화 제작 등에 기본이 되는 글.

대본 •

• 배우가 맡은 인물의 성격이나 행동 등을 표현해 내는 일.

연기 •

• 영화나 비디오, 텔레비전 등의 영상 매체로 전달되는 작품.

효과음 •

• (영화나 드라마에서) 어떤 장면을 진짜처럼 표현하기 위하여 넣는 소리.

자막 •

• (영화나 텔레비전 등에서) 관객이나 시청자가 읽을 수 있도록 화면에 보여 주는 제목, 배역, 해설, 대사 등의 글자.

1 다음 문장의 빈칸에 들어갈 알맞은 말을 오늘의 어휘 에서 찾아 쓰세요.

• 배우들은 ☐☐에 있는 대사를 미리 외운다.

• 그 배우의 ☐☐는 많은 사람의 마음을 움직인다.

• 텔레비전 예능 프로그램에서 ☐☐은 재미를 더욱 높여 준다.

• 만화책으로 인기를 끌던 작품을 ☐☐☐로 제작하기도 한다.

• 무서운 영화에서 ☐☐☐은 공포감을 더욱 크게 만들어 준다.

2 다음 밑줄 친 말들을 포함하는 말을 ( )에서 찾아 ○표를 하세요.

연극의 <u>희곡</u>, 영화의 <u>시나리오</u>는 모두 등장인물의 대사와 동작, 배경 등에 대한 내용을 적어 놓은 글이에요. 즉 희곡은 무대에 연극을 올릴 목적으로 쓴 글이고, 시나리오는 영화를 만들기 위해 쓴 글이지요.

(지문, 대본, 대사)

고흐는 어떤 그림을 그렸을까요?

지문분석

KEY WORD

고흐의 그림

글자 수

590
200 400 600 800

1 고흐는 네덜란드의 화가로 **강렬한** 색이 담긴 **독특한** 그림을 그렸어요. 그의 대표적인 작품으로는 〈해바라기〉, 〈별이 빛나는 밤〉 등이 있어요.

2 고흐는 프랑스의 작은 마을인 아를로 이사를 한 후, 친구인 고갱과 함께 지낸 적이 있어요. 그곳에서 밝고 강렬한 태양의 매력에 빠지고, 태양을 닮은 해바라기를 많이 그렸어요. 그의 대표작 중 하나인 〈해바라기〉도 이때 그렸지요. 그 뒤로 고흐는 '태양의 화가'라는 별명을 얻게 되었어요. 고흐가 〈해바라기〉에 사용했던 강렬한 노란색은 고흐의 희망과 **열정**을 잘 보여 주지요.

3 어느 날, **정신병**을 앓고 있던 고흐는 병원에 입원하게 되어요. 그때 병실 창밖으로 보이는 밤하늘을 보며 그린 그림이 〈별이 빛나는 밤〉이에요. 고흐는 별들이 빛의 잔치를 벌이는 듯한 느낌을 표현하고 싶었어요. 그래서 노란색의 달과 별들이 **격렬하게 소용돌이**치고 있는 모습이 하늘을 온통 뒤덮는 모습으로 그렸어요. 그림의 아래쪽에는 고요하고 평온한 모습의 마을을 그렸고, 왼쪽에는 키가 아주 큰 나무가 하늘을 향해 불꽃처럼 솟아오르는 모습을 그렸지요. 이 작품은 밤하늘을 진한 남색으로 칠하고 그 위에 노란색으로 별과 달을 칠해서 더욱 강렬한 느낌을 주는 그림이에요.

5

10

15

- **강렬한** 빛이나 힘·의지 등이 아주 강하고 세찬.
- **독특한** 특별히 다르거나 뛰어난.
- **열정**(熱 더울 열, 情 뜻 정) 어떤 일에 강한 애정을 가지고 열중하는 마음.
- **정신병** 정신에 이상이 생겨 정상적인 사회생활을 하지 못하는 병.
- **격렬하게** 몹시 세차게.
- **소용돌이** 미술에서 한 점을 중심으로 하나의 선이 둘레를 돌면서 뻗어 나가는 모양.

지문 독해

설명 대상

1 이 글은 무엇을 설명하는 글인지 빈칸에 들어갈 알맞은 말을 쓰세요.

· ⬜⬜의 그림

내용 이해

2 다음 중 고흐가 그림 〈해바라기〉에 사용한 '노란색'에서 엿볼 수 있는 것을 찾아 ○표를 하세요.

(1) 고흐의 육체적 피로 　　　　　　　　　　　　　(　　)

(2) 고흐의 희망과 열정 　　　　　　　　　　　　　(　　)

(3) 고흐의 정신적 불안감 　　　　　　　　　　　　(　　)

추론하기

3 다음 중 고흐가 그린 그림의 특징으로 알맞은 것은 무엇인가요? (　　)

① 고갱의 그림을 그대로 따라 그렸다.

② 대부분 어두운 색깔로 그림을 그렸다.

③ 대상을 있는 그대로 표현하려고 하였다.

④ 자연보다는 사람들의 모습을 많이 그렸다.

⑤ 대상을 강렬한 색상으로 독특하게 표현하였다.

추론하기

4 이 글을 읽고 그림 〈별이 빛나는 밤〉을 상상해 본 것으로 알맞지 <u>않은</u> 것은 무엇인가요? (　　)

① 왼쪽에는 하늘까지 닿아 있는 키가 큰 나무가 있을 것이다.

② 밤하늘에는 달과 별이 고요한 느낌으로 그려져 있을 것이다.

③ 달과 별을 색칠한 노란색은 소용돌이치듯 그려져 있을 것이다.

④ 진한 남색 바탕의 밤하늘에 노란색 달과 별이 강렬하게 보일 것이다.

⑤ 격렬한 밤하늘의 모습과 달리 마을은 모두 잠든 듯 고요하게 그려져 있을 것이다.

지문 분석

1 문단 요약 다음은 이 글에 나타난 각 문단의 중심 내용입니다. 알맞은 것에 ○표, 틀린 것에 ×표를 하세요.

1 문단	고흐가 화가가 된 까닭	( )
2 문단	고흐의 〈해바라기〉	( )
3 문단	고흐의 〈별이 빛나는 밤〉	( )

2 글의 구조 다음 표의 빈칸을 채워 이 글의 내용을 정리해 보세요.

고흐의 대표적인 작품

〈해바라기〉	〈별이 빛나는 밤〉
• 태양의 매력에 빠져 태양을 닮은 해바라기를 그림. • **❶**'□□의 화가'라는 별명을 갖게 됨. • 강렬한 **❷**□□□을 사용해서 그림.	• 하늘에는 노란색의 달과 **❸**□들이 격렬하게 소용돌이치고 있는 모습을 그림. • 아래쪽에는 평온한 마을을 그림. • 왼쪽에는 키가 큰 나무가 불꽃처럼 솟아오르는 모습을 그림.

❶( ) ❷( ) ❸( )

배경지식 ## 고흐와 동생 테오

빈센트 반 고흐에게는 테오 반 고흐라는 동생이 있었어요. 고흐와 테오는 15년간 무려 650여 통에 가까운 편지를 주고받았어요. 편지에는 그림, 사랑, 돈과 관련된 다양한 이야기가 담겨 있었지요. 테오는 형이 그림을 그릴 수 있도록 돈도 지원해 주었어요. 고흐에게는 동생인 테오가 아주 특별한 존재였지요.

오늘의 어휘

다음 낱말의 알맞은 뜻을 찾아 선으로 이으세요.

강렬한 •

독특한 •

열정 •

격렬하게 •

소용돌이 •

• 몹시 세차게.

• 특별히 다르거나 뛰어난.

• 빛이나 힘·의지 등이 아주 강하고 세찬.

• 어떤 일에 강한 애정을 가지고 열중하는 마음.

• 미술에서 한 점을 중심으로 하나의 선이 둘레를 돌면서 뻗어 나가는 모양.

1 다음 문장의 빈칸에 들어갈 알맞은 말을 오늘의 어휘 에서 찾아 쓰세요.

• 내 친구는 춤에 대한 ☐☐ 이 남다르다.

• 그 꽃에서는 아주 ☐☐☐ 향기가 난다.

• ☐☐☐ 햇볕으로 인해 날씨가 너무 덥게 느껴졌다.

• 우리는 그 문제에 대해 ☐☐☐☐ 논쟁을 벌였다.

• 고흐의 그림에는 ☐☐☐☐ 무늬가 자주 등장한다.

2 다음 밑줄 친 말과 뜻이 반대되는 말을 ( )에서 찾아 ○표를 하세요.

사람들은 여행지를 고를 때 두 가지 장소 중에서 고민하곤 해요. 평범한 일상에서 벗어나 색다른 경험을 할 수 있는 장소로 갈지, 바쁜 일상과는 달리 그저 편안히 휴식을 취할 수 있는 장소로 갈지 말이에요.

(익숙한, 무난한, 독특한)

지문분석

KEY WORD

사물놀이

글자 수

561

200 400 600 800

사물놀이의 유래와 특징

1 사물놀이는 네 사람이 각각 **타악기**인 꽹과리, 징, 장구, 북을 치며 어우러져 노는 놀이예요. 사물놀이는 농민들이 하던 풍물놀이에서 **유래**했어요. 풍물놀이는 힘든 농사일을 마친 농민들이 **피로**를 잊기 위해 야외에서 함께 모여 태평소, 북, 소고, 꽹과리, 장구, 징 등을 불거나 치면서 신나게 놀던 놀이예요. 이 풍물놀이에 쓰인 악기 중 네 가지를 사용하여 실내에서 하는 무대 예술이 된 것이 바로 사물놀이예요.

2 사물놀이는 악기를 가진 네 명이 앉아서 **가락**을 연주해요. 그래서 사물놀이는 '앉은반'이라고도 불려요. 사물놀이에 이용되는 네 악기는 자연의 현상을 나타내요. 크기는 작지만 아주 요란한 소리를 내는 꽹과리는 천둥을 나타내고, 깊고 웅장한 소리를 내는 징은 바람을 나타내지요. 또 두껍고 낮은 소리가 나는 북은 구름을 나타내고, 경쾌하면서도 낮은 소리를 내는 장구는 비를 나타내요. 이 네 악기로 이루어지는 사물놀이는 우리 민족의 **신명**을 가장 잘 보여 주는 놀이예요.

3 오늘날 사물놀이는 관현악단이나 재즈 밴드 등과 함께 공연을 하기도 해요. 이렇게 사물놀이는 지금까지 계속해서 변신을 꾀하며 이어져 오고 있어요.

5

10

15

- **타악기** 두드려서 소리를 내는 악기를 통틀어 이르는 말.
- **유래**(由 말미암을 유, 來 올 래) 사물이 어디에서 비롯되어 옴. 또는 사물이나 일이 거쳐 내려온 내력.
- **피로** 일을 많이 해서 정신이나 몸이 지쳐 힘듦. 또는 그런 상태.
- **가락** 소리의 높낮이가 길이나 리듬과 어울려 나타나는 음의 흐름.
- **신명** 흥겨운 신이나 멋.

지문 독해

1 이 글에서 가장 중심이 되는 낱말을 보기 에서 찾아 쓰세요.

> 보기
>
> 풍물놀이,　　　사물놀이,　　　꽹과리

(　　　　　　　　　　　　)

내용 이해

2 다음 중 사물놀이의 네 악기가 나타내는 것을 찾아 선으로 이으세요.

(1) 꽹과리 ・　　　　　　　　　　・㉮ 구름

(2) 북 ・　　　　　　　　　　・㉯ 비

(3) 장구 ・　　　　　　　　　　・㉰ 천둥

(4) 징 ・　　　　　　　　　　・㉱ 바람

내용 이해

3 이 글에서 알 수 있는 사물놀이의 특징으로 알맞은 것을 두 가지 고르세요.

(　　　,　　　)

① 태평소, 북, 징, 꽹과리로 연주한다.

② 실내에서 앉아서 공연하는 놀이이다.

③ 사용되는 악기는 자연 현상을 나타낸다.

④ 타악기가 아닌 다른 악기와 어울릴 수 없다.

⑤ 많은 사람이 야외에서 어우러져 연주하는 놀이이다.

추론하기

4 이 글을 통해 답을 알 수 <u>없는</u> 질문은 무엇인가요? (　　　　)

① 사물놀이의 유래는 무엇인가요?

② 실내 사물놀이는 언제 시작됐나요?

③ 사물놀이의 다른 이름은 무엇인가요?

④ 사물놀이와 풍물놀이의 다른 점은 무엇인가요?

⑤ 풍물놀이에 사용되는 악기에는 어떤 것이 있나요?

지문 분석

1 문단 요약 다음은 이 글에 나타난 각 문단의 중심 내용입니다. 알맞은 것에 ○표, 틀린 것에 ✕표를 하세요.

1 문단 타악기의 유래	( )

2 문단 사물놀이의 특징	( )

3 문단 오늘날의 사물놀이	( )

2 글의 구조 다음 표의 빈칸을 채워 이 글의 내용을 정리해 보세요.

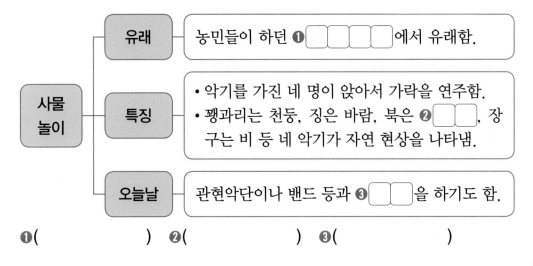

사물놀이

- **유래** 농민들이 하던 ❶□□□□에서 유래함.
- **특징**
  - 악기를 가진 네 명이 앉아서 가락을 연주함.
  - 꽹과리는 천둥, 징은 바람, 북은 ❷□□, 장구는 비 등 네 악기가 자연 현상을 나타냄.
- **오늘날** 관현악단이나 밴드 등과 ❸□□을 하기도 함.

❶( ) ❷( ) ❸( )

배경지식 사물놀이는 어떤 모습일까요?

꽹과리   징   장구   북

오늘의 어휘

다음 낱말의 알맞은 뜻을 찾아 선으로 이으세요.

타악기 •

• 흥겨운 신이나 멋.

유래 •

• 두드려서 소리를 내는 악기를 통틀어 이르는 말.

피로 •

• 일을 많이 해서 정신이나 몸이 지쳐 힘듦. 또는 그런 상태.

가락 •

• 소리의 높낮이가 길이나 리듬과 어울려 나타나는 음의 흐름.

신명 •

• 사물이 어디에서 비롯되어 옴. 또는 사물이나 일이 거쳐 내려온 내력.

1 다음 문장의 빈칸에 들어갈 알맞은 말을 오늘의 어휘 에서 찾아 쓰세요.

- 사물놀이는 풍물놀이에서 □□ 되었다.

- 선생님께서는 □□ 가 쌓여 결국 몸살이 나셨다.

- 우리나라의 전통 음악을 듣다 보면 저절로 □□ 이 난다.

- 사람들은 전통 음악의 □□ 에 맞춰 춤을 추기 시작했다.

- 실로폰은 채로 때려서 소리를 내는 악기이므로 □□□ 이다.

2 다음 밑줄 친 말을 모두 포함하는 말을 ( )에서 찾아 ○표를 하세요.

드럼, 징, 트라이앵글 등은 채나 막대로 두드려서 소리를 내는 악기입니다. 또한 피리, 플루트 등은 입으로 불어서 소리를 내는 악기이고, 바이올린, 첼로 등은 줄을 켜거나 타서 소리를 내는 악기입니다.

(관악기, 타악기, 현악기)

야구의 경기 방법

1 야구는 한 팀에 9명의 선수가 있고, **상대** 팀과 9회에 걸쳐 서로 **공격**과 **수비**를 주고받은 뒤 점수가 높은 쪽이 이기는 경기예요.

2 경기를 위해서 공격 팀은 공을 치는 타자를 세워요. 수비 팀은 공을 던지는 투수, 공을 받는 포수, 1~3루를 각각 맡는 선수, 이외에도 타자가 친 공을 잘 잡을 수 있도록 정해진 곳을 맡는 선수들을 세우지요.

3 경기가 시작되면 공격 팀에서는 공을 칠 타자가 순서대로 한 명씩 나와요. 타자가 공을 치고 달려서 1~3루를 모두 거쳐 처음 서 있던 곳으로 돌아오면 1점을 얻어요. 타자가 친 공을 수비 팀 선수가 땅에 떨어지기 전에 잡으면 타자는 **아웃**이 되지요. 만약 공이 땅에 닿은 후에 잡으면 수비 팀 선수는 즉시 공격 팀 선수가 달려가고 있는 **누(루)**에 서 있는 수비 팀 선수에게 던져요. 이때 공격 팀 선수가 도착하기 전에 수비 팀 선수가 공을 잡아 루를 밟으면 공격 팀 선수는 아웃이 되고, 공격 팀 선수가 공보다 먼저 도착하면 **세이프**가 되지요.

4 또한, 투수가 던진 공이 세 번 모두 **스트라이크**가 되면 타자는 아웃이 되어요. 그리고 투수가 던진 공이 몸에 맞거나 **볼**이 4개가 되면 타자는 1루로 갈 수 있지요. 이 과정에서 공격 팀의 선수 3명이 아웃되면 공격 팀과 수비 팀이 역할을 바꾸어 경기를 진행해요.

5

10

15

지문분석

KEY WORD

야구

글자 수

606
200 400 600 800

- **상대**(相 서로 상, 對 대답할 대) 서로 겨룸. 또는 그런 대상.

- **공격** 운동 경기나 오락 등에서 상대편을 이기기 위한 적극적인 행동.

- **수비** 공격을 막아 지킴.

- **아웃**(out) 야구에서, 경기 중에 타자나 주자가 그 자격을 잃는 일.

- **누(루)** 야구에서 구역 안의 네 귀퉁이에 있는 방석같이 생긴 물건. 또는 그 물건의 위.

- **세이프**(safe) 야구에서, 각 누로 공격 팀의 선수가 안전하게 도착하는 일.

- **스트라이크**(strike) 야구에서, 투수가 던진 공이 스트라이크 존을 지나가는 일. 타자가 공을 헛친 것도 속함.

- **볼**(ball) 야구에서, 투수가 던진 공 가운데 스트라이크 존을 벗어난 공.

설명 대상

1 이 글에서 설명하고 있는 운동 경기는 무엇인지 쓰세요.

( )

내용 이해

2 다음 중 야구에 쓰이는 말의 뜻으로 알맞은 것은 무엇인가요? ( )

① 수비: 상대편을 이기려는 적극적인 행동.
② 공격: 투수의 공이 일정한 공간 안에 들어옴.
③ 투수: 포수의 공을 받는 선수.
④ 타자: 공을 치는 공격 팀 선수.
⑤ 포수: 타자에게 공을 던지는 공격 팀 선수.

내용 이해

3 다음 중 야구에서 타자가 아웃이 되는 경우로 알맞은 것은 무엇인가요? ( )

① 볼이 4개일 때
② 스트라이크가 1개일 때
③ 루에 던져진 공이 세이프일 때
④ 투수가 던진 공이 몸에 맞았을 때
⑤ 타자가 친 공이 땅에 떨어지기 전에 수비 팀 선수가 잡았을 때

적용하기

4 이 글을 읽고 보기 의 야구 경기 상황을 잘못 이해한 친구는 누구인가요? ( )

보기

　　현재 동아팀과 행복팀은 각각 8:5로 동아팀이 이기고 있는데요. 이제 동아팀의 9회 공격이 끝나고 행복팀의 마지막 공격이 시작되겠습니다.

① 미래: 행복팀이 이기려면 4점 이상의 점수가 필요해.
② 윤수: 동아팀의 투수가 던진 공이 자꾸 볼로 판정되면 행복팀에게는 유리하겠군.
③ 경환: 행복팀의 첫 타자에게 던진 세 번의 공이 모두 스트라이크면 바로 아웃이야.
④ 기준: 행복팀의 세 명의 타자가 점수를 내지 못하고 아웃이 되면 동아팀이 이기는 거야.
⑤ 주희: 행복팀의 첫 타자가 친 공이 땅에 닿은 후 수비 팀 선수가 잡으면 바로 아웃이 되는 거지.

지문 분석

1 **정보 확인** 이 글은 무엇에 대해 설명하고 있는지 빈칸에 들어갈 알맞은 말을 쓰세요.

• 야구의 뜻과 ☐☐☐☐

2 **글의 구조** 다음 표의 빈칸을 채워 이 글의 내용을 정리해 보세요.

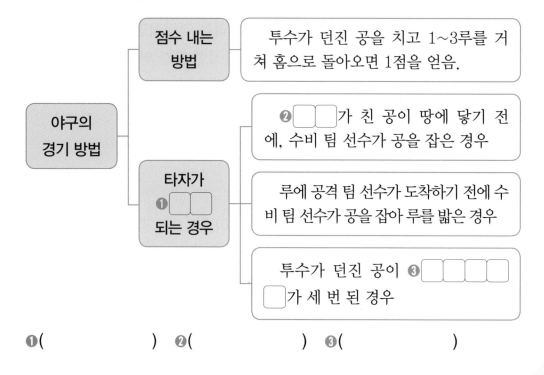

야구의 경기 방법

점수 내는 방법 → 투수가 던진 공을 치고 1~3루를 거쳐 홈으로 돌아오면 1점을 얻음.

타자가 ❶☐☐ 되는 경우

→ ❷☐☐가 친 공이 땅에 닿기 전에, 수비 팀 선수가 공을 잡은 경우

→ 루에 공격 팀 선수가 도착하기 전에 수비 팀 선수가 공을 잡아 루를 밟은 경우

→ 투수가 던진 공이 ❸☐☐☐☐ ☐가 세 번 된 경우

❶(   ) ❷(   ) ❸(   )

배경지식 **야구장의 모습**

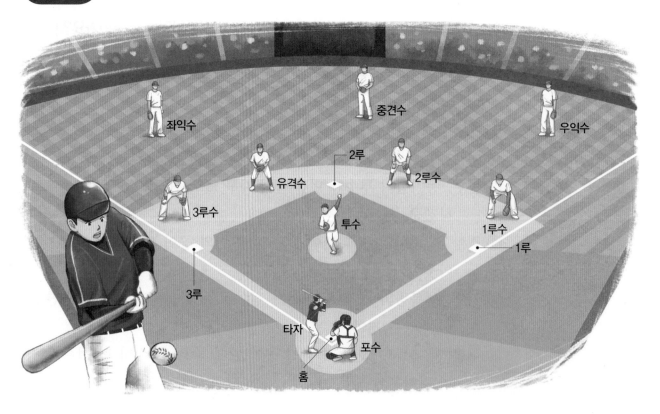

좌익수   중견수   우익수   2루   유격수   2루수   3루수   투수   1루수   1루   3루   타자   포수   홈

다음 낱말의 알맞은 뜻을 찾아 선으로 이으세요.

상대	•		• 공격을 막아 지킴.
공격	•		• 서로 겨룸. 또는 그런 대상.
수비	•		• 야구에서, 각 누로 공격 팀의 선수가 안전하게 도착하는 일.
세이프	•		• 야구에서, 투수가 던진 공 가운데 스트라이크 존을 벗어난 공.
볼	•		• 운동 경기나 오락 등에서 상대편을 이기기 위한 적극적인 행동.

1 다음 문장의 빈칸에 들어갈 알맞은 말을 오늘의 어휘 에서 찾아 쓰세요.

• 투수가 던진 공이 모두 ☐ 이 되어 타자가 1루로 갔다.

• 이번 시합에서는 빠른 ☐☐ 으로 승부를 내도록 하자.

• 우리가 공격을 하는 동안 너희는 ☐☐ 를 맡아야 한다.

• 내가 찬 공이 ☐☐ 선수한테 맞고 골 안으로 들어갔다.

• 수비 팀 선수가 잡은 공보다 먼저 루에 도착한 선수는 ☐☐☐ 가 된다.

2 다음 밑줄 친 말과 뜻이 비슷한 말을 (   )에서 찾아 ○표를 하세요.

선생님께서는 체육 시간에 2반과 피구 시합을 하자고 말씀하셨다. 나는 가슴이 두근거렸다. 지난번에는 우리 반이 완전히 졌기 때문이다. 이번에는 기필코 2반의 공격을 막아서 우리 반이 이길 수 있도록 해야겠다.

(공격하여, 공습하여, 수비하여)

인물 **01**

지문분석

KEY WORD

안중근

글자 수

592
200 400 600 800

안중근 의사는 누구일까요?

1 1905년 우리나라는 일본에 나라를 빼앗겼어요. 우리나라의 많은 사람들은 스스로 군대를 조직하여 일본군에 맞서 싸웠지요. 안중근 **의사** 역시 스스로 군인이 되어 일본군에 맞서 싸웠어요. 하지만 우리나라의 군대마저 일본에 의해 흩어지게 되고, 안중근은 러시아 땅인 연해주로 건너가 **항일** 운동을 시작하였어요.

2 안중근은 동료들과 함께 비밀 조직을 만든 뒤 손가락을 잘라 '단지 동맹'을 맺었어요. 단지란 손가락을 자른다는 뜻으로, 이는 일본에 맞서 독립운동을 하겠다는 의지를 다짐하는 의식이었지요.

3 1909년, 안중근은 우리나라를 빼앗은 일본의 **핵심** 인물이었던 이토 히로부미가 만주에 온다는 소식을 들었어요. 안중근은 동료들과 함께 그를 공격할 계획을 세우고 실행하게 되어요. 이토 히로부미는 하얼빈역에서 안중근이 쏜 총에 맞아 숨지고, 안중근은 그 자리에서 일본군에게 붙잡히게 되지요. 그리고 중국의 뤼순 감옥에 갇혀 지내다 다음 해 사형되었어요.

4 안중근은 죽기 전 ㉠재판을 받는 내내 자신은 살인범이 아닌 전쟁 **포로**임을 주장했어요. 그는 우리나라 군대의 **장교**로서 우리나라에 쳐들어와 나라를 빼앗은 사람을 죽인 것이니 자신에겐 죄가 없다며 당당하게 죽음을 맞이했어요.

5

10

15

- **의사**(義 옳을 의, 士 선비 사) 나라와 민족을 위하여 일하다가 목숨을 바친 사람.
- **항일** 일본 제국주의에 맞서서 싸움.
- **핵심**(核 씨 핵, 心 마음 심) 가장 중심이 되는 부분이나 요점.
- **포로** 전쟁 중에 적군에게 사로잡힌 군인.
- **장교** 육군·해군·공군의 소위 이상의 계급에 있는 군인.

지문 독해

1 설명 대상

이 글은 무엇에 대해 쓴 것인지 다음 빈칸에 들어갈 알맞은 말을 쓰세요.

· ☐☐☐ 의사의 업적

2 내용 이해

다음 중 안중근 의사가 우리나라를 지키기 위해 스스로 한 일로 알맞은 것을 두 가지 찾아 ○표를 하세요.

(1) 이토 히로부미를 죽임. ( )
(2) 일본에 나라를 빼앗김. ( )
(3) 중국의 뤼순 감옥에 갇힘. ( )
(4) 군인이 되어 일본에 맞서 싸움. ( )

3 내용 이해

㉠의 까닭은 무엇인가요? ( )

① 사람을 죽인 것을 감추고 싶었기 때문에
② 재판에서 사형을 받을까 봐 두려웠기 때문에
③ 일본인 재판관의 재판에 불만이 많았기 때문에
④ 군인으로서 나라를 침략한 적을 공격한 것이기 때문에
⑤ 자신이 죽인 이토 히로부미에게 용서를 빌고 싶었기 때문에

4 적용하기

다음 중 이 글을 읽고 느낀 점을 알맞게 말하지 못한 친구는 누구인가요?

( )

① 기림: 우리나라를 일본에 빼앗긴 적이 있었다는 것을 새롭게 알게 되었어.
② 수빈: 힘든 상황에서도 자신의 의지를 굽히지 않고 당당히 행동한 안중근 의사의 태도를 본받고 싶어.
③ 예서: 안중근 의사는 당시 자신이 일본 군대의 장교였음에도 일본에 맞서 싸운 용기가 대단한 것 같아.
④ 지훈: 안중근 의사를 포함하여 우리나라를 지키려는 많은 사람의 노력이 있었다는 것을 알게 되었어.
⑤ 소라: 일본의 핵심 인물인 이토 히로부미를 공격할 계획을 세우고 실천한 안중근 의사가 대단한 것 같아.

지문 분석

1 글의 특징 다음은 이 글의 특징입니다. 빈칸에 들어갈 알맞은 말을 쓰세요.

이 글은 일본에 맞서 독립운동을 한 안중근 ❶[   ]의 활동을 설명하는 글이에요. 안중근 의사는 우리나라가 ❷[   ]에 나라를 빼앗겼을 당시에 스스로 군인이 되어 항일 운동을 하였고, 일본의 핵심 인물인 이토 ❸[   ]를 총으로 쏘아 감옥에서 죽음을 맞이했어요.

❶(   ) ❷(   ) ❸(   )

2 글의 구조 다음 표의 빈칸을 채워 이 글의 내용을 정리해 보세요.

❶[   ] 의사가 나라를 지키기 위해 한 일

동료들과 ❷[ ] 동맹을 맺음.	이토 히로부미를 쏘아 죽임.
독립운동에 대한 의지를 맹세함.	재판을 받으면서 살인범이 아닌 전쟁 ❸[ ]임을 주장함.

❶(   ) ❷(   ) ❸(   )

배경지식 안중근 의사와 어머니

안중근 의사

"네가 항소를 한다면 그것은 일제에 목숨을 구걸하는 짓이다. 네가 나라를 위해 이에 이른 즉, 딴 맘 먹지 말고 죽으라. 옳은 일을 하고 받은 형이니 비겁하게 삶을 구걸하지 말고 대의에 죽는 것이 어미에 대한 효도이다."

조마리아

오늘의 어휘

다음 낱말의 알맞은 뜻을 찾아 선으로 이으세요.

의사 •

항일 •

핵심 •

포로 •

장교 •

• 일본 제국주의에 맞서서 싸움.

• 가장 중심이 되는 부분이나 요점.

• 전쟁 중에 적군에게 사로잡힌 군인.

• 육군·해군·공군의 소위 이상의 계급에 있는 군인.

• 나라와 민족을 위하여 일하다가 목숨을 바친 사람.

1 다음 문장의 빈칸에 들어갈 알맞은 말을 오늘의 어휘 에서 찾아 쓰세요.

• 3·1 운동은 평화적인 ☐☐ 운동이었다.

• 사건의 ☐☐ 인물이 누구인지 알아야 한다.

• 그 나라에는 전쟁 중 잡힌 ☐☐ 들이 많았다.

• 우리 아버지는 군인으로 ☐☐ 까지 하셨던 분이다.

• 일본이 우리나라에 쳐들어왔을 때 독립운동을 한 수많은 ☐☐ 가 있었다.

2 다음 밑줄 친 말과 뜻이 비슷한 말을 ( )에서 찾아 ○표를 하세요.

글을 읽을 때는 글쓴이가 말하고자 하는 <u>요점</u>이 무엇인지 생각하며 읽어야 해요. 그렇게 하면 글의 내용을 더 잘 이해할 수 있고, 글쓴이가 전하고자 한 생각이 무엇인지도 잘 알 수 있어요.

(소망, 핵심, 희망)

KEY WORD

퀴리 부인

글자 수

590

200 400 600 800

ⓐ 물질을 연구한 ⓑ

1 마리 퀴리는 폴란드에서 태어난 프랑스 과학자로, 남편 피에르 퀴리와 함께 스스로 빛을 내는 방사성 물질을 연구한 사람이에요.

2 마리는 방사성 물질 중 하나인 우라늄을 연구하던 중 우라늄보다 훨씬 강한 빛을 내보내는 **원소**를 발견하게 되어요. 마리는 새롭게 발견한 이 원소에 폴란드의 이름을 딴 '폴로늄'이란 이름을 붙였어요.

3 그리고 그해 12월에 마리는 또 하나의 **강력한** 방사능을 내보내는 원소인 '라듐'을 발견하게 되어요. 라듐은 마리가 처음 연구했던 우라늄에 비해 훨씬 강한 방사능을 가지고 있고, 암세포를 없애는 데 효과가 있었어요. 이러한 업적으로 마리는 남편과 함께 노벨상을 받게 되지요.

4 마리는 연구를 하기 위해 오랫동안 방사능에 **노출**되었고, 결국 **백혈병**에 걸려 세상을 떠났어요. 하지만 마리의 업적은 방사성 물질에 대한 과학자들의 관심을 불러일으켰고, 더 많은 과학자가 방사성 원소를 연구하는 데 큰 **영향**을 주었지요.

5

10

- **원소**(元 으뜸 원, 素 흴 소) 모든 물질을 구성하는 기본적인 요소로, 더 이상 나눌 수 없는 작은 요소.
- **강력한** 힘이나 영향이 강한.
- **노출** 겉으로 드러나거나 드러냄.
- **백혈병** 혈액 속에 백혈구가 지나치게 많아지는 병.
- **영향** 다른 것에 어떤 작용을 미쳐 반응이나 변화를 주는 일.

지문 독해

1 ㉠과 ㉡에 알맞은 낱말을 넣어 이 글의 제목을 완성하세요.

제목

• ☐☐☐ 물질을 연구한 ☐☐☐☐

내용 이해

2 다음 보기의 세 원소 중 가장 약한 방사능을 내보내는 것은 무엇인지 찾아 쓰세요.

보기

폴로늄,   우라늄,   라듐

(   )

내용 이해

3 다음 중 이 글의 내용으로 알맞은 것을 두 가지 고르세요. (,   )

① 마리 퀴리는 백혈병으로 죽었다.
② 방사성 물질은 스스로 빛을 내는 물질이다.
③ '폴로늄'은 암세포를 죽이는 데 효과가 있다.
④ 퀴리 부부는 공동으로 노벨상을 두 번이나 받았다.
⑤ '라듐'은 마리 퀴리의 고향의 이름을 붙여 만든 이름이다.

추론하기

4 이 글을 통해 답을 알 수 없는 질문은 무엇인가요? (   )

① 마리 퀴리는 누구와 결혼했나요?
② 마리 퀴리는 어떤 업적을 남겼나요?
③ 마리 퀴리가 죽은 까닭은 무엇인가요?
④ 마리 퀴리는 무엇을 연구한 사람인가요?
⑤ 마리 퀴리는 왜 프랑스 과학자가 되었나요?

지문 분석

1 문단 요약

다음은 이 글에 나타난 각 문단의 중심 내용입니다. 알맞은 것에 ○표, 틀린 것에 ×표를 하세요.

1 문단	방사성 물질을 연구한 마리 퀴리	(	)
2 문단	노벨 물리학상과 노벨 화학상	(	)
3 문단	라듐을 발견한 마리 퀴리	(	)
4 문단	마리 퀴리의 죽음과 업적	(	)

2 글의 구조

다음 표의 빈칸을 채워 이 글의 내용을 정리해 보세요.

```
          방사성 물질을 연구한 마리 퀴리
        ┌──────────────────┴──────────────────┐
    ❶ ☐☐☐ 발견                        ❸ ☐☐ 발견
  • ❷ ☐☐☐ 의 이름을 따서 지음.        • 우라늄보다 훨씬 강한 방사능을
  • 우라늄보다 강한 빛을 방출하는           가지고 있음.
    원소임.                           • 암세포를 없애는 데 효과 있음.
```

❶(   )   ❷(   )   ❸(   )

배경지식 ### 방사성 물질의 두 얼굴

    마리 퀴리는 방사성 물질을 연구하다 방사성 물질에 희생된 과학자예요. 마리 퀴리는 방사성 물질을 연구할 때는 방사성 물질이 인간에 어떤 영향을 미치는지 전혀 몰랐다고 해요. 방사능은 인간에게 해를 줄 수도 있지만, 적절하게 사용하면 병을 고치는 등 도움이 될 수 있으므로 주의해서 사용해야 하지요.

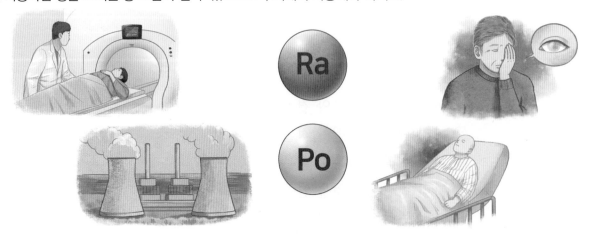

오늘의 어휘

다음 낱말의 알맞은 뜻을 찾아 선으로 이으세요.

원소 •

강력한 •

노출 •

백혈병 •

영향 •

• 힘이나 영향이 강한.

• 겉으로 드러나거나 드러냄.

• 혈액 속에 백혈구가 지나치게 많아지는 병.

• 다른 것에 어떤 작용을 미쳐 반응이나 변화를 주는 일.

• 모든 물질을 구성하는 기본적인 요소로, 더 이상 나눌 수 없는 작은 요소.

1 다음 문장의 빈칸에 들어갈 알맞은 말을 오늘의 어휘 에서 찾아 쓰세요.

• ☐☐ 는 모든 물질을 구성하는 기본 요소이다.

• 매년 어린이 ☐☐☐ 환자들이 증가하고 있다.

• 햇볕에 피부를 ☐☐ 시켰더니 피부가 까맣게 탔다.

• 나는 키가 크신 부모님의 ☐☐ 을 받아 키가 큰 편이다.

• 그 선수는 챔피언에 맞설 만큼 ☐☐☐ 우승 후보이다.

2 다음 밑줄 친 말과 뜻이 비슷한 말을 ( )에서 찾아 ○표를 하세요.

배추를 소금에 절이면 소금 성분의 작용을 받아 배추에 있던 수분이 빠져 나오게 되어요. 그렇게 되면 뻣뻣하던 하얀 배춧잎이 흐물흐물해지지요. 이렇게 흐물흐물해진 배춧잎을 물로 씻고 만들어 놓은 소를 넣어 배추김치를 담그는 거예요.

(영예, 영양, 영향)

KEY WORD

헬렌 켈러

글자 수

536
200 400 600 800

헬렌 켈러의 삶

1 헬렌 켈러는 태어난 지 19개월이 되었을 때 **열병**에 걸려 ㉠청각과 ㉡시각을 모두 잃게 되었어요. 보지 못하며, 듣지 못하고, 말하지도 못하는 장애를 갖게 된 것이지요.

2 소리도 없고, 빛도 없던 헬렌 켈러의 손을 잡아 준 사람은 설리번 선생님이에요. **훗날** 헬렌 켈러는 설리번 선생님을 만난 날을 '일생을 통틀어 가장 중요한 날이 있다면 바로 이날, 내가 앤 설리번 선생님을 만난 날이다.'라고 기록하였어요. 설리번 선생님은 자신도 시력이 좋지 않은 장애를 갖고 있었지만, 헬렌이 장애를 극복하고 더 많은 공부를 할 수 있도록 **헌신적**으로 도와주었어요. 덕분에 헬렌은 말도 할 수 있게 되었고, 시각·청각 장애인으로는 최초로 대학 교육까지 받게 되지요.

3 헬렌은 자신의 경험을 바탕으로 사회적으로 **차별**받는 사람들을 도울 방법을 찾았어요. 세계 각지를 돌아다니며 장애인 시설을 더 좋게 바꾸기 위해 애쓰고, 장애인들을 위한 사업에 큰 역할을 했지요. 또한 여성의 **권리**를 **보장**받기 위한 일뿐만 아니라 비참한 환경에서 일하는 사람들을 위해 싸우기도 하였어요.

5

10

15

- **열병** 열이 몹시 오르고 심하게 앓는 병.
- **훗날** 뒤에 올 날.
- **헌신적** 몸과 마음을 바쳐 있는 힘을 다하는 것.
- **차별(差** 어그러질 차, **別** 다를 별) 둘 이상의 대상을 각각 등급이나 수준 등의 차이를 두어서 구별함.
- **권리** 어떤 이익을 자기를 위해 다른 사람에게 주장할 수 있는 힘이나 자격.
- **보장** 어떤 일이 어려움 없이 이루어지도록 조건을 마련하여 보증하거나 보호함.

지문 독해

설명 대상

1 이 글에서 설명하고 있는 인물은 누구인지 네 글자로 쓰세요.

( )

내용 이해

2 이 글의 내용으로 알맞은 것은 무엇인가요? ( )

① 헬렌 켈러는 태어날 때부터 장애를 갖고 있었다.
② 헬렌 켈러는 여성 최초로 대학 교육까지 받았다.
③ 헬렌 켈러는 들을 수 없었으므로 평생 말도 할 수 없었다.
④ 설리번 선생님은 헬렌 켈러보다 더 심각한 장애를 갖고 있었다.
⑤ 헬렌 켈러는 자신과 같은 어려움에 처한 사람들을 도우며 살았다.

추론하기

3 다음 중 이 글의 내용을 알려 주면 좋을 친구는 누구인가요? ( )

① 화를 잘 내는 친구
② 물건을 자주 잃어버리는 친구
③ 여러 사람 앞에 서면 말을 못 하는 친구
④ 욕심이 많아서 사람들과 자주 다투는 친구
⑤ 자신은 잘하는 것이 없다며 늘 포기하는 친구

어휘·어법

4 다음 중 ㉠과 ㉡을 포함하는 낱말은 무엇인가요? ( )

① 후각   ② 감각   ③ 미각
④ 촉각   ⑤ 통각

지문 분석

1 문단 요약 이 글에 나타난 각 문단의 중심 내용으로 알맞은 것을 찾아 선으로 이으세요.

1 문단 ·

2 문단 ·

3 문단 ·

· 병에 걸려 청각과 시각을 잃게 된 헬렌 켈러

· 장애인과 여성 등을 돕기 위해 노력한 헬렌 켈러

· 설리번 선생님의 도움을 받아 장애를 극복한 헬렌 켈러

2 글의 구조 다음 표의 빈칸을 채워 이 글의 내용을 정리해 보세요.

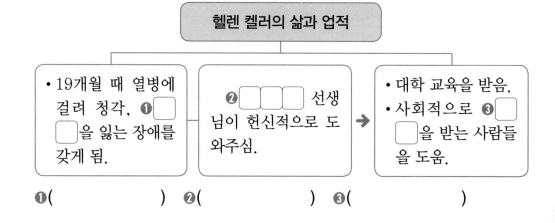

헬렌 켈러의 삶과 업적

- 19개월 때 열병에 걸려 청각, ❶☐☐을 잃는 장애를 갖게 됨.

- ❷☐☐☐ 선생님이 헌신적으로 도와주심.

→

- 대학 교육을 받음.
- 사회적으로 ❸☐☐을 받는 사람들을 도움.

❶( ) ❷( ) ❸( )

배경지식 설리번 선생님의 교육법

설리번 선생님은 손바닥에 손가락으로 글자를 쓰며 헬렌에게 말을 알려 주셨어요. 글자의 모양을 직접 느껴서 익히게 하신 것이지요. 또한 사물을 직접 만지며 느끼게 하셨어요. 물을 알려 주기 위해서 직접 차가운 물을 손에 대어 보게 하는 방법으로 직접 체험하며 알 수 있게 해 주셨지요.

오늘의 어휘

다음 낱말의 알맞은 뜻을 찾아 선으로 이으세요.

훗날 •

헌신적 •

차별 •

권리 •

보장 •

• 뒤에 올 날.

• 몸과 마음을 바쳐 있는 힘을 다하는 것.

• 둘 이상의 대상을 각각 등급이나 수준 등의 차이를 두어서 구별함.

• 어떤 이익을 자기를 위해 다른 사람에게 주장할 수 있는 힘이나 자격.

• 어떤 일이 어려움 없이 이루어지도록 조건을 마련하여 보증하거나 보호함.

1 다음 문장의 빈칸에 들어갈 알맞은 말을 오늘의 어휘 에서 찾아 쓰세요.

• 사람을 대할 때 ☐☐하는 것은 옳지 않은 일이다.

• 어린이들은 ☐☐ 우리나라를 이끌어 나갈 희망이다.

• 우리나라의 국민은 누구나 차별받지 않을 ☐☐가 있다.

• 나는 부모님의 ☐☐☐인 노력으로 올바른 사람으로 성장하였다.

• 그 회사는 우수한 학생에게 대학 교육비까지 ☐☐하겠다고 하였다.

2 다음 밑줄 친 말과 뜻이 반대되는 말을 (　　　)에서 찾아 ○표를 하세요.

옛날 우리나라에는 남아 선호 사상이 일반적이었어요. 남아 선호 사상이란 여자아이보다 남자아이를 더 원하는 것을 뜻해요. 지금과 달리 남자와 여자를 평등하지 않게 대했던 생각이었지요.

(식별, 차별, 차등)

서민의 일상을 그림에 담은 김홍도

1 조선 시대 사람인 김홍도는 어려서부터 그림에 천재적 재능을 보였어요. 그래서 스무 살이 되기도 전에 도화서의 **화원**이 되었지요. 도화서란 조선 시대에 그림에 관한 일을 맡아보던 **관아**예요.

2 김홍도의 실력을 알아본 **정조**는 나라의 중요한 행사마다 김홍도에게 그림을 그리게 했어요. 김홍도는 뛰어난 실력으로 왕의 **초상화**, **병풍** 등을 그리며 유명한 궁중 화가가 되었어요.

3 그런데 사실 김홍도의 가장 큰 업적은 수많은 풍속화를 그린 것이에요. 풍속화란 한 시대를 살아가는 평범한 **서민**들의 생활 모습이나 유행 등을 그린 그림이에요. 김홍도의 풍속화에 등장하는 인물들은 대부분 평범한 사람들이었어요. 김홍도는 서민의 흔한 일상생활 모습을 그림으로 그렸어요. 농사를 짓는 모습, 물건을 만들거나 집을 짓는 모습, 아낙네들이 우물가에 물을 뜨러 가는 모습 등 서민들의 **생동감** 넘치는 삶의 모습을 그림으로 담았지요.

4 김홍도의 풍속화는 그림의 **구도**나 인물의 동작 표현, 붓놀림 등에서 뛰어난 예술성이 느껴질 뿐만 아니라 조선 후기 때 서민 문화가 발전하는 데에도 큰 역할을 했어요.

5

10

15

KEY WORD

김홍도

글자 수

550

200 400 600 800

- **화원** 조선 시대 도화서에 소속되어 그림을 그리던 하급 관리.
- **관아** 옛날 관리들이 모여 일을 보던 곳.
- **정조** 조선의 제22대 왕.
- **초상화** 사람의 얼굴을 중심으로 그린 그림.
- **병풍** 바람을 막거나 무엇을 가리거나 또는 장식용으로 방 안에 치는 물건.
- **서민**(庶 여러 서, 民 백성 민) 아무 벼슬이나 신분적 특권을 갖지 못한 일반 사람.
- **생동감**(生 날 생, 動 움직일 동, 感 느낄 감) 생기 있게 살아 움직이는 듯한 느낌.
- **구도** 미술 작품을 이루고 있는 부분이나 요소들의 짜임새.

지문 독해

1 설명 대상

이 글은 무엇에 대해 쓴 것인지 다음 빈칸에 들어갈 알맞은 말을 쓰세요.

• 풍속화를 그린 ☐☐☐

2 내용 이해

다음 중 김홍도가 가장 큰 업적으로 남긴 그림은 무엇인가요? (　　　)

① 수채화　　　　　② 산수화　　　　　③ 풍속화

④ 정물화　　　　　⑤ 초상화

3 내용 이해

이 글에서 알 수 있는 김홍도에 대한 설명으로 알맞지 <u>않은</u> 것은 무엇인가요?

(　　　)

① 20세에 도화서의 화원이 되었다.

② 궁중 화가로서 왕에게도 인정받았다.

③ 어려서부터 그림에 천재적 재능을 보였다.

④ 서민들의 생활 모습이 담긴 풍속화를 그렸다.

⑤ 조선 후기 때 서민 문화가 발전하는 데 큰 역할을 했다.

4 적용하기

다음 중 김홍도의 풍속화를 보고 알맞게 말하지 <u>못한</u> 친구는 누구인가요?

(　　　)

① 지민: 서민들의 생동감 넘치는 모습이 담겨 있어.

② 연홍: 서민들이 열심히 일하는 모습이 감동적이야.

③ 태연: 구도 면이나 붓놀림 등에서 뛰어난 예술성이 느껴져.

④ 주하: 궁궐에서 흔히 일어날 수 있는 일들이 그려져 있구나.

⑤ 서원: 당시 서민들이 어떻게 살았었는지 볼 수 있어서 재미있어.

지문 분석

1 중심 내용 다음은 이 글의 중심 내용입니다. 빈칸에 들어갈 알맞은 말을 쓰세요.

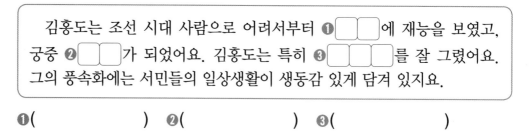

> 김홍도는 조선 시대 사람으로 어려서부터 ❶▢▢에 재능을 보였고, 궁중 ❷▢▢가 되었어요. 김홍도는 특히 ❸▢▢▢를 잘 그렸어요. 그의 풍속화에는 서민들의 일상생활이 생동감 있게 담겨 있지요.

❶(   )   ❷(   )   ❸(   )

2 글의 구조 다음 표의 빈칸을 채워 이 글의 내용을 정리해 보세요.

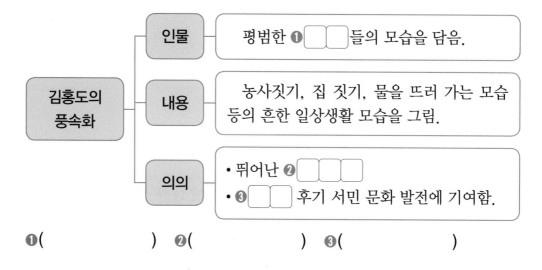

김홍도의 풍속화	인물	평범한 ❶▢▢들의 모습을 담음.
	내용	농사짓기, 집 짓기, 물을 뜨러 가는 모습 등의 흔한 일상생활 모습을 그림.
	의의	• 뛰어난 ❷▢▢▢ • ❸▢▢ 후기 서민 문화 발전에 기여함.

❶(   )   ❷(   )   ❸(   )

배경지식 김홍도의 풍속화가 사랑받는 까닭

김홍도가 남긴 풍속화가 뛰어난 작품으로 손꼽히는 이유는 서민들의 일상을 생생하게 담고 있기 때문이에요. 예를 들어 대표작인 〈씨름〉을 보면 단순히 씨름 장면을 그대로 그린 것이 아니라 씨름을 하는 사람, 지켜보는 구경꾼, 그 사이 얼굴을 가리고 있는 양반들, 엿장수 등의 모습을 함께 그려서 그 모습을 아주 생생히 드러내 주고 있어요.

오늘의 어휘

다음 낱말의 알맞은 뜻을 찾아 선으로 이으세요.

관아 •

• 옛날 관리들이 모여 일을 보던 곳.

초상화 •

• 사람의 얼굴을 중심으로 그린 그림.

병풍 •

• 생기 있게 살아 움직이는 듯한 느낌.

서민 •

• 아무 벼슬이나 신분적 특권을 갖지 못한 일반 사람.

생동감 •

• 바람을 막거나 무엇을 가리거나 또는 장식용으로 방 안에 치는 물건.

1 다음 문장의 빈칸에 들어갈 알맞은 말을 오늘의 어휘 에서 찾아 쓰세요.

• 나는 평범한 ☐☐이다.

• 할머니 댁의 방 한쪽에는 ☐☐이 세워져 있다.

• 오만 원권 지폐에는 신사임당의 ☐☐☐가 인쇄되어 있다.

• 조선 시대 사람들은 잘못한 일이 있으면 ☐☐로 불려 가곤 했다.

• 시장에 있는 사람들의 활기찬 움직임에서 ☐☐☐이 느껴졌다.

2 다음 밑줄 친 말과 뜻이 반대되는 말을 ( )에서 찾아 ○표를 하세요.

나라의 경제가 어려워지면 <u>특권층</u>보다는 평범한 사람들의 삶이 더 힘들어진다. 물가의 상승이나 소득의 하락 등으로 인해 평범한 사람들이 더 큰 영향을 받기 때문이다. 따라서 나라의 경제가 크게 흔들리지 않도록 노력을 기울이는 것이 정부의 큰 역할이기도 하다.

(양반, 귀족, 서민)

위대한 작곡가 베토벤

1 베토벤은 어려서부터 음악에 특별한 **재능**을 보였어요. 베토벤의 아버지는 이런 베토벤을 유명한 음악가로 키우기 위해 엄하게 훈련시켰어요. 스스로 음악을 아주 좋아했던 베토벤은 열네 살이 될 무렵에 궁정의 오르간 연주자가 되었어요. 하지만 베토벤의 아버지는 가난한 음악가이자 술주정뱅이였고, 어머니는 **병약했어요**. 그래서 베토벤은 열다섯 살 때부터 집안의 **생계**를 위해 피아노를 가르치며 돈을 벌어야 했지요.

2 집안의 생활이 나아지자 베토벤은 빈으로 가서 세계적인 음악가 하이든과 모차르트의 지도를 받게 되어요. 그 뒤 베토벤은 눈부시게 발전해 연주가로서 활발한 활동을 하게 되지요. 그런데 그 무렵 베토벤의 귀에 ㉠심각한 문제가 생겼어요. 귀가 점점 들리지 않게 된 것이에요. 음악가에게 청각에 문제가 생기는 것은 더 이상 음악을 하기 어려워진 것이나 다름없기에 베토벤은 절망했어요. 하지만 베토벤이 갖고 있는 음악에 대한 열정은 음악을 포기할 수 없게 만들었지요. 그래서 베토벤은 더욱 열심히 작곡 활동을 하였고, 수많은 **명곡**을 만들 수 있었어요.

3 시련을 이겨 낸 사람의 **위대함**은 더욱 빛이 난다고 해요. 가난과 질병을 모두 이겨 낸 베토벤의 음악은 지금까지도 듣는 이에게 큰 **감동**을 주고 있어요.

- **재능**(才 재주 재, 能 능할 능) 어떤 일을 하는 데 필요한 재주와 능력.
- **병약했어요** 병으로 인하여 몸이 쇠약했어요.
- **생계** 살림을 살아 나갈 방도. 또는 현재 살림을 살아가고 있는 형편.
- **명곡** 이름난 악곡. 또는 뛰어나게 잘된 악곡.
- **위대함** 능력이나 업적 등이 크게 뛰어나고 훌륭함.
- **감동**(感 느낄 감, 動 움직일 동) 크게 느끼어 마음이 움직임.

지문 독해

1 설명 대상

이 글에서 가장 중심이 되는 인물을 보기에서 찾아 쓰세요.

보기

모차르트,   베토벤,   하이든

(   )

2 내용 이해

다음 중 ㉠의 구체적인 내용으로 알맞은 것은 무엇인가요? (   )

① 청각이 떨어짐.   ② 시각이 떨어짐.
③ 미각이 떨어짐.   ④ 촉각이 떨어짐.
⑤ 후각이 떨어짐.

3 내용 이해

다음 중 이 글에서 알 수 있는 베토벤에 대한 설명으로 알맞지 않은 것은 무엇인가요? (   )

① 열네 살이 될 무렵에 오르간 연주자가 되었다.
② 하이든, 모차르트로부터 음악 지도를 받았다.
③ 장애를 갖게 된 후에도 수많은 명곡을 발표했다.
④ 열다섯 살부터 집안의 생계를 위해 돈을 벌어야 했다.
⑤ 아버지의 반대로 인해 음악을 자유롭게 할 수 없었다.

4 추론하기

이 글의 글쓴이가 베토벤을 평가한 내용으로 가장 알맞은 것은 무엇인가요?

(   )

① 예술성이 뛰어난 작곡가 베토벤
② 음악을 너무 사랑한 작곡가 베토벤
③ 천재적인 재능을 가진 작곡가 베토벤
④ 어려움을 이겨 낸 위대한 작곡가 베토벤
⑤ 부족한 재능을 노력으로 극복한 작곡가 베토벤

지문 분석

1 중심 내용 다음은 이 글의 중심 내용입니다. 빈칸에 들어갈 알맞은 말을 쓰세요.

> 베토벤은 열네 살이 될 무렵에 궁정의 오르간 연주자가 되었을 정도로
> ❶ [ ] 에 재능을 보였어요. 하지만 집안이 어려워서 열다섯 살 때부터
> ❷ [ ] 를 가르치며 돈을 벌어야 했지요. 후에 베토벤은 ❸ [ ]으로
> 가서 음악 활동을 시작하지만, 귀가 들리지 않게 되어요. 하지만 베토벤
> 은 시련을 이기고 계속 작곡 활동을 하여 수많은 명곡을 만들게 되지요.

❶( ) ❷( ) ❸( )

2 글의 구조 다음 표의 빈칸을 채워 이 글의 내용을 정리해 보세요.

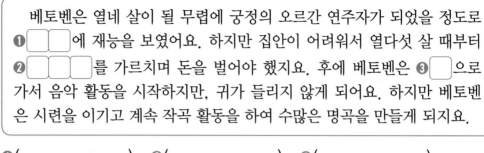

> 시련을 이겨 낸 ❶ [ ]
>
> | 어려운 가정 환경에서 성장함. | ❸ [ ]가 들리지 않게 됨. |
> |---|---|
> | 열다섯 살부터 집안의 ❷ [ ]를 위해 피아노를 가르치며 돈을 벌어야 했음. | 음악에 대한 열정으로 포기하지 않고 더욱 열심히 작곡 활동을 하여 수많은 명곡을 만듦. |

❶( ) ❷( ) ❸( )

배경지식 귀가 안 들리는 베토벤이 겪은 일

베토벤이 작곡한 곡을 연주하는 날, 그의 음악에 감동을 받은 사람들은 박수와 환호를 보냈어요. 하지만 귀가 들리지 않는 베토벤은 그 소리를 듣지 못했지요. 그때 한 연주자가 그를 객석을 향해 돌려세우자 그제야 베토벤은 청중들의 환호를 보게 되었다고 해요.

오늘의 어휘

다음 낱말의 알맞은 뜻을 찾아 선으로 이으세요.

재능 •   • 크게 느끼어 마음이 움직임.

생계 •   • 이름난 악곡. 또는 뛰어나게 잘된 악곡.

명곡 •   • 어떤 일을 하는 데 필요한 재주와 능력.

위대함 •   • 능력이나 업적 등이 크게 뛰어나고 훌륭함.

감동 •   • 살림을 살아 나갈 방도. 또는 현재 살림을 살아가고 있는 형편.

1 다음 문장의 빈칸에 들어갈 알맞은 말을 **오늘의 어휘** 에서 찾아 쓰세요.

• 이 음악은 오랜 세월 사람들에게 사랑받은 ☐☐이다.

• ☐☐이 있다고 하여 모두 예술가가 되는 것은 아니다.

• 가수가 노래를 마치자 ☐☐받은 사람들이 눈물을 흘렸다.

• 나라마다 ☐☐를 유지하기 어려운 사람들을 돕기 위한 제도가 있다.

• 나는 어린 시절에 읽은 전기문을 통해 사람의 ☐☐☐을 깨달았다.

2 다음 밑줄 친 말과 뜻이 비슷한 말을 ( )에서 찾아 ○표를 하세요.

그 영화에는 우리나라가 일본에 강제로 나라를 빼앗겼던 당시 독립운동가들의 삶이 담겨 있었다. 그들은 모두 우리나라를 지키기 위해 수많은 노력을 하였다. 영화가 끝났지만 사람들은 바로 일어서지 못했다. 영화에 깊은 감명을 받아 쉽사리 자리를 떠날 수 없었기 때문이다.

(감동, 감각, 감정)

지문분석

KEY WORD

올바른 이 닦기

글자 수

552

200 400 600 800

이를 잘 닦을 수 있어요

1 우리 입안에는 좋은 **세균**도 있지만, **충치**를 만들거나 입에서 냄새가 나게 하는 나쁜 세균도 있어요. 이런 세균을 없애려면 이를 올바른 방법으로 잘 닦아야 해요.

2 이를 잘 닦기 위해서는 먼저 알맞은 칫솔을 선택해야 해요. 칫솔의 솔 길이는 어금니 2~3개를 닦을 수 있을 정도여야 **적당**해요. **칫솔모**는 너무 부드러운 것보다는 약간 힘이 있는 것이 잘 닦여요.

3 이를 닦을 때는 윗니는 위에서 아래로, 아랫니는 아래에서 위로 닦아요. 어금니의 씹는 면은 앞뒤로 닦으면 되지만, 안쪽 면과 바깥쪽 면은 잇몸에서 이의 방향으로 칫솔을 돌리면서 닦아야 해요. 앞니의 안쪽도 잊지 말고 칫솔모를 세워 꼼꼼히 닦아요. 마지막으로 혓바닥은 안쪽에서 바깥쪽으로 머리를 빗듯이 닦고, 뺨의 안쪽과 입천장까지 깨끗하게 닦아야 해요.

4 이 닦기는 '3·3·3 규칙'이 중요해요. 이 규칙은 하루에 세 번씩 밥 먹고 나서 이 닦기, 밥 먹은 후 3분 안에 이 닦기, 이를 3분 동안 닦기, 이 세 가지를 뜻해요. 이 닦기가 끝나면 칫솔을 깨끗이 씻고, 칫솔모가 다른 칫솔모에 닿지 않게 **보관**하는 것도 잊지 말아야 해요.

5

10

15

● **세균** 하나의 세포로 된 생물. 너무 작아서 현미경으로만 볼 수 있으며, 병을 일으키는 것도 있음.

● **충치** 균이 생겨서 벌레가 파먹은 것처럼 상한 이.

● **적당** 어떤 일에 꼭 들어맞음.

● **칫솔모** 이를 닦을 때 쓰는 칫솔에 박혀 있는 털.

● **보관** 잘 간직하여 두는 것.

지문 독해

설명 대상

1 다음은 이 글에서 설명하는 것입니다. 빈칸에 들어갈 알맞은 말을 쓰세요.

• 올바른 ☐ 닦기 방법

내용 이해

2 다음 중 이를 닦는 방법으로 알맞은 것은 무엇인가요? (   )

① 앞니 안쪽: 좌우로

② 윗니: 아래에서 위로

③ 혓바닥: 바깥쪽에서 안쪽으로

④ 어금니 씹는 면: 위에서 아래로

⑤ 어금니 안쪽 면과 바깥쪽 면: 잇몸에서 치아 방향으로 돌리면서

추론하기

3 다음 중 이 글을 통해 알 수 있는 것은 무엇인가요? (   )

① 밥을 먹고 나면 되도록 빨리 이를 닦는 것이 좋다.

② 칫솔의 길이는 구석구석 닦을 수 있게 짧을수록 좋다.

③ 잇몸이 다칠 수 있으므로 칫솔모는 부드러운 것을 써야 한다.

④ 입안의 세균은 모두 해로우므로 이를 닦아서 모두 없애야 한다.

⑤ 뺨의 안쪽과 입천장은 약한 부분이기 때문에 닦지 말아야 한다.

어휘·어법

4 다음 낱말들은 각각 두 개의 낱말 사이에 'ㅅ'이 더해진 낱말입니다. 이와 비슷한 방법으로 만들어진 낱말이 <u>아닌</u> 것은 무엇인가요? (   )

• 위 + 이 ⇒ 윗니	• 이 + 몸 ⇒ 잇몸
• 아래 + 이 ⇒ 아랫니	• 혀 + 바닥 ⇒ 혓바닥

① 깻잎   ② 빗물

③ 수돗물   ④ 등굣길

⑤ 엿가락

지문 분석

1 중심 내용   다음은 이 글의 중심 내용입니다. 빈칸에 들어갈 알맞은 말을 쓰세요.

> 우리 입안에 있는 나쁜 ❶☐☐을 없애기 위해 이를 올바른 방법으로 닦아야 해요. ❷☐☐의 솔 길이는 어금니 2~3개를 닦을 수 있을 정도로, 칫솔모는 약간 힘이 있는 것으로 골라요. 이를 닦는 방법에 맞게 ❸☐☐에 세 번 이를 잘 닦아야 해요.

❶(   )   ❷(   )   ❸(   )

2 글의 구조   다음 표의 빈칸을 채워 이 글의 내용을 정리해 보세요.

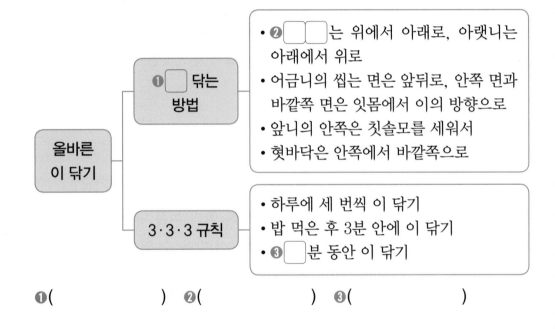

올바른 이 닦기

❶☐ 닦는 방법
- ❷☐☐는 위에서 아래로, 아랫니는 아래에서 위로
- 어금니의 씹는 면은 앞뒤로, 안쪽 면과 바깥쪽 면은 잇몸에서 이의 방향으로
- 앞니의 안쪽은 칫솔모를 세워서
- 혓바닥은 안쪽에서 바깥쪽으로

3·3·3 규칙
- 하루에 세 번씩 이 닦기
- 밥 먹은 후 3분 안에 이 닦기
- ❸☐분 동안 이 닦기

❶(   )   ❷(   )   ❸(   )

배경지식   올바른 이 닦기 방법을 한번 따라해 보세요!

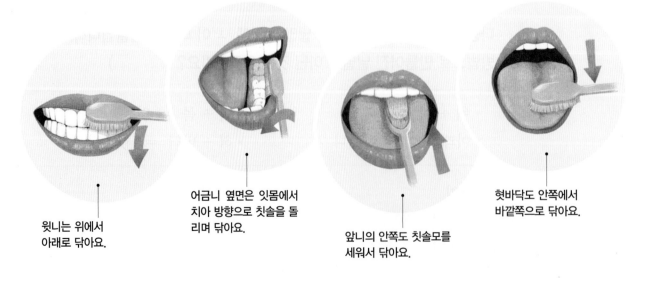

윗니는 위에서 아래로 닦아요.

어금니 옆면은 잇몸에서 치아 방향으로 칫솔을 돌리며 닦아요.

앞니의 안쪽도 칫솔모를 세워서 닦아요.

혓바닥도 안쪽에서 바깥쪽으로 닦아요.

다음 낱말의 알맞은 뜻을 찾아 선으로 이으세요.

세균 •

• 잘 간직하여 두는 것.

충치 •

• 어떤 일에 꼭 들어맞음.

적당 •

• 이를 닦을 때 쓰는 칫솔에 박혀 있는 털.

칫솔모 •

• 균이 생겨서 벌레가 파먹은 것처럼 상한 이.

보관 •

• 하나의 세포로 된 생물. 너무 작아서 현미경으로만 볼 수 있으며, 병을 일으키는 것도 있음.

1 다음 문장의 빈칸에 들어갈 알맞은 말을 오늘의 어휘 에서 찾아 쓰세요.

• 치과에 가서 ☐☐ 를 치료했다.

• 그 일은 내가 하기에 아주 ☐☐ 하다.

• 씻지 않은 손에는 나쁜 ☐☐ 이 가득하다.

• ☐☐☐ 가 너무 부드러운 것은 잘 닦이지 않는다.

• 소중한 것은 잃어버리지 않도록 ☐☐ 을 잘해야 한다.

2 다음 밑줄 친 말과 뜻이 비슷한 말을 ( )에서 찾아 ○표를 하세요.

생일 선물로 받은 샤프를 잃어버렸다. 엄마께서는 내가 잘 간수하지 못해서 그런 것이라고 하셨다. 나는 너무 속상했다. 다음에는 샤프에 이름도 붙여 놓고, 필통 안에 잘 넣어 두어야겠다고 생각했다.

(보증, 보관, 보수)

어린이들이 지켜야 할 　㉠

① 어린이 교통사고는 주로 집에서 학교를 오가는 **보행** 중에 많이 일어나요. 그렇다면 학교 주변에서 어린이들이 지켜야 할 교통안전 규칙에는 어떤 것이 있을까요?

② 첫째, 도로 주변에서 지켜야 할 규칙이 있어요. **차도**와 **인도**가 **구별**되어 있다면 차도로 다니지 말고 인도로 다녀야 해요. 그리고 골목길에서 넓은 도로로 나올 때는 아무리 급해도 일단 멈춰 서서 차가 오는지 ㉡**좌우**를 살펴보아야 해요. 또한 차가 다니는 도로 주변에서는 친구들과 공놀이를 하면 안 돼요.

③ 둘째, 횡단보도에서 지켜야 할 규칙이 있어요. 길을 건널 때에는 반드시 횡단보도를 이용해야 해요. 횡단보도를 건너기 전에는 일단 멈춰 서서 차가 오는지 좌우를 살펴야 해요. 신호등이 있는 횡단보도에서도 마찬가지예요. 초록색으로 신호등 색이 바뀌어도 신호를 보지 못한 운전자가 있을 수 있기 때문이에요. 또한 키가 작은 어린이들은 차를 타고 있는 운전자의 눈높이에서 잘 보이지 않을 수 있으므로 손을 들고 건너는 것이 좋아요. 횡단보도를 완전히 건널 때까지 휴대 전화, 게임기 등에 **한눈**을 팔지 말고, 좌우를 잘 살피며 건너야 해요.

④ 어린이 교통사고를 **예방**하기 위해서 어린이 스스로 교통안전 규칙을 잘 지키는 **습관**을 들이는 것이 중요해요.

5

10

15

KEY WORD

교통안전 규칙

글자 수

592

200　400　600　800

- **보행** 걸어 다님.
- **차도**(車 수레 차, 道 길 도) 사람이 다니는 길 등과 구분하여 자동차만 다니게 한 길.
- **인도**(人 사람 인, 道 길 도) 사람이 걸어 다니도록 되어 있는 길.
- **구별** 성질이나 종류에 따라 차이가 남. 또는 성질이나 종류에 따라 갈라놓음.
- **좌우**(左 왼 좌, 右 오른 우) 왼쪽과 오른쪽을 아울러 이르는 말.
- **한눈** 보아야 할 것을 보지 않고 딴 데를 보는 눈.
- **예방** 질병이나 재해 등이 일어나기 전에 미리 대처하여 막는 일.
- **습관** 어떤 행동을 오랫동안 되풀이하는 동안에 저절로 굳어진 버릇.

지문 독해

1 ⊙에 들어갈 알맞은 낱말을 넣어 이 글의 제목을 완성하세요.

제목

• 어린이들이 지켜야 할 ☐☐☐☐☐☐

내용 이해

2 다음 중 이 글의 내용으로 알맞은 것은 무엇인가요? (   )

① 골목길은 안전하므로 뛰어다녀도 된다.
② 인도에서는 친구들과 공놀이를 해도 된다.
③ 인도에 사람이 많으면 차도를 이용해도 된다.
④ 넓은 도로로 나올 때는 일단 멈춰서 좌우를 살펴야 한다.
⑤ 어린이 교통사고는 주로 일요일이나 공휴일에 많이 발생한다.

어휘 · 어법

3 다음 중 ⓒ처럼 서로 뜻이 반대되는 말이 합쳐져서 하나의 낱말을 이룬 것은 무엇일까요? (   )

① 밤낮   ② 봄비   ③ 덮밥
④ 눈높이   ⑤ 등굣길

적용하기

4 다음 중 이 글을 읽고 교통안전 규칙을 잘못 이해한 친구는 누구인가요?

(   )

① 정아: 길을 건널 때는 꼭 횡단보도를 이용해야겠어.
② 소은: 전화가 와도 횡단보도를 완전히 건너고 나서 받아야 해.
③ 기화: 신호등에 초록색 신호가 켜지면 되도록 빨리 뛰어 건너야 해.
④ 호준: 나는 어려서 키가 작으니까 손을 높이 들고 횡단보도를 건너야지.
⑤ 현아: 횡단보도를 건너기 전에는 우선 멈춰 서서 차가 오는지 살펴야 해.

지문 분석

1 문단 요약

다음은 이 글에 나타난 각 문단의 중심 내용입니다. 알맞은 것에 ○표, 틀린 것에 ×표를 하세요.

1문단	어린이들이 지켜야 할 교통안전 규칙	( )
2문단	도로 주변에서 지켜야 할 규칙	( )
3문단	횡단보도에서 지켜야 할 규칙	( )
4문단	운전자가 지켜야 할 교통안전 규칙	( )

2 글의 구조

다음 표의 빈칸을 채워 이 글의 내용을 정리해 보세요.

어린이들이 지켜야 할 교통안전 규칙

도로 주변에서
- 인도로 다니기
- 골목길에서 넓은 도로로 나올 때 일단 ❶ ☐☐ 살피기
- ❷ ☐☐ 주변에서 공놀이하지 않기

횡단보도에서
- 길을 건널 때 반드시 ❸ ☐☐ ☐☐ 이용하기
- 신호등이 초록색 신호로 바뀌었어도 일단 멈춰서 살피기
- 손을 들고 횡단보도 건너기

❶( ) ❷( ) ❸( )

배경지식 비가 올 때도 안전하게 다녀요

비가 올 때는 밝은 색이나 형광색 등 눈에 잘 띄는 밝은 옷을 입어요.

비가 올 때는 눈에 띄는 야광 가방이나 야광 가방 덮개를 사용해요.

비가 올 때는 밝은 색이나 투명하게 비치는 우산을 사용해요.

오늘의 어휘

다음 낱말의 알맞은 뜻을 찾아 선으로 이으세요.

보행 • • 걸어 다님.

차도 • • 왼쪽과 오른쪽을 아울러 이르는 말.

인도 • • 사람이 걸어 다니도록 되어 있는 길.

구별 • • 사람이 다니는 길 등과 구분하여 자동차만 다니게 한 길.

좌우 • • 성질이나 종류에 따라 차이가 남. 또는 성질이나 종류에 따라 갈라놓음.

---

1 다음 문장의 빈칸에 들어갈 알맞은 말을 〔오늘의 어휘〕에서 찾아 쓰세요.

- 길을 건널 때는 ☐☐를 살펴야 한다.

- 요즘 옷은 남녀의 ☐☐이 없는 경우가 많다.

- 도로 옆에 있는 ☐☐에서 공놀이를 하면 안 된다.

- 횡단보도가 없는 ☐☐를 함부로 건너서는 안 된다.

- ☐☐ 신호에도 좌우를 확인하고 횡단보도를 건너야 한다.

---

2 다음 밑줄 친 말과 뜻이 비슷한 말을 (　　　)에서 찾아 ○표를 하세요.

　　<u>걷기</u>는 특별한 기술이나 돈 없이도 쉽게 할 수 있는 가장 안전한 유산소 운동이에요. 따라서 노인이나 어린이뿐만 아니라 건강이 좋지 않은 사람들도 쉽게 할 수 있지요.

(직행, 요행, 보행)

KEY WORD

지진 대피 방법

글자 수

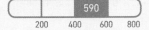

590
200   400   600   800

지진이 나면 어떻게 해야 할까요?

1 지진은 땅이 갈라지면서 흔들리는 자연 현상을 말해요. 지진이 일어나면 큰 피해를 입을 수 있어요. 갑자기 지진이 일어났을 때 어떻게 **대피**해야 할까요?

2 집에 있을 때 지진이 일어났다면 방석과 같은 폭신한 것으로 머리를 **보호**하고, 식탁이나 책상 아래로 들어가서 몸을 웅크려야 해요. 흔들림이 멈춘 뒤에는 불이 나지 않도록 가스와 전깃불을 꺼야 해요. 그리고 문이나 창문은 열어 두어야 해요. 밖으로 대피해야 할 때 나가는 곳을 **확보**해야 하기 때문이지요.

3 학교에 있을 때 지진이 일어났다면 우선 책상 아래나 옆으로 가서 몸을 웅크려야 해요. 그리고 흔들림이 멈추고 나면 선생님의 **안내**에 따라 질서를 지키며 운동장으로 대피해요. 또한 백화점이나 마트에 있을 때 지진이 일어났다면 **진열장**에서 떨어지는 물건으로부터 머리와 몸을 보호하는 것이 중요해요. 흔들림이 멈추고 나면 안내에 따라 밖으로 대피해야 하지요.

4 또한 지진이 났을 때는 엘리베이터를 타지 말고, 계단을 이용하여 건물 밖으로 대피해야 해요. 만약 지진이 났을 때 엘리베이터를 타고 있다면 모든 층의 버튼을 눌러 가장 먼저 열리는 층에서 빠르게 내린 후 계단을 이용하여 대피하는 것이 안전해요.

5

10

15

- **대피** 위험한 일이 생겼을 때, 안전한 곳으로 피함.
- **보호** 위험하지 않게 지키고 잘 보살펴 주는 것.
- **확보** 확실히 가지고 있는 것.
- **안내** 어떤 내용을 알려 주는 것.
- **진열장** 여러 사람이 볼 수 있도록 물건이나 상품을 벌여 놓는 장.

지문 독해

1 이 글은 무엇을 설명하는 글인지 빈칸에 들어갈 알맞은 낱말을 쓰세요.

설명 대상

- ☐☐☐☐ 방법

내용 이해

2 다음 중 이 글의 내용으로 알맞은 것을 세 가지 고르세요. (　 ,　 ,　)

① 지진은 땅이 갈라지면서 흔들리는 현상이다.
② 지진이 나면 폭신한 것으로 머리를 보호해야 한다.
③ 지진이 나면 엘리베이터를 타고 건물 밖으로 빨리 피한다.
④ 학교에 있을 때 지진이 나면 안내에 따라 질서를 지켜 대피한다.
⑤ 집에 있을 때 지진이 나면 흔들림이 멈추기 전에 빨리 밖으로 나간다.

추론하기

3 이 글은 지진이 일어났을 때 대피 방법을 무엇에 따라 설명하고 있는지 알맞은 것에 ○표를 하세요.

(1) 지진의 강도　　　　　　　　　　　　　　　　　　（　　　）
(2) 지진이 일어난 장소　　　　　　　　　　　　　　　（　　　）
(3) 대피하는 사람들의 나이　　　　　　　　　　　　　（　　　）

적용하기

4 이 글을 읽고 지진이 일어났을 때 어떻게 해야 하는지 알맞게 이해한 친구는 누구인가요? (　　　)

① 예온: 집에 있다면 폭신한 방석으로 머리부터 보호해야겠어.
② 하준: 위험한 상황이니 창문과 문을 꼭 걸어 닫는 것이 좋겠어.
③ 채빈: 건물 안에 있으면 안 되니까 지진이 나면 즉시 밖으로 나가야지.
④ 나윤: 마트에 있을 때 지진이 나면 진열장 옆에 붙어 몸을 웅크려야 해.
⑤ 재희: 밤에 지진이 나면 나가는 곳을 찾아봐야 하니 불부터 켜 놓아야지.

지문 분석

정답과 해설 40쪽

1 중심 내용 다음은 이 글의 중심 내용입니다. 빈칸에 들어갈 알맞은 말을 쓰세요.

> 지진은 ❶☐이 갈라지면서 흔들리는 자연 현상을 말해요. 지진이 일어나면 ❷☐☐와 몸을 먼저 보호해야 해요. 그리고 집이나 학교, 백화점 등 건물 안에 있다면 흔들림이 멈춘 후에 ❸☐으로 대피해야 하지요.

❶(   )   ❷(   )   ❸(   )

2 글의 구조 다음 표의 빈칸을 채워 이 글의 내용을 정리해 보세요.

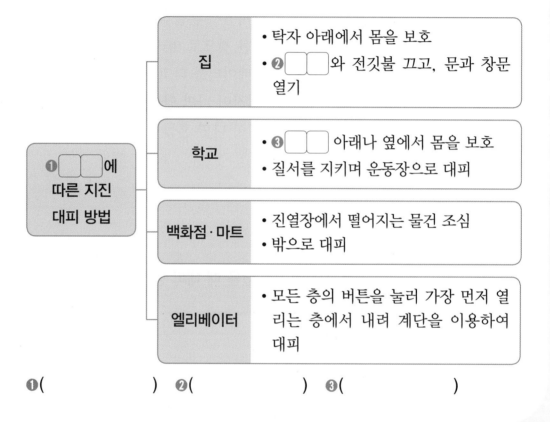

❶☐☐에 따른 지진 대피 방법

집	• 탁자 아래에서 몸을 보호 • ❷☐☐와 전깃불 끄고, 문과 창문 열기
학교	• ❸☐☐ 아래나 옆에서 몸을 보호 • 질서를 지키며 운동장으로 대피
백화점·마트	• 진열장에서 떨어지는 물건 조심 • 밖으로 대피
엘리베이터	• 모든 층의 버튼을 눌러 가장 먼저 열리는 층에서 내려 계단을 이용하여 대피

❶(   )   ❷(   )   ❸(   )

배경지식 밖에 있을 때 지진이 나면 어떻게 해야 할까요?

가방이나 손으로 머리를 보호하며 넓은 공간으로 대피해요.

주택가에서는 담벼락에 기대지 말고 떨어져서 대피해요.

해변이나 바닷가에서는 높은 지대로 대피해요.

오늘의 어휘

다음 낱말의 알맞은 뜻을 찾아 선으로 이으세요.

대피 •

보호 •

확보 •

안내 •

진열장 •

• 확실히 가지고 있는 것.

• 어떤 내용을 알려 주는 것.

• 위험하지 않게 지키고 잘 보살펴 주는 것.

• 위험한 일이 생겼을 때, 안전한 곳으로 피함.

• 여러 사람이 볼 수 있도록 물건이나 상품을 벌여 놓는 장.

1 다음 문장의 빈칸에 들어갈 알맞은 말을 **오늘의 어휘** 에서 찾아 쓰세요.

• 플라스틱 사용을 줄여서 환경을 ☐☐하자.

• 나는 길을 묻는 사람에게 직접 ☐☐해 주었다.

• 마트에는 수많은 상품이 ☐☐☐에 놓여 있다.

• 일이 많을 때를 대비하여 일꾼을 충분히 ☐☐해야 한다.

• 갑자기 비가 많이 내렸을 때 사람들이 질서를 잘 지켜서 무사히 ☐☐ 할 수 있었다.

2 다음 밑줄 친 말과 뜻이 비슷한 말을 ( )에서 찾아 ◯표를 하세요.

우리나라에서 일어났던 6·25 전쟁 당시 사람들은 집을 떠나 <u>피난</u>을 가야 했어요. 사람들은 언제 죽을지 몰라 몹시 두려웠고, 식량을 구할 수 없어 늘 배가 고팠지요. 또한 추위와 비바람을 피할 곳을 마련하기가 어려워서 가마니와 판자로 움막집이나 판잣집을 지어 살아야 했어요.

(대결, 대피, 대화)

오늘의 어휘 찾아보기

동아출판 초등 무료 스마트러닝

동아출판 초등 **무료 스마트러닝**으로 쉽고 재미있게!

과목별·영역별 특화 강의

수학 개념 강의

국어 독해 지문 분석 강의

구구단 송

그림으로 이해하는 비주얼씽킹 강의

과학 실험 동영상 강의

과목별 문제 풀이 강의

서비스 제공 교재 　큐브 | 백점 과학 | 빠작 초등 국어 | 초능력 | 초고필 | 하이탑 초등 과학

- **글의 종류** 설명하는 글
- **글의 특징** 이 글은 육하원칙의 뜻과 구성 요소 그리고 육하원칙을 사용하여 글을 쓰면 좋은 점을 설명하는 글입니다.
- **글의 주제** 육하원칙의 뜻과 육하원칙을 사용한 글쓰기의 좋은 점

013쪽 지문 독해

1 육하원칙 **2** ⑤ **3** (6) ○ **4** ⑤

1 이 글은 육하원칙의 뜻과 구성 요소 그리고 육하원칙을 사용하여 글을 쓰면 좋은 점에 대해 설명하고 있으므로 이 글에서 가장 중심이 되는 낱말은 육하원칙입니다.

2 '어떻게'는 일이 일어난 과정을 말합니다.

오답 풀이

① '누가'는 전하고자 하는 일과 관련된 사람을 말합니다.
② '언제'는 일이 일어난 날짜와 시간을 말합니다.
③ '어디서'는 일이 일어난 장소를 말합니다.
④ '무엇을'은 일어난 일이나 그 대상을 말합니다.

3 보기의 문장에는 '왜'에 해당하는 내용이 없습니다. '누가 – 나는', '언제 – 지난 일요일에', '어디서 – 도서관에서', '무엇을 – 동화책을', '어떻게 – 재미있게 읽었습니다'로 정리할 수 있습니다.

유형 분석 / 적용하기

글에 제시된 정보를 다른 문장에 적용하는 문제입니다. 육하원칙의 여섯 가지가 각각 무엇을 뜻하는지 생각하며 문장에서 각 요소를 찾아봅니다.

4 육하원칙을 사용하면 글을 쓰는 사람은 좀 더 정확하고 자세하게 쓸 수 있습니다. 또한 글을 읽는 사람도 그 내용을 쉽게 이해할 수 있습니다.

알쏭달쏭 맞춤법 잠시 쉬며 재미있게 익혀 보세요.

- 서울을 (거치다, 걷히다).
  ➡ 어디를 지나거나 들르다.
- 구름이 (거치다, 걷히다).
  ➡ 구름이나 안개 등이 사라지다.

정답 거치다 / 걷히다

014쪽 지문 분석

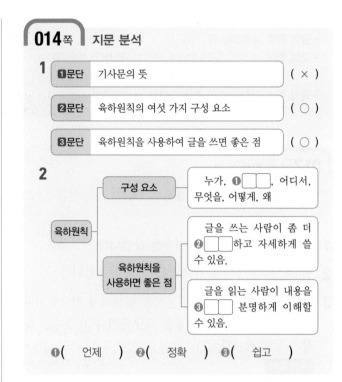

1
①문단	기사문의 뜻	(×)
②문단	육하원칙의 여섯 가지 구성 요소	(○)
③문단	육하원칙을 사용하여 글을 쓰면 좋은 점	(○)

2

육하원칙
- 구성 요소 → 누가, **①**□□, 어디서, 무엇을, 어떻게, 왜
- 육하원칙을 사용하면 좋은 점
  - 글을 쓰는 사람이 좀 더 **②**□□하고 자세하게 쓸 수 있음.
  - 글을 읽는 사람이 내용을 **③**□□ 분명하게 이해할 수 있음.

①(언제) **②**(정확) **③**(쉽고)

1 이 글의 **①**문단에서는 육하원칙의 뜻을 알려 주고 있습니다. 또한 **②**문단에서는 육하원칙의 여섯 가지 구성 요소를 자세히 설명하고 있습니다. 그리고 **③**문단에서는 육하원칙을 사용하여 글을 쓰면 좋은 점을 알려 주고 있습니다.

2 이 글은 육하원칙의 구성 요소를 밝히고, 육하원칙을 사용하여 글을 쓰면 좋은 점을 글을 쓰는 사람과 글을 읽는 사람의 입장에서 나누어 설명하고 있습니다.

015쪽 오늘의 어휘

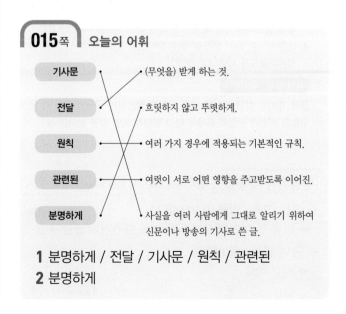

기사문	(무엇을) 받게 하는 것.
전달	흐릿하지 않고 뚜렷하게.
원칙	여러 가지 경우에 적용되는 기본적인 규칙.
관련된	여럿이 서로 어떤 영향을 주고받도록 이어진.
분명하게	사실을 여러 사람에게 그대로 알리기 위하여 신문이나 방송의 기사로 쓴 글.

1 분명하게 / 전달 / 기사문 / 원칙 / 관련된
2 분명하게

- **글의 종류** 설명하는 글
- **글의 특징** 이 글은 문장 부호를 문장의 끝, 중간, 앞뒤 등 쓰는 위치에 따라 나누어 설명하는 글입니다.
- **글의 주제** 문장 부호의 종류와 역할

017쪽 지문 독해

1 문장 부호   **2** ④   **3** ④   **4** ⑤

1 이 글은 문장 부호를 설명하는 글입니다.

2 쉼표(,)는 문장의 중간에 쓰는 문장 부호입니다.

3 마침표는 말하는 사람의 생각을 평범하게 전달하거나 듣는 사람에게 어떤 행동을 요구하거나 요청하는 문장의 끝에 씁니다.

> 오답 풀이
> ① 느낌표는 기쁨, 슬픔, 놀람과 같은 감정을 표현하는 문장의 끝에 씁니다.
> ② 큰따옴표는 다른 사람의 말이나 대화를 나타낼 때 씁니다.
> ③ 물음표는 무엇인가를 묻는 문장의 끝에 씁니다.
> ⑤ 작은따옴표는 마음속으로 한 말이나 생각을 적을 때 씁니다.

4 다른 사람이 한 말을 그대로 옮겨 적을 때는 큰따옴표를 사용합니다.

> 오답 풀이
> ① 아침밥을 먹었는지를 묻는 문장이므로 "아침밥은 먹었니?"와 같이 물음표를 써야 합니다.
> ② 눈이 언제부터 내렸는지를 묻는 문장이므로 "눈이 언제부터 내렸어요?"와 같이 물음표를 써야 합니다.
> ③ 정말 예쁘다는 감탄과 놀람 등의 감정을 표현하는 문장이므로 "이렇게 입으니까 정말 예쁘구나!"와 같이 느낌표를 써야 합니다.
> ④ 마음속으로 하는 생각을 적은 것이므로 '집에 가고 싶다.'와 같이 작은따옴표를 사용해야 합니다.

> 유형 분석 / 적용하기
> 글에 제시된 설명 대상을 다른 상황에 적용하는 문제입니다. 각 문장 부호의 위치와 문장의 종류에 따라 알맞게 쓰인 것을 찾아봅니다.

> 알쏭달쏭 맞춤법   잠시 쉬며 재미있게 익혀 보세요.
> - (고세, 고새) 밥을 다 먹었어?
>   ➡ 조금 먼 어느 때부터 다른 어느 때까지의 짧은 동안.
> - (금세, 금새) 돌아왔네.
>   ➡ 지금 바로.
>   정답 고새 / 금세

018쪽 지문 분석

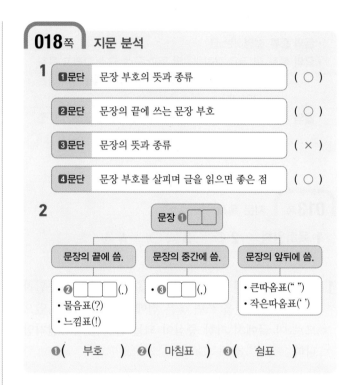

1
1문단	문장 부호의 뜻과 종류	(○)
2문단	문장의 끝에 쓰는 문장 부호	(○)
3문단	문장의 뜻과 종류	(×)
4문단	문장 부호를 살피며 글을 읽으면 좋은 점	(○)

2
문장 ❶ ☐☐
- 문장의 끝에 씀.
  - ❷☐☐☐(.)
  - 물음표(?)
  - 느낌표(!)
- 문장의 중간에 씀.
  - ❸☐☐(,)
- 문장의 앞뒤에 씀.
  - 큰따옴표(" ")
  - 작은따옴표(' ')

❶(부호)   ❷(마침표)   ❸(쉼표)

1 **1**문단에서는 문장 부호의 뜻과 쓰는 위치에 따른 종류를 설명하고 있습니다. **2**문단에서는 문장의 끝에 쓰는 문장 부호를, **3**문단에서는 문장의 중간에 쓰는 문장 부호와 앞뒤에 쓰는 문장 부호를 설명하고 있습니다. **4**문단에서는 문장 부호를 살피며 읽으면 좋은 점을 알려 주고 있습니다.

2 이 글은 문장 부호를 위치에 따라 문장 끝, 중간, 앞뒤에 쓰는 것으로 나누어 설명하고 있습니다.

019쪽 오늘의 어휘

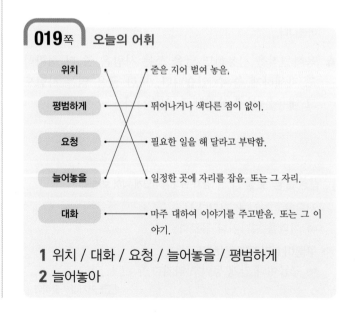

위치	줄은 지어 벌여 놓을.
평범하게	뛰어나거나 색다른 점이 없이.
요청	필요한 일을 해 달라고 부탁함.
늘어놓을	일정한 곳에 자리를 잡음. 또는 그 자리.
대화	마주 대하여 이야기를 주고받음. 또는 그 이야기.

1 위치 / 대화 / 요청 / 늘어놓을 / 평범하게
2 늘어놓아

- **글의 종류** 설명하는 글
- **글의 특징** 표현해야 하는 상황에 따라 골라서 사용할 수 있는 다양한 마음을 나타내는 말과, 마음을 나타내는 말을 사용하면 좋은 점을 설명하는 글입니다.
- **글의 주제** 다양한 마음을 나타내는 말

021쪽 지문 독해

1 마음, 말 **2** ⑤ **3** ① **4** ②

1 이 글은 마음을 나타내는 말을 설명하는 글입니다.

2 '정말 신나.'는 기쁜 마음을 나타낼 때 사용할 수 있는 말입니다.

오답 풀이

①~④는 모두 속상한 마음을 나타낼 때 사용할 수 있는 말입니다.

3 누나가 자신의 가방을 들어 주는 상황에서는 고마운 마음이 잘 드러나도록 '고마워.'라고 해야 합니다.

유형 분석 / 적용하기

글에 제시된 내용을 다른 상황에 적용하는 문제입니다. 마음을 나타내는 말은 주어진 상황에 따라 다르다는 점에 유의합니다.

4 '말 안 하면 귀신도 모른다'는 마음속의 말을 겉으로 표현하지 않으면 아무도 모른다는 뜻입니다.

오답 풀이

① 발 없는 말이 천 리 간다: 말은 순식간에 멀리까지 퍼져 나간다는 뜻으로 말을 조심히 해야 한다는 뜻입니다.

③ 말 한마디에 천 냥 빚도 갚는다: 말만 잘하면 어려운 일도 잘 해결할 수 있다는 뜻입니다.

④ 입은 비뚤어져도 말은 바로 해라: 아무리 상황이 좋지 않아도 진실을 말해야 한다는 뜻입니다.

⑤ 가는 말이 고와야 오는 말이 곱다: 남에게 말을 좋게 해야 자기에게도 좋은 말이 돌아온다는 뜻입니다.

알쏭달쏭 맞춤법 잠시 쉬며 재미있게 익혀 보세요.

- 달걀 (껍데기, 껍질)
➡ 물체의 겉을 싸고 있는 단단한 물질.
- 귤 (껍데기, 껍질)
➡ 물체의 겉을 싸고 있는 단단하지 않은 물질.

정답 껍데기 / 껍질

022쪽 지문 분석

1
❶□□을 나타내는 말은 정말 ❷□□해서 표현해야 하는 상황에 따라 골라서 사용할 수 있어요. 기쁘거나 고마운 마음이 들 때나, 속상하고 미안한 마음이 들 때와 같은 상황에서 자신의 마음을 나타내는 말을 익혀서 ❸□□하면 서로의 마음을 잘 이해할 수 있어요.

❶(마음) ❷(다양) ❸(표현)

2

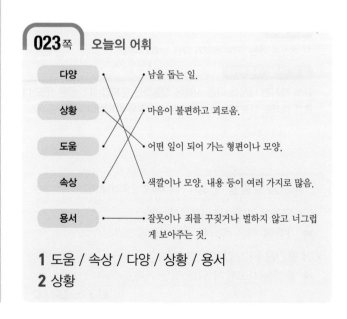

| 마음을 나타내는 말 |
| ❶□□ 마음 | 고마운 마음 | ❷□□한 마음 | ❸□□한 마음 |
| • 기쁘다.
• 신나.
• 행복해. | • 고마워.
• 감동이다.
• 너밖에 없어. | • 슬프다.
• 속상해.
• 서운하다. | • 용서해 줘.
• 미안해.
• 내 잘못이야. |

❶(기쁜) ❷(속상) ❸(미안)

1 이 글은 기쁘거나 고마운 마음이 들 때나, 속상하고 미안한 마음이 들 때와 같은 상황에서 사용할 수 있는 다양한 마음을 나타내는 말에 대해 설명하고 있습니다. 또한 마음을 나타내는 말을 잘 사용했을 때의 좋은 점도 알려 주고 있습니다.

2 이 글은 기쁜 마음, 고마운 마음, 속상한 마음, 미안한 마음을 나타내는 말을 설명하는 글입니다.

023쪽 오늘의 어휘

다양	남을 돕는 일.
상황	마음이 불편하고 괴로움.
도움	어떤 일이 되어 가는 형편이나 모양.
속상	색깔이나 모양, 내용 등이 여러 가지로 많음.
용서	잘못이나 죄를 꾸짖거나 벌하지 않고 너그럽게 보아주는 것.

1 도움 / 속상 / 다양 / 상황 / 용서
2 상황

- **글의 종류** 설명하는 글
- **글의 특징** 이 글은 우리말에서 뜻이 헷갈리기 쉬운 낱말과 소리는 같지만 글자가 다른 낱말 등 잘못 사용할 수 있는 낱말에 대해 설명하는 글입니다.
- **글의 주제** 낱말을 바르게 사용하기

025쪽 지문 독해

1 바르게, 알맞게   **2** ①, ④   **3** ①   **4** ②

1 이 글은 잘못 사용할 수 있는 낱말들을 알려 주고, 이를 익혀서 바르게 사용해야 한다는 것을 설명하고 있습니다.

2 소리와 글자가 같은 낱말이 없다는 내용은 이 글에 나와 있지 않으며, 낱말은 뜻을 잘 알고 상황에 맞게 사용해야 한다고 했습니다.

3 키와 같은 길이를 말할 때는 '크다', '작다'라고 해야 합니다.

오답 풀이
② 선생님께서 지식을 알게 하신 것이므로 '가르쳐'로 바꿔야 합니다.
③ 친구와 신발 사이즈가 다르다는 것이므로 '다르다'로 바꿔야 합니다.
④ 갖고 있던 구슬을 자신도 모르게 갖지 않게 되었던 상황이므로 '잃어버렸던'으로 바꿔야 합니다.
⑤ 크기의 정도에 못 미쳐야 한다는 것이므로 '작아야'로 바꿔야 합니다.

4 ㉡은 소리만 같고 뜻과 글자가 다른 낱말들입니다. 따라서 '갔다', '같다', '갖다'의 소리는 [갇따]로 모두 같지만 뜻과 글자가 각각 다르기 때문에 적절한 예입니다.

오답 풀이
①, ③, ④, ⑤는 모두 소리가 다른 낱말입니다.

유형 분석 / 추론하기
글에 제시된 내용을 다른 사례에 적용하는 문제입니다. ㉡은 뜻도 다르고 글자도 다르지만 소리가 같은 경우임을 유의합니다.

알쏭달쏭 맞춤법   잠시 쉬며 재미있게 익혀 보세요.

- (가을걷이, 가을거지)를 시작해요.
  ➡ 가을에 익은 곡식을 거두어들임.
- 이 물건은 (값, 갑)이 얼마예요?
  ➡ 물건을 사고팔기 위해 정한 가격.

정답 가을걷이 / 값

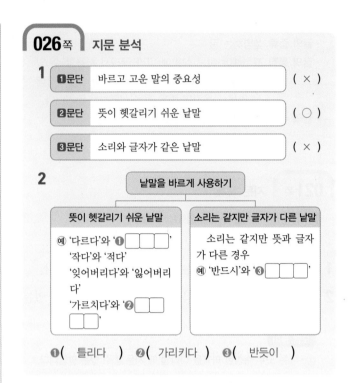

026쪽 지문 분석

1
1문단	바르고 고운 말의 중요성	(×)
2문단	뜻이 헷갈리기 쉬운 낱말	(○)
3문단	소리와 글자가 같은 낱말	(×)

2

낱말을 바르게 사용하기

뜻이 헷갈리기 쉬운 낱말
예 '다르다'와 '❶□□□'
'작다'와 '적다'
'잊어버리다'와 '잃어버리다'
'가르치다'와 '❷□□□'

소리는 같지만 글자가 다른 낱말
소리는 같지만 뜻과 글자가 다른 경우
예 '반드시'와 '❸□□□'

❶(틀리다) ❷(가리키다) ❸(반듯이)

1 이 글의 **1**문단에서는 낱말의 뜻을 알고 상황에 맞게 사용해야 하는 까닭을 설명하고 있습니다. 또한 **2**문단에서는 뜻이 헷갈리기 쉬운 낱말을 설명하고 있습니다. 그리고 **3**문단에서는 소리는 같지만 글자가 다른 낱말을 설명하고 있습니다.

2 이 글은 바른 말을 쓰기 위해 주의해야 할 낱말을 '뜻이 헷갈리기 쉬운 낱말'과 '소리는 같지만 글자가 다른 낱말' 이렇게 둘로 나누어 설명하고 있습니다.

027쪽 오늘의 어휘

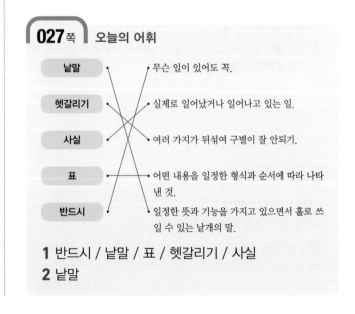

낱말		무슨 일이 있어도 꼭.
헷갈리기		실제로 일어났거나 일어나고 있는 일.
사실		여러 가지가 뒤섞여 구별이 잘 안되기.
표		어떤 내용을 일정한 형식과 순서에 따라 나타낸 것.
반드시		일정한 뜻과 기능을 가지고 있으면서 홀로 쓰일 수 있는 낱개의 말.

1 반드시 / 낱말 / 표 / 헷갈리기 / 사실
2 낱말

- **글의 종류** 설명하는 글
- **글의 특징** 이 글은 한글이 만들어진 원리를 자음과 모음의 기본자를 중심으로 설명하는 글입니다.
- **글의 주제** 한글의 자음자와 모음자가 만들어진 원리

029쪽　지문 독해

1 자음자, 모음자　　**2** ①　　**3** 윤아　　**4** ⑤

1 이 글에서 설명하는 것은 한글의 자음자와 모음자가 만들어진 원리입니다.

2 'ㅁ'은 입술의 모양을 본떠 만든 자음자입니다.

오답 풀이
② 'ㅇ'은 목구멍의 모양을 본떠 만들었습니다.
③ 'ㄴ'은 혀끝이 윗잇몸에 닿는 모양을 본떠 만들었습니다.
④ 'ㄱ'은 입안에 있는 혀의 뿌리 쪽이 입천장에 닿아 목구멍을 막는 모양을 본떠 만들었습니다.
⑤ 'ㅅ'은 이의 모양을 본떠 만들었습니다.

3 'ㅓ'는 'ㅣ'의 왼쪽에 'ㆍ'를 합하여 만든 것입니다.

4 이 글에는 자음자를 왜 소리 내는 부분의 모양을 본떠 만든 것인지에 대해서는 나와 있지 않습니다.

오답 풀이
① ②문단에서 답을 이끌어 낼 수 있습니다.
② ③문단에서 답을 이끌어 낼 수 있습니다.
③ ③문단에서 'ㅡ'는 땅의 평평한 모양을 본떠 만든 것이라고 하였습니다.
④ ②문단에서 'ㅇ'은 목구멍의 모양을 본떠 만든 것이라고 하였습니다.

유형 분석 / 추론하기
추론은 제시된 정보를 근거로 삼아 직접 제시되지 않은 다른 정보를 이끌어 내는 것입니다. 따라서 이 문제를 풀기 위해서는 먼저 선택지에 제시된 질문들과 관련된 정보가 글의 어디에 있는지 파악하고, 그 부분에서 선택지에 제시된 질문의 답을 이끌어 낼 수 있는지 찾아보아야 합니다.

알쏭달쏭 맞춤법　잠시 쉬며 재미있게 익혀 보세요.

- 날씨가 활짝 (개다, 게다).
  ➡ 흐리거나 좋지 않았던 날씨가 맑게 되다.
- (꼰나무, 꽃나무)를 심어요.
  ➡ 꽃이 피는 나무.

　　　　　　　　　정답 개다 / 꽃나무

030쪽　지문 분석

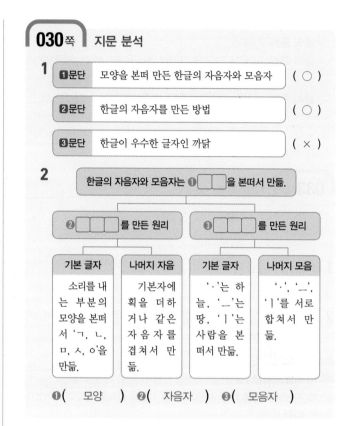

1
①문단　모양을 본떠 만든 한글의 자음자와 모음자　(○)
②문단　한글의 자음자를 만든 방법　(○)
③문단　한글이 우수한 글자인 까닭　(×)

2
한글의 자음자와 모음자는 ❶□□을 본떠서 만듦.

❷□□□를 만든 원리

기본 글자	나머지 자음
소리를 내는 부분의 모양을 본떠서 'ㄱ, ㄴ, ㅁ, ㅅ, ㅇ'을 만듦.	기본자에 획을 더하거나 같은 자음자를 겹쳐서 만듦.

❸□□□를 만든 원리

기본 글자	나머지 모음
'ㆍ'는 하늘, 'ㅡ'는 땅, 'ㅣ'는 사람을 본떠서 만듦.	'ㆍ', 'ㅡ', 'ㅣ'를 서로 합쳐서 만듦.

❶(모양)　❷(자음자)　❸(모음자)

1 이 글의 ①문단에서는 모양을 본떠 만든 한글의 자음자와 모음자를 설명하고 있습니다. ②문단에서는 한글의 자음자를 만든 방법을 설명하고 있고, ③문단에서는 한글의 모음자를 만든 방법을 설명하고 있습니다.

2 이 글은 한글을 만든 원리를 자음자와 모음자로 나누어 설명하고 있습니다.

031쪽　오늘의 어휘

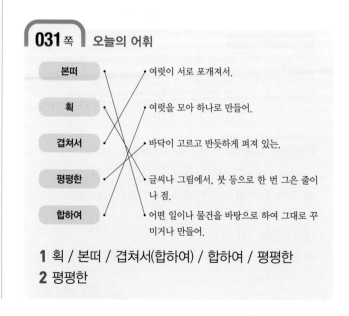

본떠	여럿이 서로 포개져서.
획	여럿을 모아 하나로 만들어.
겹쳐서	바닥이 고르고 반듯하게 펴져 있는.
평평한	글씨나 그림에서, 붓 등으로 한 번 그은 줄이나 점.
합하여	어떤 일이나 물건을 바탕으로 하여 그대로 꾸미거나 만들어.

1 획 / 본떠 / 겹쳐서(합하여) / 합하여 / 평평한
2 평평한

- **글의 종류** 기사문
- **글의 특징** 이 글은 학급의 다양한 소식을 전달하는 학급 신문의 내용으로 기사문 형식의 글입니다.
- **글의 주제** 온라인 수업의 시행과 여름 방학 일정, 반 친구의 소식 등을 담은 학급 신문

033쪽 지문 독해

1 학급 신문 **2** ③ **3** (1) ○ **4** ③

1 이 글은 학급의 다양한 소식을 전달하는 학급 신문입니다.

2 7월 19일 월요일부터 방학 전까지 온라인 수업이 이루어진다고 하였습니다.

오답 풀이

① 여름 방학은 7월 26일부터 8월 18일까지라고 하였습니다.
② 지난달에 팔을 다친 시온이가 7월 11일에 깁스를 풀었다고 하였습니다.
④ 선생님께서는 방학 동안 여러 사람이 모이는 곳에는 되도록 가지 말고 가정에서 충분한 휴식을 취하라고 말씀하셨습니다.
⑤ 온라인 수업의 로그인 방법이나 자세한 학습 방법은 담임 선생님께서 따로 안내해 주시기로 하셨다고 하였습니다.

3 두 번째 기사는 친구에게 생긴 특별한 일을 소개하는 기사입니다.

4 학급 신문은 반 친구들에게 알려야 하는 소식이나 들려주고 싶은 유익한 내용을 기사로 다루는 것이 좋습니다. 그러므로 내가 읽은 책을 소개하는 것이 학급 신문에 다루면 좋을 내용으로 가장 알맞습니다.

유형 분석 / 적용하기

글에 제시된 학급 신문의 특징을 바탕으로 적용하는 문제입니다. 반 친구들 모두가 알아야 할 일이나, 알면 유익한 일 등 학급 신문에 들어갈 기사의 내용으로 알맞은 것이 무엇인지 생각해 봅니다.

알쏭달쏭 맞춤법 잠시 쉬며 재미있게 익혀 보세요.

- (국물, 궁물)이 많이 남았어.
  ➡ 국이나 찌개 따위의 음식에서 건더기를 빼고 남은 물. 국의 물.
- 물이 (끌타, 끓다).
  ➡ 물과 같은 것이 뜨거워져 소리를 내며 거품이 솟아오르다.

정답 국물 / 끓다

034쪽 지문 분석

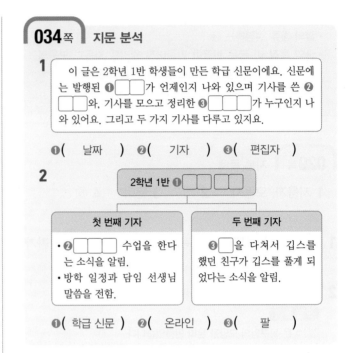

1 이 글은 2학년 1반 학생들이 만든 학급 신문이에요. 신문에는 발행된 ❶□□가 언제인지 나와 있으며 기사를 쓴 ❷□□와, 기사를 모으고 정리한 ❸□□□가 누구인지 나와 있어요. 그리고 두 가지 기사를 다루고 있지요.

❶(날짜) ❷(기자) ❸(편집자)

2

2학년 1반 ❶□□□□

첫 번째 기자	두 번째 기자
• ❷□□□ 수업을 한다는 소식을 알림. • 방학 일정과 담임 선생님 말씀을 전함.	• ❸□을 다쳐서 깁스를 했던 친구가 깁스를 풀게 되었다는 소식을 알림.

❶(학급 신문) ❷(온라인) ❸(팔)

1 이 글은 2학년 1반 학생들이 만든 학급 신문으로, 신문에는 발행된 날짜, 기사를 쓴 기자, 기사를 모으고 정리한 편집자가 나와 있습니다. 또한 학교 일정과 선생님 말씀을 전달하는 기사와 친구에게 생긴 특별한 일을 전하는 기사가 실려 있습니다.

2 이 글은 학급 신문으로, 두 명의 기자가 쓴 두 개의 기사가 담겨 있습니다. 첫 번째 기자는 온라인 수업과 방학 일정, 선생님 말씀을 전달하는 기사를 썼고, 두 번째 기자는 팔에 하고 있던 깁스를 풀게 된 친구의 소식을 전달하는 기사를 썼습니다.

035쪽 오늘의 어휘

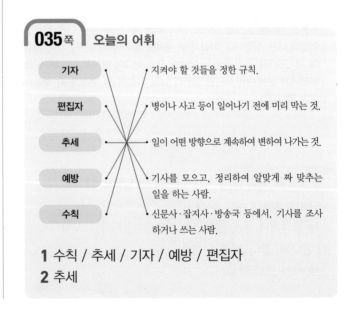

기자	지켜야 할 것들을 정한 규칙.
편집자	병이나 사고 등이 일어나기 전에 미리 막는 것.
추세	일이 어떤 방향으로 계속하여 변하여 나가는 것.
예방	기사를 모으고, 정리하여 알맞게 짜 맞추는 일을 하는 사람.
수칙	신문사·잡지사·방송국 등에서, 기사를 조사하거나 쓰는 사람.

1 수칙 / 추세 / 기자 / 예방 / 편집자
2 추세

- **글의 종류** 편지
- **글의 특징** 이 글은 선생님께 고마운 마음을 전하기 위해 쓴 편지입니다.
- **글의 주제** 선생님께 느낀 고마운 마음

037쪽 지문 독해

1 끝인사 **2** ⑤ **3** ⑤ **4** ①

1 보기에 제시된 것은 편지의 구성 요소입니다. 이 중이 글에 들어 있지 않은 것은 끝인사입니다.

오답 풀이
- 받을 사람: 선생님께
- 첫인사: 안녕하세요.
- 전하고 싶은 말: 어제 갑자기 소나기가 ~ 위로도 해 주셔서 정말 고맙습니다.
- 쓴 날짜: 6월 21일
- 쓴 사람: 하은 올림

2 ㉠은 "어머니께서 바로 못 오셔서 속상하구나?"라는 선생님의 말씀을 들은 뒤 하은이의 마음을 표현한 것입니다. 따라서 선생님께서 나의 마음을 알아주셔서 눈물이 난 것이 알맞습니다.

3 하은이는 어머니께서 바로 오지 못하시자 짜증이 났습니다. 또한 다른 친구들이 부모님과 집으로 가는 걸 보며 속상했습니다. 그러다가 선생님께서 우산을 들고 나와 주셔서 반가움과 고마움을 느꼈고, 선생님의 이야기를 들으며 짜증이 가라앉았습니다.

유형 분석/추론하기
글에서 알 수 있는 인물의 마음이 변화한 과정을 추론하는 문제입니다. 글쓴이가 어제 겪었던 일들을 순서대로 읽어 보며 변화하는 글쓴이의 마음을 짐작해 봅니다.

4 이 글은 선생님께 고마운 마음을 전하기 위해 쓴 편지입니다.

알쏭달쏭 맞춤법 잠시 쉬며 재미있게 익혀 보세요.

- **짐을 (날다, 나르다).**
  ➡ 짐이나 사람을 한 곳에서 다른 곳으로 옮기다.
- **새가 하늘을 (날다, 나르다).**
  ➡ 공중에 떠서 움직이다.

정답 나르다 / 날다

038쪽 지문 분석

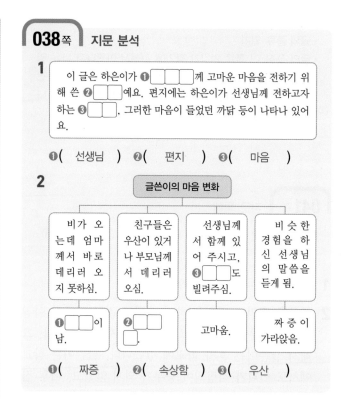

1
이 글은 하은이가 ❶[   ][   ]께 고마운 마음을 전하기 위해 쓴 ❷[   ][   ]예요. 편지에는 하은이가 선생님께 전하고자 하는 ❸[   ][   ], 그러한 마음이 들었던 까닭 등이 나타나 있어요.

❶(선생님) ❷(편지) ❸(마음)

2

글쓴이의 마음 변화

비가 오는데 엄마께서 바로 데리러 오지 못하심.	친구들은 우산이 있거나 부모님께서 데리러 오심.	선생님께서 함께 있어 주시고, ❸[ ][ ]도 빌려주심.	비슷한 경험을 하신 선생님의 말씀을 듣게 됨.
❶[ ][ ]이 남.	❷[ ][ ]	고마움.	짜증이 가라앉음.

❶(짜증) ❷(속상함) ❸(우산)

1 이 글은 하은이가 선생님께 고마운 마음을 전하기 위해 쓴 편지입니다. 하은이가 선생님께 전하고자 하는 마음과, 그러한 마음이 들었던 까닭 등이 나타나 있습니다.

2 이 글은 비 오는 날 우산을 빌려주시고 함께 있어 주신 선생님께 고마운 마음을 전하기 위해 쓴 글로, 겪은 일에 따른 글쓴이의 마음의 변화가 잘 나타나 있습니다.

039쪽 오늘의 어휘

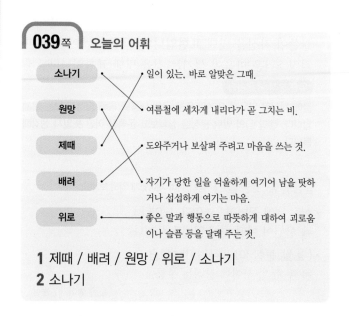

소나기 ─ 일이 있는. 바로 알맞은 그때.
원망 ─ 여름철에 세차게 내리다가 곧 그치는 비.
제때 ─ 도와주거나 보살펴 주려고 마음을 쓰는 것.
배려 ─ 자기가 당한 일을 억울하게 여기어 남을 탓하거나 섭섭하게 여기는 마음.
위로 ─ 좋은 말과 행동으로 따뜻하게 대하여 괴로움이나 슬픔 등을 달래 주는 것.

1 제때 / 배려 / 원망 / 위로 / 소나기
2 소나기

- **글의 종류** 일기
- **글의 특징** 이 글은 언니가 감기에 걸려서 아팠다가 나은 일을 동생의 입장에서 쓴 일기입니다. 언니가 아팠다가 나은 일에 대한 동생의 생각과 느낌이 잘 나타나 있습니다.
- **글의 주제** 언니가 아팠던 일

041쪽　지문 독해

1 일기　**2** ㉯ → ㉰ → ㉱ → ㉮　**3** ③　**4** ③

1 이 글은 언니가 아팠던 일에 대해 쓴 일기입니다.

2 콧물을 흘리고 기침을 하던 언니는 결국 아파서 아침에서야 겨우 잠이 들었고, 학교에 가지 못했습니다. 그래서 글쓴이는 혼자 학교에 갔습니다. 글쓴이는 학교에서도 언니가 걱정되어 공부가 되지 않았고, 이후 집으로 돌아와 떡볶이를 먹고 있는 언니를 보았습니다.

3 언니는 어제 콧물과 기침을 했고, 밤에 열이 나기 시작해서 다음 날 학교에 못 간 것입니다. 따라서 며칠 전부터 계속 열이 났는지는 알 수 없습니다.
　[오답 풀이]
　① 언니는 점심 먹은 뒤로 열이 내렸다고 했으므로 알맞습니다.
　② 언니가 평소와 달리 '나'와 자지 않았다고 한 것을 보아 평소에 언니와 같이 잠을 잔다는 것을 알 수 있습니다.
　④ 늘 학교에 갈 때 언니와 함께 갔다고 하였으므로 알맞습니다.
　⑤ 엄마와 언니 모두 잠을 못 자고 밤새 고생한 것과 달리 '나'만 편하게 잘 잔 것 같아 미안한 마음이 들었다고 하였으므로 알맞습니다.

4 ㉠은 열이 내려 괜찮아진 언니를 보고 기분이 좋아진 글쓴이 자신을 빗댄 표현입니다. ㉡은 가족이 아플 때 걱정스러운 마음이 생기는 것을 빗댄 표현입니다.
　[유형 분석 / 추론하기]
　글에 제시된 비유적 표현의 뜻을 글의 내용을 통해 짐작해 보는 문제입니다. ㉠과 ㉡의 앞뒤 문장을 살펴보고 문맥상 어떤 뜻일지 생각해 봅니다.

알쏭달쏭 맞춤법　잠시 쉬며 재미있게 익혀 보세요.

- **식탁 위에 꽃병이 (놓이다, 노이다).**
　➡ 물건이 어떤 곳에 있게 두어지다.
- **(눈쌀, 눈살)이 찌푸려지는 모습**
　➡ 두 눈썹 사이에 잡히는 주름.

정답 놓이다 / 눈살

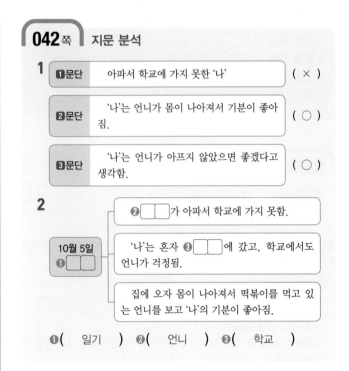

1
　1문단 아파서 학교에 가지 못한 '나'　(×)
　2문단 '나'는 언니가 몸이 나아져서 기분이 좋아짐.　(○)
　3문단 '나'는 언니가 아프지 않았으면 좋겠다고 생각함.　(○)

2
　10월 5일 ❶□□
　❷□□가 아파서 학교에 가지 못함.
　'나'는 혼자 ❸□□에 갔고, 학교에서도 언니가 걱정됨.
　집에 오자 몸이 나아져서 떡볶이를 먹고 있는 언니를 보고 '나'의 기분이 좋아짐.

　❶(일기)　❷(언니)　❸(학교)

1 1문단에는 아파서 학교에 가지 못한 언니, 2문단에는 언니가 괜찮아져서 기분이 좋아진 '나'에 대한 내용이 나타나 있습니다. 3문단에서는 언니가 아프지 않았으면 좋겠다고 생각한 내용이 나타나 있습니다.

2 이 글은 '나'가 10월 5일에 쓴 일기로, 일기에는 언니가 아팠다가 나은 일이 순서대로 나타나 있습니다. 언니가 아파서 학교에 가지 못했고, '나'는 혼자 학교에 가서 계속 언니를 걱정하였는데, 집에 와서 괜찮아진 언니가 떡볶이를 먹고 있는 모습을 보고 '나'의 기분이 좋아졌습니다.

043쪽　오늘의 어휘

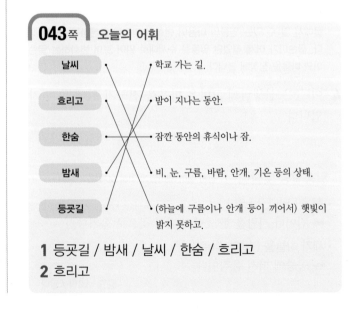

- 날씨 — 비, 눈, 구름, 바람, 안개, 기온 등의 상태.
- 흐리고 — (하늘에 구름이나 안개 등이 끼어서) 햇빛이 밝지 못하고.
- 한숨 — 잠깐 동안의 휴식이나 잠.
- 밤새 — 밤이 지나는 동안.
- 등굣길 — 학교 가는 길.

1 등굣길 / 밤새 / 날씨 / 한숨 / 흐리고
2 흐리고

- **글의 종류** 주장하는 글
- **글의 특징** 이 글은 환경 파괴와 오염을 줄이고 환경을 보호하는 노력의 필요성을 주장하는 글입니다.
- **글의 주제** 환경을 보호하기 위해 할 수 있는 일을 실천하자.

045쪽 **지문 독해**

1 환경 보호 **2** ① **3** ① **4** ⑤

1 이 글은 환경 보호를 위해 노력하자는 주장을 담고 있습니다.

2 음식물을 남김없이 다 먹는 것은 환경 보호를 위해 실천할 수 있는 일입니다. ②~⑤는 모두 환경을 파괴하거나 오염시키는 일입니다.

3 '나 하나쯤이야.'는 나 한 사람은 괜찮을 것이라는 생각으로, "나는 안 해도 돼."와 비슷한 생각을 담고 있습니다.

[유형 분석 / 추론하기]

글에 제시된 내용과 비슷한 뜻을 담고 있는 문장을 추론하는 문제입니다. ⊙에 담겨 있는 뜻이 무엇인지 먼저 생각해 보고 그와 비슷한 뜻을 가진 생각이 무엇인지 찾아봅니다.

4 손과 발을 잘 씻는 일은 환경 보호가 아닌 건강한 생활을 위한 위생 관리에 해당하므로 알맞지 않습니다.

[오답 풀이]

① 비닐봉지와 플라스틱 사용을 줄이는 것은 쓰레기 양을 줄이는 것이므로 환경 보호를 실천하는 일로 알맞습니다.

② 나무젓가락 사용을 줄이면 숲의 나무를 보호하는 것이므로 환경 보호를 실천하는 일로 알맞습니다.

③ 자동차 이용을 줄이면 환경 오염을 줄일 수 있으므로 환경 보호를 실천하는 일로 알맞습니다.

④ 식물을 훼손하지 않는 것도 환경을 파괴하지 않는 일이므로 환경 보호를 실천하는 일로 알맞습니다.

알쏭달쏭 맞춤법 잠시 쉬며 재미있게 익혀 보세요.

- (난로, 날로)에 불을 피우자.
  ➡ 석탄이나 석유, 장작 등을 연료로 써서 방 안을 따뜻하게 하는 기구.
- 사실을 (낱낱이, 난나치) 밝히자!
  ➡ 하나하나 빠짐없이 모두.

[정답] 난로 / 낱낱이

046쪽 **지문 분석**

1 이 글은 ❶[환경]을 보호하기 위해 우리가 실천할 수 있는 일을 하자고 주장하는 글이에요. 글쓴이는 환경 파괴의 원인과 문제점을 말하고, 환경을 ❷[보호]하기 위해 우리가 ❸[실천]할 수 있는 일이 무엇인지 알려 주고 있어요.

❶(환경) ❷(보호) ❸(실천)

2

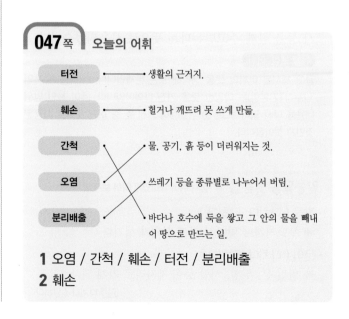

환경 파괴	환경 ❸[보호]를 위해 우리가 할 일
나무를 사용하기 위해 ❶[숲]을 훼손함.	• 음식을 남김없이 먹기
간척 사업을 하여 ❷[바다]의 환경을 파괴함.	• 가까운 거리는 걸어 다니기 • 재활용 분리배출 잘하기 • 일회용품 사용 줄이기

❶(숲) ❷(바다) ❸(보호)

1 이 글은 주장하는 글로, 환경 파괴의 원인과 문제점을 말하고, 환경을 보호하기 위해 우리가 실천할 수 있는 일을 하자고 주장하고 있습니다.

2 이 글은 환경 파괴를 줄이고 환경을 보호해야 한다고 주장하는 글입니다. 나무를 사용하기 위해 숲을 훼손하고 간척 사업으로 바다를 훼손하여 환경이 파괴되고 있음을 알려 주고, 더 이상 환경이 파괴되지 않도록 환경 보호를 위해 우리가 할 수 있는 일을 알려 주고 있습니다.

047쪽 **오늘의 어휘**

터전	생활의 근거지.
훼손	헐거나 깨뜨려 못 쓰게 만듦.
간척	물, 공기, 흙 등이 더러워지는 것.
오염	쓰레기 등을 종류별로 나누어서 버림.
분리배출	바다나 호수에 둑을 쌓고 그 안의 물을 빼내어 땅으로 만드는 일.

1 오염 / 간척 / 훼손 / 터전 / 분리배출
2 훼손

- **글의 종류** 설명하는 글
- **글의 특징** 이 글은 가족회의에서 다룰 수 있는 주제와 가족회의의 좋은 점, 가족회의 때 주의해야 할 점을 설명한 글입니다.
- **글의 주제** 가족회의의 좋은 점

049쪽 지문 독해

1 가족회의 **2** ④ **3** ⑤ **4** ⑤

1 이 글은 가족회의에 대하여 설명하고 있습니다.

2 가족에게 생긴 특별한 일도 가족회의를 통해 다룰 수 있는 주제로 알맞습니다.

오답 풀이

① 가족회의를 하면 대화를 통해 가족 간의 대립을 줄일 수 있으므로 알맞습니다.
② '여행 장소 정하기'와 같은 공통의 관심사나 일상적인 일은 가족회의 주제가 될 수 있으므로 알맞습니다.
③ 가족이란 부모를 중심으로 한곳에 모여 사는 집단을 뜻하므로 알맞습니다.
⑤ 가족회의를 하면 가족 구성원들이 가정 안에서 안정된 권리와 역할을 가질 수 있으므로 알맞습니다.

3 이 글에서는 가족회의의 좋은 점이 잘 나타나려면 한 사람이 일방적으로 진행을 하면 안 된다고 말했습니다. 또한 가족 구성원의 생각을 존중해야 하는데 보기의 가족회의에서는 아빠만 일방적으로 말을 하고, 아이의 생각을 존중하지 않는 문제점이 있습니다.

4 ㉠의 '나눌'은 다른 누군가와 이야기, 행동, 감정, 인사 등을 함께 주고받는다는 뜻으로 사용되었습니다.

유형 분석 / 어휘

글에 제시된 어휘의 뜻을 생각해 보는 문제입니다. ㉠'나눌'에 쓰인 '나누다'(기본형)는 다양한 뜻을 가진 다의어입니다. ㉠이 쓰인 앞뒤 내용을 다시 읽어 보고, 문맥상 ㉠이 가진 뜻 중 어떤 뜻으로 사용된 것인지 찾아봅니다.

알쏭달쏭 맞춤법 잠시 쉬며 재미있게 익혀 보세요.

- 팔을 (다치다, 닫히다).
  ➡ 부딪치거나 맞아서 몸에 상처가 생기다.
- 문이 (다치다, 닫히다).
  ➡ 열린 문, 뚜껑, 서랍 등이 제자리로 가게 되다.

정답 다치다 / 닫히다

050쪽 지문 분석

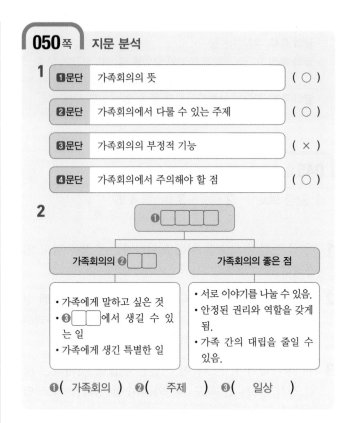

1
- **1**문단 가족회의의 뜻 (○)
- **2**문단 가족회의에서 다룰 수 있는 주제 (○)
- **3**문단 가족회의의 부정적 기능 (×)
- **4**문단 가족회의에서 주의해야 할 점 (○)

2
❶□□□

가족회의의 ❷□□
- 가족에게 말하고 싶은 것
- ❸□□에서 생길 수 있는 일
- 가족에게 생긴 특별한 일

가족회의의 좋은 점
- 서로 이야기를 나눌 수 있음.
- 안정된 권리와 역할을 갖게 됨.
- 가족 간의 대립을 줄일 수 있음.

❶(가족회의) ❷(주제) ❸(일상)

1 **1**문단에서는 가족회의의 뜻을, **2**문단에서는 가족회의에서 다룰 수 있는 주제를 설명하고 있습니다. **3**문단에서는 가족회의의 좋은 점을, **4**문단에서는 가족회의에서 주의해야 할 점을 알려 주고 있습니다.

2 이 글은 가족회의에서 다룰 수 있는 주제와 가족회의의 좋은 점에 대해 설명하고, 이러한 좋은 점이 잘 나타나게 하기 위해 주의해야 할 점을 설명한 글입니다.

051쪽 오늘의 어휘

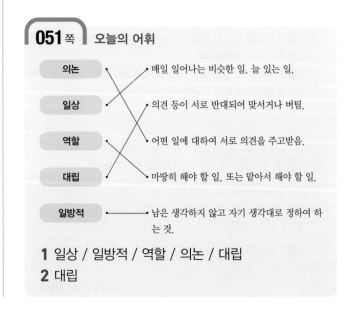

의논	매일 일어나는 비슷한 일. 늘 있는 일.
일상	의견 등이 서로 반대되어 맞서거나 버팀.
역할	어떤 일에 대하여 서로 의견을 주고받음.
대립	마땅히 해야 할 일. 또는 맡아서 해야 할 일.
일방적	남은 생각하지 않고 자기 생각대로 정하여 하는 것.

1 일상 / 일방적 / 역할 / 의논 / 대립
2 대립

• **글의 종류** 생활문
• **글의 특징** 이 글은 동네를 청소하는 일에 참여한 경험을 바탕으로 동네를 깨끗하게 할 수 있는 방법을 소개하는 생활문입니다.
• **글의 주제** 동네를 깨끗하게 만들 수 있는 방법

053쪽　지문 독해

1 청소　**2** (1) ○　**3** ⑤　**4** ③

1 이 글은 이웃들과 우리 동네를 깨끗이 청소한 일을 썼습니다.

2 현정이는 쓰레기를 줍는 일을 맡아서 하였습니다.

3 현정이는 동네 청소를 마치고 집에 돌아오면서 뿌듯한 마음이 들었고 계속 동네를 깨끗하게 유지할 수 있는 방법을 고민했습니다. 그러므로 동네를 계속 깨끗하게 만들고 싶다는 마음이 가장 알맞습니다.

4 화단 한쪽에 쓰레기를 쌓아 두면 보기가 좋지 않으므로, 깨끗한 동네를 만드는 방법으로 보기는 어렵습니다.

　오답 풀이
① 쓰레기가 많이 버려져 있었다는 내용을 통해 쓰레기를 버리지 않는 방법을 생각할 수 있습니다.
② 쓰레기가 보이면 바로 줍는 것도 동네를 깨끗하게 할 수 있는 방법입니다.
④ 버스 정류장을 청소했던 사람들의 모습을 통해 생각할 수 있는 방법입니다.
⑤ 글쓴이가 '줍깅' 캠페인을 알게 되어 실천하겠다고 다짐한 것으로 보아 캠페인도 좋은 방법입니다.

　유형 분석 / 적용하기
글에 제시된 내용을 바탕으로 적용하는 문제입니다. 글쓴이가 동네를 청소한 방법과 이후 인터넷 검색을 통해 새롭게 알게 된 방법 등을 생각해 봅니다.

　알쏭달쏭 맞춤법　잠시 쉬며 재미있게 익혀 보세요.

• 배가 고팠(던지, 든지) 밥을 급히 먹었다.
　➡ 뒤에 오는 말에 대하여 생각하거나 추측할 때 쓰는 말.
• 사과를 먹(던지, 든지) 포도를 먹(던지, 든지) 해라.
　➡ 여러 개 중에 어느 것이든 선택할 수 있을 때 쓰는 말.
　　　　　　　　정답 던지 / 든지

054쪽　지문 분석

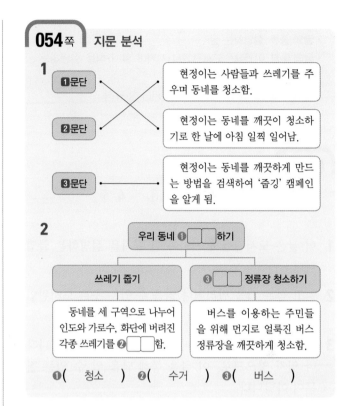

1 이 글의 **1**문단에는 현정이가 동네를 깨끗이 청소하기로 한 날에 아침 일찍 일어난 일, **2**문단에는 현정이가 사람들과 쓰레기를 주우며 동네를 청소한 일, **3**문단에는 현정이가 동네를 깨끗하게 만드는 방법을 검색하여 '줍깅' 캠페인을 알게 된 일이 나와 있습니다.

2 이 글은 사람들과 두 개의 팀으로 나뉘어 동네를 청소했던 경험을 소개하고 있습니다.

055쪽　오늘의 어휘

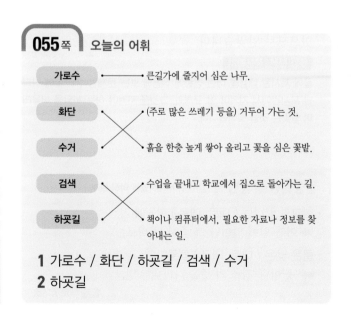

1 가로수 / 화단 / 하굣길 / 검색 / 수거
2 하굣길

- **글의 종류** 설명하는 글
- **글의 특징** 이 글은 도서관에서 지켜야 할 규칙을 설명하는 글입니다.
- **글의 주제** 도서관을 이용할 때 지켜야 할 규칙

057쪽 지문 독해

1 도서관, 규칙 **2** ② **3** ① **4** ⑤

1 이 글은 도서관에서 지켜야 할 규칙을 설명하는 글입니다.

2 읽고 싶은 책을 빌리거나 읽을 수 있는 곳은 도서관입니다.

3 빌린 책을 잃어버렸을 때 해야 할 일은 이 글에 나타나 있지 않으므로, 이 글을 통해 답을 알 수 있는 질문이 아닙니다.

[오답 풀이]

② 이 글의 전체 내용이 도서관에서 지켜야 할 규칙을 알려 주는 것이므로, 답을 알 수 있는 질문입니다.

③ 반납하는 날을 지키지 않으면 책을 읽고 싶은 친구에게 피해를 줄 수 있다는 내용이 있으므로, 답을 알 수 있는 질문입니다.

④ 책을 다 읽은 후 정해진 곳에 놓아야 다음에 읽을 사람이 쉽게 책을 찾을 수 있다는 내용이 있으므로, 답을 알 수 있는 질문입니다.

⑤ 도서관에서 큰 소리로 떠들면 다른 사람에게 방해된다는 내용이 있으므로, 답을 알 수 있는 질문입니다.

4 도서관에서 여기저기 뛰어다니는 동생에게, 도서관에서는 큰 소리로 떠들거나 뛰어다니면 책을 읽는 다른 사람들에게 방해가 될 수 있다는 내용을 잘 설명하고 있으므로 알맞습니다.

[유형 분석 / 적용하기]

글에 제시된 내용을 어떤 상황에 적용해 보는 문제입니다. 글에 나타난 도서관에서 지켜야 할 규칙과, 그것을 지켜야 하는 까닭을 떠올리며 알맞은 것을 찾아봅니다.

알쏭달쏭 맞춤법 잠시 쉬며 재미있게 익혀 보세요.

- 학교가 끝나는 (대로, 데로) 학원에 가.
  ➡ 어떤 일이 일어난 그 즉시. 곧바로.
- 물은 낮은 (대로, 데로) 흐른다.
  ➡ '곳'이나 '장소'의 뜻을 나타내는 말.

정답 대로 / 데로

058쪽 지문 분석

1

❶[ ][ ][ ]은 책을 읽거나 빌릴 수 있는 곳이에요. 도서관에서 책을 대출하거나 반납할 때, 도서관 안에서 책을 읽을 때는 지켜야 할 ❷[ ][ ]이 있어요. 도서관은 여러 사람이 함께 이용하는 곳이므로, 다른 사람을 ❸[ ][ ]하는 마음을 가지고 질서와 규칙을 잘 지켜야 해요.

❶(도서관) ❷(규칙) ❸(배려)

2

도서관을 이용할 때 지켜야 할 규칙	
책을 대출하거나 반납할 때	**도서관 안에서 ❸[ ]을 읽을 때**
• 차례대로 ❶[ ]을 서야 함. • 빌렸던 책을 정해진 기한 안에 ❷[ ][ ]해야 함.	• 큰 소리로 떠들거나 돌아다니면 안 됨. • 책을 더럽히거나 찢으면 안 됨. • 다 읽은 책은 반납하는 곳에 두어야 함.

❶(줄) ❷(반납) ❸(책)

1 이 글은 도서관의 뜻과 도서관에서 지켜야 할 규칙 그리고 도서관을 이용할 때 규칙을 잘 지켜야 하는 까닭을 설명하는 글입니다.

2 이 글은 도서관을 이용할 때 지켜야 할 규칙을 설명하고 있습니다. 책을 대출하거나 반납할 때는 차례대로 줄을 서야 하고 정해진 기한 안에 반납해야 합니다. 또한 도서관 안에서 책을 읽을 때는 떠들거나 돌아다니지 말고, 책을 더럽히거나 찢지 말아야 하며 다 읽은 후에는 반납하는 곳에 두어야 합니다.

059쪽 오늘의 어휘

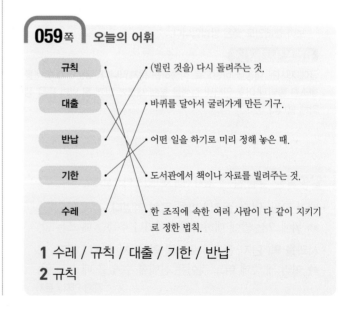

규칙	(빌린 것을) 다시 돌려주는 것.
대출	바퀴를 달아서 굴러가게 만든 기구.
반납	어떤 일을 하기로 미리 정해 놓은 때.
기한	도서관에서 책이나 자료를 빌려주는 것.
수레	한 조직에 속한 여러 사람이 다 같이 지키기로 정한 법칙.

1 수레 / 규칙 / 대출 / 기한 / 반납
2 규칙

• **글의 종류** 설명하는 글
• **글의 특징** 이 글은 병원의 종류를 1차, 2차, 3차 의료 기관으로 나누어 설명하는 글입니다.
• **글의 주제** 병원의 종류

061 쪽 지문 독해

1 병원 **2** ①, ⑤ **3** ③ **4** (1) ○ (3) ○

1 이 글은 병원의 종류를 1차, 2차, 3차 의료 기관으로 나누어 자세히 설명하고 있습니다. 따라서 이 글의 제목은 '병원의 종류'가 알맞습니다.

2 병원은 환자를 진찰하고 치료하는 곳입니다. 그리고 의원이나 보건소는 환자의 초기 진료를 보는 1차 의료 기관입니다.

오답 풀이
② 환자의 초기 진료를 담당하는 곳은 1차 의료 기관입니다.
③ 병원 수가 가장 많은 것은 1차 의료 기관입니다.
④ 1차 의료 기관은 초기 환자의 진료 예방과 간단한 치료를 담당합니다. 따라서 병을 예방하는 역할만 하는 것은 아닙니다.

3 3차 의료 기관에는 밤에도 진료가 가능한 응급실이 있어서 언제든지 환자를 받을 수 있다고 하였습니다.

유형 분석 / 내용 이해
글에 제시된 내용을 잘 이해하였는지 묻는 문제입니다. 3차 의료 기관에 대한 설명이 나타난 ❸문단을 다시 읽어 봅니다.

4 밤에 갑자기 열이 나서 아플 때에는 응급실이 있는 3차 의료 기관으로 가는 것이 알맞습니다. 눈이 건강한 상태인지 확인해 보기 위한 검사는 초기 진료를 보는 1차 의료 기관에서 받는 것이 알맞습니다.

오답 풀이
(2) 3차 의료 기관은 치료가 어렵거나 위급한 환자들이 진료를 받는 곳이므로 간단한 치료가 필요한 상처가 생겼을 때에는 1차 의료 기관에 가는 것이 알맞습니다.

알쏭달쏭 맞춤법 잠시 쉬며 재미있게 익혀 보세요.

• 잠시 가게에 (들리다, 들르다).
➡ 나가는 길에 잠깐 들어가 머물다.
• 나팔 소리가 (들리다, 들르다).
➡ 어떤 소리가 귀를 통해 들어오다.

정답 들르다 / 들리다

062 쪽 지문 분석

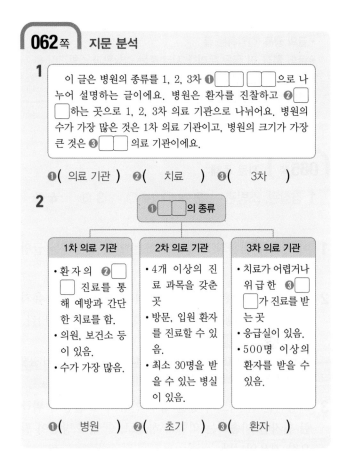

1 ❶(의료 기관) ❷(치료) ❸(3차)

2 ❶(병원) ❷(초기) ❸(환자)

1 병원은 환자를 진찰하고 치료하는 곳으로, 1, 2, 3차 의료 기관으로 나뉘며 병원의 수가 가장 많은 것은 1차 의료 기관이고, 병원의 크기가 가장 큰 것은 3차 의료 기관입니다.

2 이 글은 병원의 종류를 1, 2, 3차 의료 기관으로 나누어 설명하고 있습니다.

063 쪽 오늘의 어휘

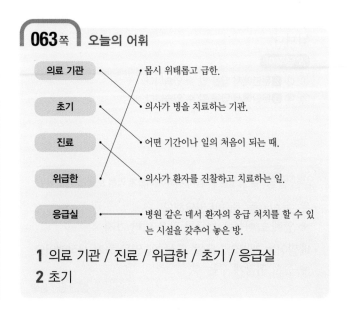

1 의료 기관 / 진료 / 위급한 / 초기 / 응급실
2 초기

- **글의 종류** 설명하는 글
- **글의 특징** 이 글은 우리를 지켜 주는 경찰관과 소방관이 하는 일을 설명하는 글입니다.
- **글의 주제** 경찰관과 소방관이 하는 일

065쪽 지문 독해

1 경찰관, 소방관 **2** (3) ○ (4) ○ **3** ③ **4** ⑤

1 이 글은 경찰관과 소방관이 하는 일을 설명하는 글입니다.

2 경찰관과 소방관은 모두 나라의 평화와 질서를 유지하며, 국민의 생명과 재산을 보호하는 역할을 합니다.

유형 분석/내용 이해
글에 제시된 세부 내용을 묻는 문제입니다. 경찰관과 소방관의 공통점이 나타난 마지막 문단을 유의해서 읽어 봅니다.

3 소방관은 큰 사고가 났을 경우 인명 구조 활동과 위급한 환자를 이송하는 역할을 하므로, ③이 소방관이 필요한 경우입니다.

오답 풀이
① 집에 도둑이 들었을 경우에는 경찰관이 필요합니다.
② 나쁜 사람에게 사기를 당한 경우에는 경찰관이 필요합니다.
④ 길에 쓰레기나 담배꽁초를 버리는 것은 법에 어긋나는 일이므로 경찰관이 필요합니다.
⑤ 교통질서를 지키지 않는 것은 범죄이며, 교통의 원활한 소통을 위해 경찰관이 필요합니다.

4 경찰관과 소방관이 되기 위해 준비해야 할 것은 이 글에 제시되지 않았으므로, 답을 알 수 있는 질문이 아닙니다.

오답 풀이
①, ③ **2**문단에서 답을 알 수 있습니다.
②, ④ **3**문단에서 답을 알 수 있습니다.

알쏭달쏭 맞춤법 잠시 쉬며 재미있게 익혀 보세요.

- 옷, 음식 (**등**, 뜽)이 필요해요.
  ➡ 앞에 늘어놓은 것들과 같은 여러 가지.
- 베짱이는 개미의 (등쌀, **등살**)에 일을 하기 시작했어요.
  ➡ 몹시 귀찮게 구는 짓.

정답 등 / 등쌀

066쪽 지문 분석

1
이 글은 경찰관과 소방관이 하는 일을 설명하는 글이에요. 경찰관과 소방관은 모두 국민의 생명과 재산을 ❶[   ]하는 일을 하는 분들로, 경찰관은 범인을 잡는 일이나 범죄를 예방하는 일, 소방관은 ❷[ ]을 끄거나 화재를 예방하는 일을 하지요. 모두 ❸[   ]의 평화와 질서를 유지하기 위해 노력하는 분들이에요.

❶(보호) ❷(불) ❸(나라)

2
우리를 지켜 주는 고마운 분들

❶[ ]	❷[ ]
• 범죄를 예방하기 위해 순찰함. • 범죄가 발생했을 때 수사를 통해 범인을 잡음. • 교통사고 예방을 위해 교통단속을 함.	• 불이 났을 때 출동하여 불을 끔. • 화재 ❸[ ]을 위해 소방 시설을 점검함. • 자연재해나 사고가 났을 때 위급한 환자를 병원으로 옮김.

❶(경찰관) ❷(소방관) ❸(예방)

1 이 글은 경찰관과 소방관이 하는 일을 설명하는 글입니다. 경찰관과 소방관은 국민의 생명과 재산을 보호하는 일을 하며, 모두 나라의 평화와 질서를 유지하기 위해 노력하는 분들입니다.

2 이 글은 경찰관과 소방관이 하는 일을 설명하는 글입니다. 경찰관은 범죄나 교통사고를 예방하고, 수사를 하여 범인을 잡습니다. 소방관은 불을 끄거나 화재를 예방하고, 환자를 병원으로 옮기는 일을 합니다.

067쪽 오늘의 어휘

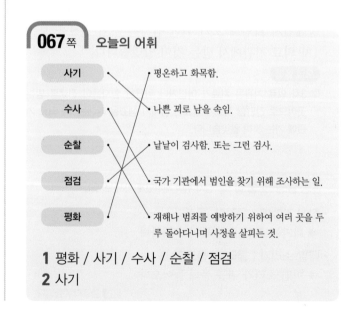

사기	평온하고 화목함.
수사	나쁜 꾀로 남을 속임.
순찰	낱낱이 검사함. 또는 그런 검사.
점검	국가 기관에서 범인을 찾기 위해 조사하는 일.
평화	재해나 범죄를 예방하기 위하여 여러 곳을 두루 돌아다니며 사정을 살피는 것.

1 평화 / 사기 / 수사 / 순찰 / 점검
2 사기

- **글의 종류** 설명하는 글
- **글의 특징** 이 글은 우수한 우리나라 전통 난방 장치인 온돌의 구조와 원리를 설명하는 글입니다.
- **글의 주제** 온돌의 구조와 난방 원리 및 우수성

069 쪽 지문 독해

1 온돌 **2** ④ **3** ③ **4** ④

1 이 글은 우리나라의 독창적인 난방 장치인 온돌을 설명하는 글입니다.

2 보기 에서 설명하는 것은 '구들장'입니다.

3 온돌이 언제까지 사용됐는지는 나와 있지 않습니다.

오답 풀이
① **1**문단에서 온돌은 우리나라의 독창적이고 과학적인 난방 장치임을 알 수 있습니다.
② **2**~**4**문단에서 온돌의 구조는 아궁이와 방고래를 만들고 두둑을 쌓은 뒤 구들장을 올린 것임을 알 수 있습니다.
④ **6**문단에서 온돌은 사람이 앉았을 때 머리 쪽은 차갑고, 엉덩이 쪽은 따뜻해서 쾌적한 환경을 만들어 주는 우수한 점을 알 수 있습니다.
⑤ **5**문단에서 온돌방은 아궁이에 불을 피워 나온 뜨거운 공기가 방고래를 지나면서 열기가 전해지며 구들장을 달구어 따뜻해진다는 난방 원리를 알 수 있습니다.

4 온돌방은 머리 쪽은 차갑고 엉덩이 쪽은 따뜻하다고 하였으므로, 앉아서 생활하기에 쾌적하고 좋습니다.

오답 풀이
① 온돌은 추운 지방에 알맞은 난방 장치입니다.
② 온돌방에는 연기가 빠져나가는 길인 방고래가 있습니다.
③ 방고래에 두둑을 세우고 방고래 위에 구들장을 올립니다.
⑤ 온돌은 우리 조상들이 만든 독창적인 난방 장치입니다.

유형 분석/적용하기
글에 제시된 내용을 적용하여 이해하는 문제입니다. 친구들이 말한 내용을 잘 읽고 글에서 알게 된 내용을 알맞게 적용했는지 확인해 봅니다.

알쏭달쏭 맞춤법 잠시 쉬며 재미있게 익혀 보세요.

- 학생으(로써, 로서) 공부를 해야 한다.
  ➡ 어떤 지위나 자격을 나타낼 때 쓰는 말.
- 책을 읽음으(로써, 로서) 지식을 쌓는다.
  ➡ 어떤 물건의 재료, 원료, 도구를 나타낼 때 쓰는 말.

정답 로서 / 로써

070 쪽 지문 분석

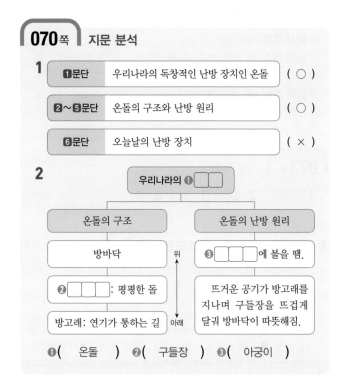

1 **1**문단에서는 우리나라의 독창적인 난방 장치인 온돌을 소개하고 있습니다. **2**~**5**문단에서는 온돌의 구조와 난방 원리를, **6**문단에서는 온돌의 우수성에 대해 설명하고 있습니다.

2 이 글에서는 우리나라의 독창적인 난방 장치인 온돌의 구조를 설명하고 이를 통해 난방 원리를 알려 주고 있습니다. 글의 내용을 떠올리며 빈칸에 들어갈 말을 찾아봅니다.

071 쪽 오늘의 어휘

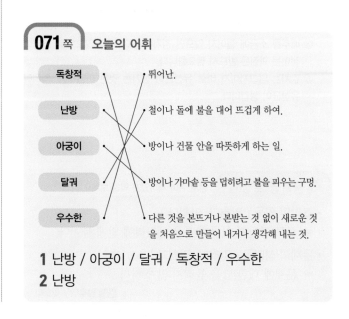

1 난방 / 아궁이 / 달궈 / 독창적 / 우수한
2 난방

073쪽 지문 독해

1 김치 **2** ③ **3** ③ **4** ④

1 이 글은 배추김치를 만드는 과정을 알려 주고, 김치의 우수성을 설명하는 글입니다. 따라서 이 글에서 가장 중심이 되는 낱말은 '김치'입니다.

유형 분석 / 핵심어

'핵심어'는 글에서 설명의 대상이 되는 낱말로, '중심 화제'라고도 합니다. 보통 글의 첫 부분에서 제시되며 내용이 전개되면서 반복적으로 나타납니다. 이 글에서 가장 반복적으로 나타나고 있는 낱말은 '김치' 입니다.

2 김치는 재료에 따라 담그는 방법과 종류가 매우 다양합니다.

3 가장 먼저 배추를 소금에 절이고, 그다음 소를 만듭니다. 그리고 소금에 절여 두었던 배추 사이에 만들어진 소를 넣고 익힙니다.

4 김치는 익는 과정에서 나쁜 균이 줄어들고 유산균이 많아지므로, 잘 익혀서 먹는 것이 적절합니다.

오답 풀이

① 김치는 발효 식품이므로 익혀서 오래 두고 먹을 수 있습니다.
② 소금에 담가 두는 과정이 중요하지만, 무조건 오래 절이는 것은 적절하지 않습니다.
③ 배추를 소금에 절이지 않으면 김치에 간이 배지 않으므로, 소금에 절이는 과정은 반드시 필요합니다.
⑤ 김치는 담그자마자 바로 유산균이 생기는 것은 아닙니다. 익혀야 유산균이 생깁니다.

알쏭달쏭 맞춤법 잠시 쉬며 재미있게 익혀 보세요.

• 조각의 짝을 (맞추다, 마치다).
➡ 서로 떨어져 있는 부분을 제자리에 맞게 붙이다.
• 문제의 정답을 (맞추다, 맞히다).
➡ 문제에 대한 답을 틀리지 않게 하다.

정답 맞추다 / 맞히다

074쪽 지문 분석

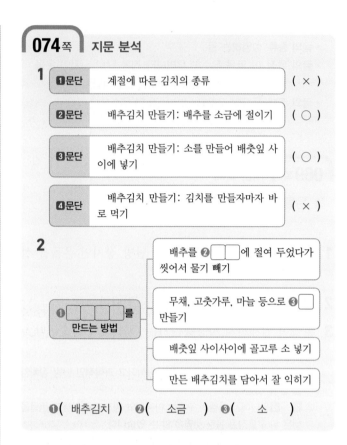

1 ❶문단: 계절에 따른 김치의 종류 (×)
❷문단: 배추김치 만들기: 배추를 소금에 절이기 (○)
❸문단: 배추김치 만들기: 소를 만들어 배춧잎 사이에 넣기 (○)
❹문단: 배추김치 만들기: 김치를 만들자마자 바로 먹기 (×)

2 ❶□□□□를 만드는 방법
- 배추를 ❷□□에 절여 두었다가 씻어서 물기 빼기
- 무채, 고춧가루, 마늘 등으로 ❸□ 만들기
- 배춧잎 사이사이에 골고루 소 넣기
- 만든 배추김치를 담아서 잘 익히기

❶(배추김치) ❷(소금) ❸(소)

1 ❶문단에서는 김치의 뜻과 대표적인 김치인 배추김치를 설명하고 있습니다. ❷, ❸, ❹문단에서는 배추김치를 만드는 방법을 순서대로 설명하고 있습니다. 특히 ❹문단에서는 만든 배추김치를 잘 익혀 먹어야 한다는 내용이 나타나 있습니다.

2 이 글은 배추김치를 만드는 방법을 네 단계로 설명하고 있습니다.

075쪽 오늘의 어휘

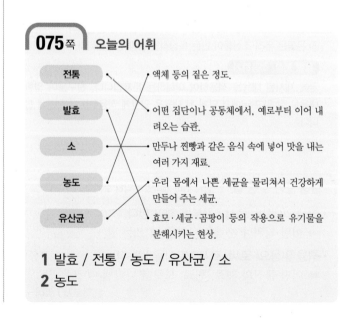

전통 — 어떤 집단이나 공동체에서, 예로부터 이어 내려오는 습관.
발효 — 효모·세균·곰팡이 등의 작용으로 유기물을 분해시키는 현상.
소 — 만두나 찐빵과 같은 음식 속에 넣어 맛을 내는 여러 가지 재료.
농도 — 액체 등의 짙은 정도.
유산균 — 우리 몸에서 나쁜 세균을 물리쳐서 건강하게 만들어 주는 세균.

1 발효 / 전통 / 농도 / 유산균 / 소
2 농도

- **글의 종류** 설명하는 글
- **글의 특징** 이 글은 독도가 일본이 아닌 우리나라의 땅인 까닭을 설명하는 글입니다.
- **글의 주제** 독도가 우리나라의 땅인 까닭

077쪽 지문 독해

1 독도 **2** (1) ○ (2) ○ **3** ④ **4** ⑤

1 이 글은 독도가 우리나라의 땅인 까닭을 설명하고 있습니다.

2 글쓴이는 독도가 우리나라의 땅인 까닭을 설명하고, 독도를 지키기 위해서 독도에 많은 관심을 가져야 한다고 했습니다.

오답 풀이

③ **3**문단에서 일본에는 독도가 일본의 땅이라고 기록된 공식 문서가 없으며, 독도가 일본의 땅이 아님을 밝히는 문서만 있다고 하였습니다.

3 이 글에서는 일본의 한 문서에서 독도가 일본의 땅이 아님을 밝히고 있다고 나와 있습니다. 또한 그 문서에서 독도가 우리나라의 땅임을 밝힌 것인지는 나타나 있지 않습니다.

4 이 글의 마지막 문단에는 일본이 독도가 일본의 땅이라는 억지 주장을 계속 펼치고 있는 상황이므로 우리나라의 땅인 독도를 보존하고 지켜야 하기 때문에 우리가 독도에 대한 지식과 이해를 넓히고 많은 관심을 가져야 한다고 말하고 있습니다.

유형 분석 / 추론하기

글에 제시된 상황을 바탕으로 어떠한 판단을 이끌어 내는 문제입니다. 이 글에서는 독도가 우리나라의 땅임에도 일본이 계속하여 거짓 주장을 펼치고 있음을 말하고 있습니다. 이 점을 바탕으로 독도에 관심을 가져야 하는 까닭을 생각해 봅니다.

알쏭달쏭 맞춤법 잠시 쉬며 재미있게 익혀 보세요.

- 개구리 한 (**마리**, 말이)를 보았어요.
  ➡ 짐승, 물고기, 벌레 등의 수를 세는 말.
- 나는 우리 형제 중에 (**막내**, 망내)야.
  ➡ 형제자매들 중에서 맨 마지막으로 태어난 사람.

정답 마리 / 막내

078쪽 지문 분석

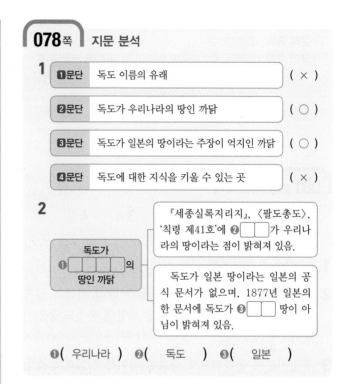

1
❶문단	독도 이름의 유래	(×)
❷문단	독도가 우리나라의 땅인 까닭	(○)
❸문단	독도가 일본의 땅이라는 주장이 억지인 까닭	(○)
❹문단	독도에 대한 지식을 키울 수 있는 곳	(×)

2

독도가 ❶[　][　][　][　]의 땅인 까닭

『세종실록지리지』, 〈팔도총도〉, '칙령 제41호'에 ❷[　]가 우리나라의 땅이라는 점이 밝혀져 있음.

독도가 일본 땅이라는 일본의 공식 문서가 없으며, 1877년 일본의 한 문서에 독도가 ❸[　] 땅이 아님이 밝혀져 있음.

❶(우리나라) ❷(독도) ❸(일본)

1 ❶문단에서는 우리나라의 땅인 독도와 그에 대한 일본의 주장을 알려 주고 있습니다. ❷문단에서는 독도가 우리나라의 땅인 까닭을, ❸문단에서는 독도가 일본의 땅이라는 주장이 억지인 까닭을 설명하고 있습니다. 그리고 ❹문단에서는 우리가 독도에 관심을 가져야 하는 까닭을 알려 주고 있습니다.

2 이 글에서 독도가 우리나라의 땅인 까닭으로 말한 내용을 정리해 봅니다.

079쪽 오늘의 어휘

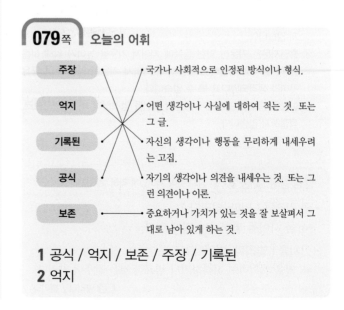

주장		국가나 사회적으로 인정된 방식이나 형식.
억지		어떤 생각이나 사실에 대하여 적는 것. 또는 그 글.
기록된		자신의 생각이나 행동을 무리하게 내세우려는 고집.
공식		자기의 생각이나 의견을 내세우는 것. 또는 그런 의견이나 이론.
보존		중요하거나 가치가 있는 것을 잘 보살펴서 그대로 남아 있게 하는 것.

1 공식 / 억지 / 보존 / 주장 / 기록된
2 억지

• **글의 종류** 설명하는 글
• **글의 특징** 이 글은 흥인지문의 이름이 네 글자인 까닭과 흥인지문의 구조를 설명하고, 한양에 있던 성문들의 중요성을 알려 주는 글입니다.
• **글의 주제** 한양의 성문이었던 흥인지문의 이름과 구조

081쪽 지문 독해

1 흥인지문 **2** (1) ○ (3) ○ **3** ⑤ **4** ①

1 이 글은 흥인지문에 대해 설명하고 있습니다.

2 흥인지문은 다른 한양의 성문들과 달리 이름의 글자 수가 네 글자입니다. 또한 반달 모양의 옹성도 흥인지문에만 있습니다.

3 흥인지문이 군사적으로 중요한 곳이므로 엄격히 출입이 제한되긴 하였지만, 아무도 오가지 못한 것은 아닙니다.

〔유형 분석 / 적용하기〕

글에 제시된 내용을 적용하는 문제입니다. 글에서 흥인지문에 대한 자세한 설명이 나타난 부분을 다시 살펴보며 발표문에 담긴 내용이 알맞은지 확인해 봅니다.

4 한양에는 궁궐과 중요한 시설들이 몰려 있었기 때문에 여러 개의 성문을 설치하여 보호한 것입니다.

〔오답 풀이〕

② 한양의 성문 중 흥인지문만 옹성이 있으므로 모두 같은 구조였다고 볼 수 없습니다.

③ 한양을 보호하는 성문은 여러 개였으며, 대표적으로 동, 서, 남, 북의 네 방향에 사대문이 있었으므로, 성문이 하나라는 말은 적절하지 않습니다.

④ 흥인지문은 기운이 약한 동쪽에 지어져 기운을 높이기 위해 이름을 네 글자로 지었다고 했습니다. 따라서 기운이 약한 곳이 좋은 곳이라 생각되었다고 볼 수 없습니다.

⑤ 한양은 중요한 곳이어서 성문의 출입을 엄격하게 제한하였으므로, 적절하지 않습니다.

〔**알쏭달쏭 맞춤법**〕 잠시 쉬며 재미있게 익혀 보세요.

• 줄 간격을 (벌다, **벌리다**).
  ➡ 둘 사이를 넓히거나 멀게 하다.
• 잔치를 (벌리다, **벌이다**).
  ➡ 일을 계획하여 시작하거나 필요한 것을 갖추어 차리다.
  〔정답〕 벌리다 / 벌이다

082쪽 지문 분석

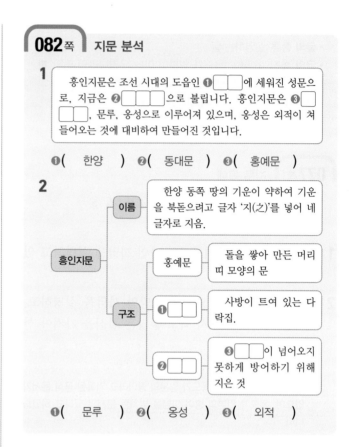

1 흥인지문은 조선 시대의 도읍인 ❶[   ]에 세워진 성문으로, 지금은 ❷[   ]으로 불립니다. 흥인지문은 ❸[   ], 문루, 옹성으로 이루어져 있으며, 옹성은 외적이 쳐들어오는 것에 대비하여 만들어진 것입니다.

❶(한양) ❷(동대문) ❸(홍예문)

2

흥인지문 ─ 이름 ─ 한양 동쪽 땅의 기운이 약하여 기운을 북돋으려고 글자 '지(之)'를 넣어 네 글자로 지음.

흥인지문 ─ 구조 ─ 홍예문 ─ 돌을 쌓아 만든 머리띠 모양의 문
  └ ❶[   ] ─ 사방이 트여 있는 다락집.
  └ ❷[   ] ─ ❸[   ]이 넘어오지 못하게 방어하기 위해 지은 것

❶(문루) ❷(옹성) ❸(외적)

1 이 글에서 흥인지문에 대해 설명한 부분을 다시 읽어 보고 중요한 내용을 요약하여 빈칸에 들어갈 내용을 찾아봅니다.

2 이 글은 흥인지문의 이름과 구조를 자세히 설명하고 있습니다. 흥인지문은 한양 동쪽 땅의 기운이 약하여 이를 북돋으려고 글자 '지(之)'를 넣어 이름을 지었고, 홍예문, 문루, 옹성으로 이루어져 있습니다.

083쪽 오늘의 어휘

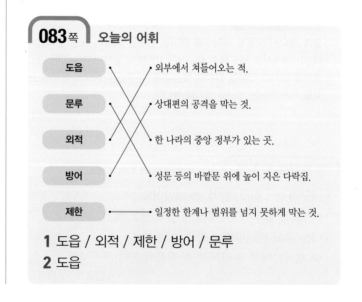

도읍 ─ 한 나라의 중앙 정부가 있는 곳.
문루 ─ 성문 등의 바깥문 위에 높이 지은 다락집.
외적 ─ 외부에서 쳐들어오는 적.
방어 ─ 상대편의 공격을 막는 것.
제한 ─ 일정한 한계나 범위를 넘지 못하게 막는 것.

1 도읍 / 외적 / 제한 / 방어 / 문루
2 도읍

- **글의 종류** 설명하는 글
- **글의 특징** 이 글은 은행이 어떤 일을 하는 곳인지에 대해 설명하는 글입니다.
- **글의 주제** 은행에서 하는 일

087쪽 지문 독해

1 은행   **2** ④   **3** ①, ④   **4** 이자

1 이 글은 은행이 어떤 일을 하는 곳인지에 대해 설명하는 글입니다.

2 세금은 나라에 내는 돈이기 때문에 은행이 다른 곳에 빌려주지는 않습니다.

오답 풀이

① **2**문단에 따르면 은행은 개인이나 기업에 돈을 대출해 주는 일을 합니다.
② **2**문단에 따르면 은행은 개인이나 기업으로부터 예금을 받습니다.
③ **3**문단에 따르면 은행은 세금이나 여러 가지 공과금을 받는 일을 합니다.
⑤ **4**문단에 따르면 은행은 다른 나라의 돈으로 바꿔 주는 외환 업무를 합니다.

3 은행에 돈을 맡기면 도난의 염려가 없어 안전하고, 이자가 붙기 때문에 소득이 늘어날 수 있습니다.

4 은행은 개인이나 기업으로부터 예금을 받고, 예금을 맡긴 값으로 이자를 줍니다. 또한 은행은 개인이나 기업에 돈을 대출해 주고, 돈을 빌려준 값으로 이자를 받습니다.

유형 분석 / 추론하기

글에 제시된 핵심 정보를 추론하는 문제입니다. 은행이 하는 일을 중심으로 예금, 대출, 이자의 의미에 유의합니다.

알쏭달쏭 맞춤법   잠시 쉬며 재미있게 익혀 보세요.

- (봉오리, 봉우리)가 맺혔어요.
  ➡ 망울만 맺히고 아직 피지 않은 꽃.
- (봉오리, 봉우리)에 올라가요.
  ➡ 산에서 높이 솟은 부분.

정답 봉오리 / 봉우리

088쪽 지문 분석

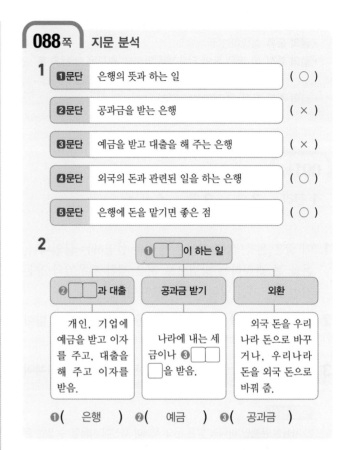

1
1문단	은행의 뜻과 하는 일	(○)
2문단	공과금을 받는 은행	(×)
3문단	예금을 받고 대출을 해 주는 은행	(×)
4문단	외국의 돈과 관련된 일을 하는 은행	(○)
5문단	은행에 돈을 맡기면 좋은 점	(○)

2

❶□□이 하는 일

- ❷□□과 대출: 개인, 기업에 예금을 받고 이자를 주고, 대출을 해 주고 이자를 받음.
- 공과금 받기: 나라에 내는 세금이나 ❸□□을 받음.
- 외환: 외국 돈을 우리나라 돈으로 바꾸거나, 우리나라 돈을 외국 돈으로 바꿔 줌.

❶(은행)   ❷(예금)   ❸(공과금)

1 **1**문단에서는 은행의 뜻과 하는 일, **2**문단에서는 예금을 받고 대출을 해 주는 은행을, **3**문단에서는 공과금을 받는 은행을, **4**문단에서는 외국의 돈과 관련된 일을 하는 은행을, **5**문단에서는 은행에 돈을 맡기면 좋은 점을 설명하고 있습니다.

2 이 글은 은행이 하는 일을 예금과 대출, 공과금, 외환으로 나누어 설명하고 있습니다.

089쪽 오늘의 어휘

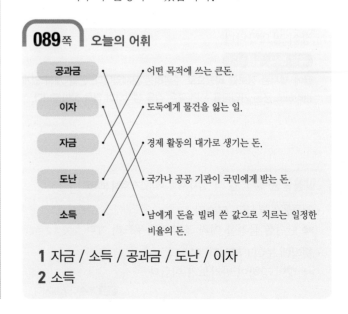

- 공과금 — 국가나 공공 기관이 국민에게 받는 돈.
- 이자 — 남에게 돈을 빌려 쓴 값으로 치르는 일정한 비율의 돈.
- 자금 — 어떤 목적에 쓰는 큰돈.
- 도난 — 도둑에게 물건을 잃는 일.
- 소득 — 경제 활동의 대가로 생기는 돈.

1 자금 / 소득 / 공과금 / 도난 / 이자
2 소득

• **글의 종류** 설명하는 글
• **글의 특징** 이 글은 돈의 필요성을 밝히고, 계획을 잘 세워 돈을 관리하는 방법을 설명하는 글입니다.
• **글의 주제** 돈을 잘 관리하는 방법

091쪽 **지문 독해**

1 관리 **2** ② **3** ⑤ **4** ㉯, ㉰

1 이 글은 돈을 잘 관리하는 방법을 설명하는 글입니다. 돈을 잘 관리하는 방법으로 지출 계획 세우기와 용돈 기입장 쓰기를 알려 주고 있습니다.

2 지출 계획을 세운다고 사용할 돈이 남는 돈보다 많아지지는 않습니다.

3 용돈 기입장을 쓸 때는 사용한 돈의 쓰임새를 구체적으로 적는 것이 좋습니다.

오답 풀이
① 사용한 돈뿐만 아니라 받은 돈도 적어야 자신이 사용할 수 있는 돈의 범위를 알 수 있습니다.
② 받은 용돈 모두를 적어야 계획 있게 돈을 사용할 수 있습니다.
③ 사용하고 남은 돈도 적어야 다음에 사용할 수 있는 돈을 알 수 있습니다.
④ 용돈 기입장에는 받은 용돈과 사용한 돈의 쓰임새를 적어 두는 것입니다. 받은 용돈의 범위를 모른 채 사고 싶은 것들만 미리 적는 것은 적절하지 않습니다.

4 용돈 기입장을 사용하여 계획을 세워서 돈을 관리하면 불필요한 낭비를 줄일 수 있고, 자신이 가진 돈을 잘 파악할 수 있으므로 ㉯와 ㉰의 인물에게 용돈 기입장이 필요합니다.

유형 분석 / 추론하기
글에 제시된 정보를 바탕으로 추론하는 문제입니다. 돈을 계획 있게 관리하고 용돈 기입장을 쓰면 좋은 점을 생각하며 답을 찾아봅니다.

알쏭달쏭 맞춤법 잠시 쉬며 재미있게 익혀 보세요.

• 건물을 (부시다, 부수다).
  ➡ 단단한 물건을 여러 조각으로 두드려 깨다.
• 햇빛에 눈이 (부시다, 부수다).
  ➡ 빛이 강하여 바라보기 어렵다.

정답 부수다 / 부시다

092쪽 **지문 분석**

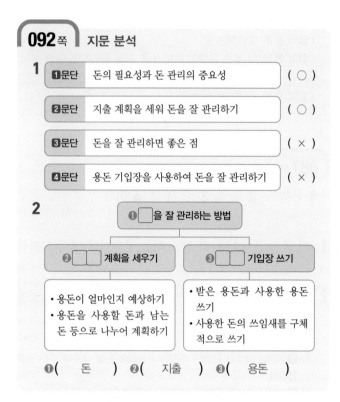

1
❶문단	돈의 필요성과 돈 관리의 중요성	(○)
❷문단	지출 계획을 세워 돈을 잘 관리하기	(○)
❸문단	돈을 잘 관리하면 좋은 점	(×)
❹문단	용돈 기입장을 사용하여 돈을 잘 관리하기	(×)

2
❶ [ ]을 잘 관리하는 방법

❷ [ ] 계획을 세우기
• 용돈이 얼마인지 예상하기
• 용돈을 사용할 돈과 남는 돈 등으로 나누어 계획하기

❸ [ ] 기입장 쓰기
• 받은 용돈과 사용한 용돈 쓰기
• 사용한 돈의 쓰임새를 구체적으로 쓰기

❶(돈) ❷(지출) ❸(용돈)

1 ❶문단에서는 돈의 필요성과 관리의 중요성을, ❷문단에서는 돈을 잘 관리하는 방법 중 지출 계획 세우기를, ❸문단에서는 돈을 잘 관리하는 방법 중 용돈 기입장 쓰기를, ❹문단에서는 돈을 계획 있게 잘 관리하면 좋은 점을 설명하고 있습니다.

2 이 글의 ❷문단에는 돈을 잘 관리하는 방법을 지출 계획 세우기와 용돈 기입장 쓰기로 나누어 설명하고 있습니다.

093쪽 **오늘의 어휘**

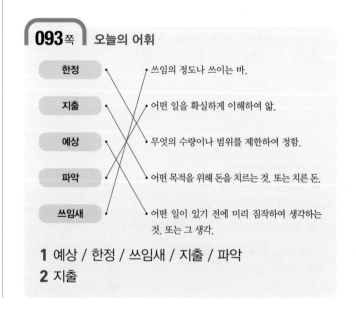

한정	•	• 쓰임의 정도나 쓰이는 바.
지출	•	• 어떤 일을 확실하게 이해하여 앎.
예상	•	• 무엇의 수량이나 범위를 제한하여 정함.
파악	•	• 어떤 목적을 위해 돈을 치르는 것. 또는 치른 돈.
쓰임새	•	• 어떤 일이 있기 전에 미리 짐작하여 생각하는 것. 또는 그 생각.

1 예상 / 한정 / 쓰임새 / 지출 / 파악
2 지출

- **글의 종류** 설명하는 글
- **글의 특징** 이 글은 물물 교환부터 전자 화폐에 이르기까지 화폐의 변화를 설명하는 글입니다.
- **글의 주제** 화폐의 변화

095쪽　지문 독해

1 화폐　**2** ⑤　**3** 빠 → 라 → 나 → 가 → 다
4 ④

1 이 글은 물물 교환부터 신용 카드나 전자 화폐에 이르기까지 화폐의 변화를 설명하는 글입니다.

2 보기 에서 설명하는 화폐는 금속 화폐입니다.
　오답 풀이
　① 종이로 만든 화폐입니다.
　② 엽전과 같은 것입니다.
　③ 화폐 대신 사용한 뒤에 돈을 지급하는 방법입니다.
　④ 소금, 곡식 등의 물품을 화폐처럼 교환하여 사용하는 방법입니다.

3 화폐는 물품 화폐, 금속 화폐, 동전, 지폐, 신용 카드의 형태로 만들어져 왔습니다.

4 이 글의 내용에 따르면 물품 화폐부터 신용 카드에 이르기까지 사람들은 점차 사용하기 쉽고 편리한 화폐를 만들기 위해 노력했음을 알 수 있습니다.
　오답 풀이
　① 화폐의 중요성이 달라지고 있는지에 대해서는 이 글에 나오지 않았습니다.
　② 경제의 발전으로 점차 지폐를 비롯한 화폐가 더 많이 사용되었습니다.
　③ 경제가 발전할수록 더 가벼운 화폐인 지폐가 만들어졌습니다.
　⑤ 물품 화폐는 화폐가 만들어지기 전에 사용되던 것입니다.
　유형 분석 / 추론하기
　글에 제시된 정보를 추론하는 문제입니다. 이전 화폐가 갖고 있던 한계로 인해 새로운 화폐가 등장하게 된 과정에 유의하며 읽어 봅니다.

알쏭달쏭 맞춤법　잠시 쉬며 재미있게 익혀 보세요.

- 편지를 (**부치다**, 붙이다).
　➡ 편지나 물건 등을 다른 사람에게 보내다.
- 봉투에 우표를 (부치다, **붙이다**).
　➡ 어떤 것을 맞닿아 떨어지지 않게 하다.
　정답 부치다 / 붙이다

096쪽　지문 분석

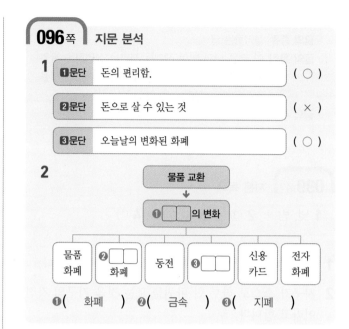

1　①문단　돈의 편리함.　(○)
　②문단　돈으로 살 수 있는 것　(×)
　③문단　오늘날의 변화된 화폐　(○)

2
물품 교환
↓
①□□의 변화
물품 화폐 / ②□□화폐 / 동전 / ③□□ / 신용 카드 / 전자 화폐
①(화폐)　②(금속)　③(지폐)

1 이 글의 ①문단에서는 돈의 편리함에 대해 말하고 있습니다. 또한 ②문단에서는 옛날에 사용한 화폐를 설명하고 있습니다. 그리고 ③문단에서는 오늘날의 변화된 화폐를 설명하고 있습니다.

2 이 글은 물품 교환부터 오늘날의 전자 화폐에 이르기까지 화폐의 변화를 설명하고 있습니다. 물품 교환 이후 화폐는 물품을 정해서 교환하는 물품 화폐, 금과 은 등의 금속 화폐, 동전, 지폐, 신용 카드, 전자 화폐로 이어지며 변화하였습니다.

097쪽　오늘의 어휘

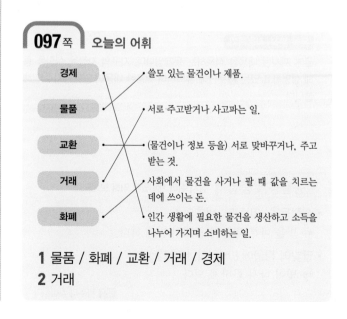

경제 ——— 쓸모 있는 물건이나 제품.
물품 ——— 서로 주고받거나 사고파는 일.
교환 ——— (물건이나 정보 등을) 서로 맞바꾸거나, 주고받는 것.
거래 ——— 사회에서 물건을 사거나 팔 때 값을 치르는 데에 쓰이는 돈.
화폐 ——— 인간 생활에 필요한 물건을 생산하고 소득을 나누어 가지며 소비하는 일.

1 물품 / 화폐 / 교환 / 거래 / 경제
2 거래

- **글의 종류** 설명하는 글
- **글의 특징** 이 글은 낮과 밤이 생기는 까닭을 설명하는 글입니다. 지구의 자전으로 인해 생기는 '낮'과 '밤'을 실험을 통해 알려 주고 있습니다.
- **글의 주제** 낮과 밤이 생기는 까닭

099쪽 　지문 독해

1 낮, 밤　　**2** ③　　**3** ①, ④　　**4** ①

1 이 글은 낮과 밤이 생기는 까닭을 설명한 글입니다.

2 지구가 스스로 하루 한 바퀴를 도는 것을 지구의 자전이라고 합니다.

> 오답 풀이
> ① 해가 질 때부터 뜰 때까지는 '밤'입니다.
> ② 해가 뜰 때부터 질 때까지는 '낮'입니다.
> ④ '자전'은 스스로 회전한다는 뜻입니다.
> ⑤ 지구가 태양의 끌어당기는 힘에 의해 태양 주변을 도는 것은 '공전'입니다.

3 지구는 하루에 한 바퀴를 회전합니다. 또한 세계 곳곳의 여러 나라는 자전으로 인해 낮과 밤이 시작하는 시간이 같을 수도 있고, 다를 수도 있습니다.

4 지구 자전을 실험한 **3**문단에서 전구는 태양 역할임을 설명하고 있습니다.

> 오답 풀이
> ② 지구의 자전 방향과 같이 시계 반대 방향으로 돌려야 합니다.
> ③, ⑤ 회전의자에 앉은 사람은 지구에 있는 사람 역할을 합니다.
> ④ 회전하는 시간을 알아보는 실험은 아닙니다.

> 유형 분석 / 적용하기
> 글에 제시된 내용을 적용하는 문제입니다. 지구의 자전을 실험을 통해 설명하고 있는 **3**문단에 유의하며 적용한 내용이 알맞은지 확인해 봅니다.

알쏭달쏭 맞춤법　　잠시 쉬며 재미있게 익혀 보세요.

- 손전등을 (비치다, 비추다).
  ➡ 빛을 다른 대상에 보내어 밝게 하다.
- 달빛이 강물에 (비치다, 비추다).
  ➡ 빛이 나서 환하게 되다.

정답 비추다 / 비치다

100쪽 　지문 분석

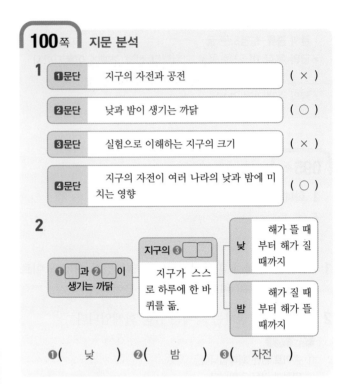

1
1문단	지구의 자전과 공전	(×)
2문단	낮과 밤이 생기는 까닭	(○)
3문단	실험으로 이해하는 지구의 크기	(×)
4문단	지구의 자전이 여러 나라의 낮과 밤에 미치는 영향	(○)

2

❶[　]과 ❷[　]이 생기는 까닭 — 지구의 ❸[　][　] 지구가 스스로 하루에 한 바퀴를 돎.

낮 — 해가 뜰 때부터 해가 질 때까지

밤 — 해가 질 때부터 해가 뜰 때까지

❶(낮)　❷(밤)　❸(자전)

1 이 글의 **1**문단에서는 낮과 밤의 뜻을 설명하고 있습니다. 또한 **2**문단에서는 낮과 밤이 생기는 까닭을 설명하고 있습니다. **3**문단에서는 실험을 통해 지구의 낮과 밤이 생기는 원리를 알려 주고 있습니다. 마지막으로 **4**문단에서는 지구의 자전이 여러 나라의 낮과 밤에 미치는 영향을 알려 주고 있습니다.

2 이 글은 지구의 자전으로 인해 낮과 밤이 생기는 까닭을 설명하는 글입니다.

101쪽 　오늘의 어휘

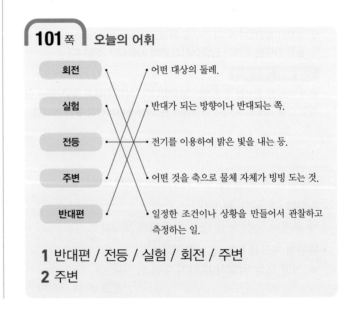

회전		어떤 대상의 둘레.
실험		반대가 되는 방향이나 반대되는 쪽.
전등		전기를 이용하여 밝은 빛을 내는 등.
주변		어떤 것을 축으로 물체 자체가 빙빙 도는 것.
반대편		일정한 조건이나 상황을 만들어서 관찰하고 측정하는 일.

1 반대편 / 전등 / 실험 / 회전 / 주변
2 주변

- **글의 종류** 설명하는 글
- **글의 특징** 이 글은 열이 전달되는 방법을 전도, 대류, 복사 세 가지로 나누어 설명하는 글입니다.
- **글의 주제** 열이 전달되는 방법

103쪽 지문 독해

1 열, 전달   **2** ④   **3** 하림   **4** (1) 전도 (2) 대류 (3) 복사

1 이 글은 열이 전달되는 방법을 설명하는 글입니다. 이 글에서는 열이 전달되는 방법 세 가지, 전도, 대류, 복사를 예시를 들어 각각 자세히 설명하고 있습니다.

2 ❶문단에 따르면 열은 뜨거운 곳에서 차가운 곳으로 이동하는 성질을 갖고 있습니다.

3 냄비에 물을 끓이면 대류 현상에 의해 뜨거워진 물이 위로 올라가고 차가운 물은 아래로 밀려 내려옵니다.

오답 풀이

- 만세: 나무나 플라스틱은 열을 잘 전달하지 못하기 때문에(전도가 낮아서) 프라이팬 손잡이로 사용됩니다.
- 재경: 적외선 빛은 복사에 의해 코에 직접 닿지 않아도 코 안을 따뜻하게 해 줍니다.

4 '전도'란 물체를 타고 열이 직접 움직이는 것이고, '대류'는 물이나 공기와 같은 물질이 직접 움직이면서 열을 전달하는 것이며, '복사'는 빛으로 열이 직접 전달되는 것입니다.

유형 분석 / 추론하기

글에 제시된 정보를 추론하는 문제입니다. 열을 전달하는 세 가지 방법의 차이점에 유의하며 읽어 봅니다.

알쏭달쏭 맞춤법   잠시 쉬며 재미있게 익혀 보세요.

- 심부름을 (식히다, **시키다**).
  ➡ 어떤 일이나 행동을 하게 하다.
- 뜨거운 물을 (**식히다**, 시키다).
  ➡ 더운 기운이 없어지게 하다.

정답 시키다 / 식히다

104쪽 지문 분석

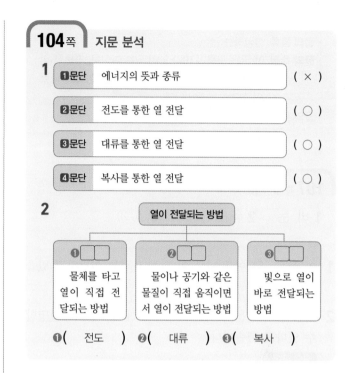

1

❶문단	에너지의 뜻과 종류	(×)
❷문단	전도를 통한 열 전달	(○)
❸문단	대류를 통한 열 전달	(○)
❹문단	복사를 통한 열 전달	(○)

2

열이 전달되는 방법

| ❶ | ❷ | ❸ |
| 물체를 타고 열이 직접 전달되는 방법 | 물이나 공기와 같은 물질이 직접 움직이면서 열이 전달되는 방법 | 빛으로 열이 바로 전달되는 방법 |

❶(전도)   ❷(대류)   ❸(복사)

1 이 글의 ❶문단에서는 열의 뜻과 이동 방법을 설명하고 있습니다. 또한 ❷문단에서는 전도를 통한 열 전달을 설명하고 있고, ❸문단에서는 대류를 통한 열 전달을 설명하고 있습니다. 마지막으로 ❹문단에서는 복사를 통한 열 전달을 설명하고 있습니다.

2 이 글은 열이 전달되는 방법을 전도, 대류, 복사 세 가지로 나누어 각각 예시를 들어 자세히 설명하고 있습니다.

105쪽 오늘의 어휘

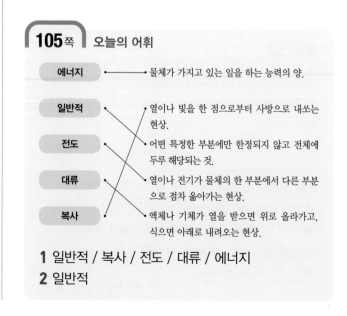

- 에너지 — 물체가 가지고 있는 일을 하는 능력의 양.
- 일반적 — 열이나 빛을 한 점으로부터 사방으로 내쏘는 현상.
- 전도 — 어떤 특정한 부분에만 한정되지 않고 전체에 두루 해당되는 것.
- 대류 — 열이나 전기가 물체의 한 부분에서 다른 부분으로 점차 옮아가는 현상.
- 복사 — 액체나 기체가 열을 받으면 위로 올라가고, 식으면 아래로 내려오는 현상.

1 일반적 / 복사 / 전도 / 대류 / 에너지
2 일반적

- **글의 종류** 설명하는 글
- **글의 특징** 이 글은 구름이 비나 눈이 되는 과정을, 따뜻한 비와 차가운 비나 눈이 만들어지는 과정으로 나누어 설명하는 글입니다.
- **글의 주제** 비나 눈이 내리는 과정

107쪽 지문 독해

1 비, 눈 **2** ④ **3** ③ **4** ①, ④

1 이 글은 구름이 비나 눈이 되는 과정을 설명하고 있습니다.

2 구름이 비나 눈이 되는 과정은 크게 두 가지로 설명할 수 있다고 했습니다.

오답 풀이

① 비나 눈은 구름에서 만들어집니다.
② 따뜻한 구름 속에서 비가 만들어집니다.
③ 차가운 구름 속에서 비나 눈이 만들어집니다.
⑤ 구름은 작은 물방울과 얼음 알갱이로 이루어져 있습니다.

3 '따뜻한 비'는 따뜻한 지역의 구름 속의 수증기 알갱이들이 서로 부딪치고 합쳐지면서 점점 크고 무거운 물방울이 되어 비로 내리는 것으로, 열대 지방이나 우리나라의 여름에 내리는 비가 이에 해당합니다.

유형 분석 / 추론하기

글에 제시된 내용을 추론하는 문제입니다. 따뜻한 비와 차가운 비가 어떤 지역에서 주로 만들어지는지 유의합니다.

4 '작은'과 뜻이 반대되는 말은 '큰'이고, '무거워지면'과 뜻이 반대되는 말은 '가벼워지면'입니다.

오답 풀이

② '따뜻한'과 뜻이 반대되는 말은 '차가운', 또는 '싸늘한'입니다.
③ '커져서'와 뜻이 반대되는 말은 '작아져서'입니다.
⑤ '떨어지게'와 뜻이 반대되는 말은 '올라가게', 또는 '상승하게'입니다.

알쏭달쏭 맞춤법 잠시 쉬며 재미있게 익혀 보세요.

- 모래가 (싸이다, **쌓이다**).
  ➡ 어떤 것이 여러 겹으로 포개져서 많이 모이다.
- (**아랫마을**, 아랜마을)에 비가 많이 왔다.
  ➡ 아래쪽에 있는 마을.

정답 쌓이다 / 아랫마을

108쪽 지문 분석

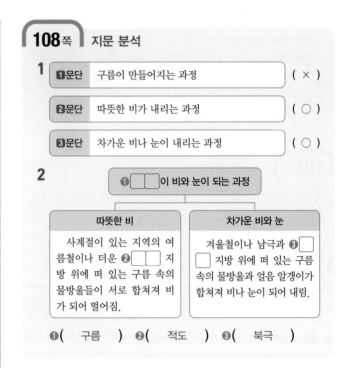

1
❶문단	구름이 만들어지는 과정	(×)
❷문단	따뜻한 비가 내리는 과정	(○)
❸문단	차가운 비나 눈이 내리는 과정	(○)

2
❶◻◻이 비와 눈이 되는 과정

| 따뜻한 비 | 차가운 비와 눈 |
| 사계절이 있는 지역의 여름철이나 더운 ❷◻◻ 지방 위에 떠 있는 구름 속의 물방울들이 서로 합쳐져 비가 되어 떨어짐. | 겨울철이나 남극과 ❸◻◻ 지방 위에 떠 있는 구름 속의 물방울과 얼음 알갱이가 합쳐져 비나 눈이 되어 내림. |

❶(구름) ❷(적도) ❸(북극)

1 이 글의 ❶문단에서는 구름이 비나 눈이 되는 과정을 설명하고 있습니다. 또한 ❷문단에서는 따뜻한 비가 내리는 과정을 설명하고 있습니다. 마지막으로 ❸문단에서는 차가운 비와 눈이 내리는 과정을 설명하고 있습니다.

2 이 글은 구름이 비와 눈이 되는 과정을 따뜻한 비, 차가운 비와 눈으로 나누어 설명하고 있습니다.

109쪽 오늘의 어휘

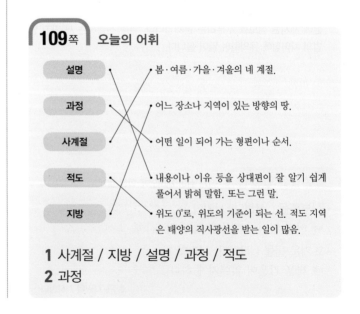

설명	봄·여름·가을·겨울의 네 계절.
과정	어느 장소나 지역이 있는 방향의 땅.
사계절	어떤 일이 되어 가는 형편이나 순서.
적도	내용이나 이유 등을 상대편이 잘 알기 쉽게 풀어서 밝혀 말함. 또는 그런 말.
지방	위도 0°로, 위도의 기준이 되는 선. 적도 지역은 태양의 직사광선을 받는 일이 많음.

1 사계절 / 지방 / 설명 / 과정 / 적도
2 과정

- **글의 종류** 설명하는 글
- **글의 특징** 이 글은 환경 오염의 뜻을 밝히고, 그 종류를 토양 오염, 수질 오염, 대기 오염으로 나누어 설명하는 글입니다.
- **글의 주제** 환경 오염의 종류

111쪽 지문 독해

1 환경 오염   **2** ⑤   **3** ①   **4** ①, ②, ③

1 이 글은 환경 오염을 토양 오염, 수질 오염, 대기 오염으로 나누어 설명하는 글입니다.

2 대기 오염은 공기가 오염되는 것입니다. 대기가 오염되면 사람과 동물 등의 호흡 기관에 나쁜 영향을 줍니다.

오답 풀이
①, ②, ③ 토양 오염에 대한 설명입니다.
④ 수질 오염에 대한 설명입니다.

3 플라스틱을 많이 사용하거나 땅에 묻으면 토양을 오염시키지만, 재활용하는 것은 쓰레기를 줄이는 것으로 환경 오염을 막는 실천 방법 중 하나입니다.

유형 분석 / 추론하기
글의 내용을 바탕으로, 글에서 다루는 문제에 대한 원인을 추론하는 문제입니다. 환경 오염을 일으키는 원인을 생각해 봅니다.

4 환경 오염을 막기 위해 우리가 할 수 있는 작은 일들은 생활 쓰레기 줄이기, 일회용품 사용 줄이기, 물과 전기를 아껴 쓰기 등입니다.

오답 풀이
④ 입지 않는 옷은 재활용하는 것이 환경 오염을 줄이는 데 도움이 됩니다.
⑤ 식물에 농약을 적게 사용해야 환경 오염을 막을 수 있습니다.

알쏭달쏭 맞춤법 잠시 쉬며 재미있게 익혀 보세요.

- (아물든, **아무튼**) 일이 해결되어서 다행이야.
  ➡ 의견이나 일의 성질, 형편, 상태 등이 어떻게 되든.
- 의자에 (안따, **앉다**).
  ➡ 엉덩이를 바닥에 붙이고 윗몸을 세우다.

정답 아무튼 / 앉다

112쪽 지문 분석

1

이 글은 환경 **①**[ ][ ]의 뜻과 종류를 설명하는 글이에요. 환경 오염은 물, 흙, **②**[ ][ ] 등의 **③**[ ][ ]환경이 훼손되는 것을 뜻해요. 환경 오염에는 토양 오염, 수질 오염, 대기 오염 등이 있어요. 이러한 환경 오염을 줄이기 위해서는 우리 각자 할 수 있는 작은 일부터 실천해야 해요.

①(오염) **②**(공기) **③**(자연)

2

```
                    환경 오염의 종류
   ┌────────────────────┼────────────────────┐
 ①[ ][ ] 오염        ②[ ][ ] 오염        ③[ ][ ] 오염
 생활하며 나오         가정이나 공장         자동차나 공장
 는 쓰레기나 지        에서 나오는 폐수       에서 나오는 매연
 나친 농약 사용        나 기름 유출 등        이나 먼지 등으로
 등으로 땅이 오염      으로 인해 물이         공기가 오염되는
 되는 것             오염되는 것            것
```

①(토양) **②**(수질) **③**(대기)

1 이 글은 환경 오염의 뜻과 종류를 설명하는 글입니다. 환경 오염은 물, 흙, 공기 등의 자연환경이 훼손되는 것으로, 토양 오염, 수질 오염, 대기 오염 등이 있으며 이러한 환경 오염을 줄이기 위해서는 우리가 각자 할 수 있는 작은 일부터 실천해야 합니다.

2 이 글은 환경 오염의 종류를 토양 오염, 수질 오염, 대기 오염으로 나누어 설명하는 글입니다.

113쪽 오늘의 어휘

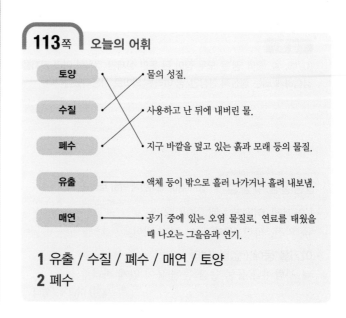

토양 ──── 물의 성질.
수질 ──── 사용하고 난 뒤에 내버린 물.
폐수 ──── 지구 바깥을 덮고 있는 흙과 모래 등의 물질.
유출 ──── 액체 등이 밖으로 흘러 나가거나 흘려 내보냄.
매연 ──── 공기 중에 있는 오염 물질로, 연료를 태웠을 때 나오는 그을음과 연기.

1 유출 / 수질 / 폐수 / 매연 / 토양
2 폐수

- **글의 종류** 설명하는 글
- **글의 특징** 이 글은 라이트 형제가 발명한 인류 최초의 동력 비행기를 중심으로 비행기의 역사를 설명하는 글입니다.
- **글의 주제** 비행기의 발명과 발전

115쪽 지문 독해

1 비행기 **2** ③ **3** ④ **4** ②

1 이 글은 라이트 형제가 발명한 인류 최초의 동력 비행기를 중심으로 비행기의 역사를 설명하는 글입니다.

2 라이트 형제가 개발한 것은 공기보다 무거운 비행 기계에 사람이 타고 스스로의 동력으로 날아오른 인류 최초의 비행기였습니다.

오답 풀이
① 원격 조종 비행기는 오늘날 비행기가 발전되어 생긴 것입니다.
② 동력으로 날아오른 비행기라고 하였습니다.
④ 속도를 유지하며 날았다고 하였습니다.
⑤ 날아오른 지점과 비슷한 높이의 땅에 무사히 도착하였다고 하였습니다.

유형 분석 / 내용 이해
글에 제시된 정보를 묻는 문제입니다. 라이트 형제가 발명한 비행기의 특징이 나타나 있는 **2**문단을 잘 읽어 보고 답을 찾아봅니다.

3 오늘날 발전한 비행 기술에는 조종사가 없이 원격으로 조종하는 무인 항공기가 있습니다.

4 ㉠의 '꿈'은 희망이나 소원을 의미하므로, ②의 '꿈'이 이와 비슷한 의미로 사용되었습니다.

오답 풀이
①, ③, ④, ⑤의 '꿈'은 모두 잠이 든 동안 실제인 것처럼 여러 가지를 경험하게 되는 정신적 현상인 '꿈'이라는 의미로 사용되었습니다.

알쏭달쏭 맞춤법   잠시 쉬며 재미있게 익혀 보세요.

- (어떠케, 어떻게) 된 일이야?
  ➡ 의견, 성질, 상태 등이 어찌 되어.
- 아기를 등에 (없다, 업다).
  ➡ 사람이나 동물 등을 등에 붙어 있게 하다.

정답 어떻게 / 업다

116쪽 지문 분석

1· 비행기의 발명과 발전

2

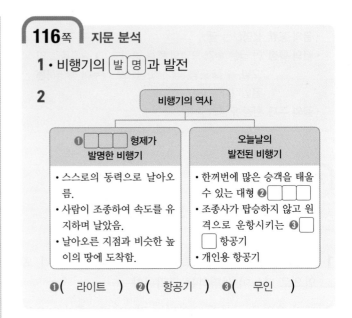

❶(라이트) ❷(항공기) ❸(무인)

1 이 글은 라이트 형제가 발명한 인류 최초의 동력 비행기부터 오늘날 개인용 항공기에 이르기까지 비행기의 발명과 발전에 대해 설명하고 있습니다.

2 이 글은 라이트 형제가 발명한 인류 최초의 동력 비행기를 중심으로 비행기의 역사를 설명하고 있습니다. 먼저 라이트 형제가 발명한 비행기의 특징을 설명하고 난 뒤, 이후 오늘날의 발전된 비행기의 여러 모습을 설명하고 있습니다. 라이트 형제의 비행기는 사람이 조종하는 인류 최초의 동력 비행기였으며, 오늘날에는 비행기가 발전되어 대형 항공기, 무인 항공기, 개인용 항공기 등이 생겼습니다.

117쪽 오늘의 어휘

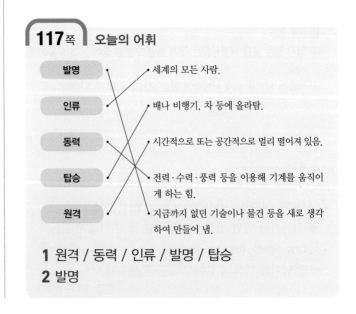

1 원격 / 동력 / 인류 / 발명 / 탑승
2 발명

- **글의 종류** 설명하는 글
- **글의 특징** 이 글은 인공 지능의 뜻과 발전 및 전망을 제시하고, 인공 지능의 부정적인 영향을 설명하는 글입니다.
- **글의 주제** 인공 지능의 발전과 전망

119쪽 지문 독해

1 인공 지능 **2** ④ **3** ④ **4** ㉯

1 이 글은 인공 지능을 설명하는 글입니다.

유형 분석/핵심어

핵심어는 글에서 설명의 대상이 되는 낱말입니다. 핵심어를 찾을 때는 이 글이 무엇에 대해 설명하고 있는지를 찾아야 합니다. 핵심어는 보통 글의 첫 부분에서 제시되며 반복적으로 나타납니다.

2 인공 지능은 인간의 뇌를 구성하는 신경 구조를 흉내 내어 같은 방식으로 문제를 해결하도록 발전해 왔다는 내용이 **2**문단에 나타나 있습니다.

유형 분석/내용 이해

글에 제시된 구체적인 정보를 묻는 문제입니다. 인공 지능이 문제를 해결하는 방식을 설명한 **2**문단에 유의하며 읽어 봅니다.

3 인공 지능은 인간처럼 스스로 생각하고 학습하여 판단하고 행동하는 기술이지만, 인간처럼 감정을 갖는다는 내용은 나타나 있지 않습니다.

4 이 글의 **4**문단에는 인공 지능으로 인해 기계가 사람의 일자리를 뺏을 수 있기 때문에 문제가 된다고 하였습니다. 따라서 인공 지능 때문에 사람들의 일자리가 줄어들 수 있다는 문제가 적절합니다.

오답 풀이

㉠ 인공 지능의 발전과 인구 수는 관련이 없으며, 이 글에 나타나 있지 않습니다.

㉰ 사람들이 로봇에 대해 갖는 고마움과 관련된 내용은 이 글에 나타나 있지 않습니다.

알쏭달쏭 맞춤법 잠시 쉬며 재미있게 익혀 보세요.

- 지갑이 가방에 (없다, 업다).
  ➡ 사람이나 동물, 물건이 있지 않다.
- 바닥에 물건을 (엎다, 업다).
  ➡ 물건 등을 거꾸로 돌려 위가 밑으로 가게 하다.

정답 없다 / 엎다

120쪽 지문 분석

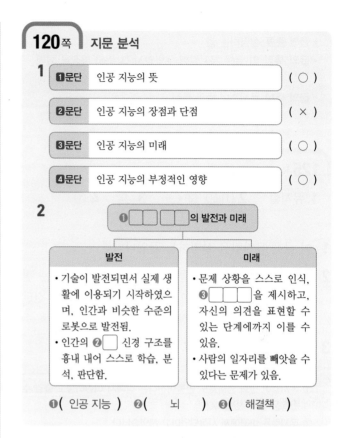

1
- **1**문단 인공 지능의 뜻 (○)
- **2**문단 인공 지능의 장점과 단점 (×)
- **3**문단 인공 지능의 미래 (○)
- **4**문단 인공 지능의 부정적인 영향 (○)

2

❶□□□□의 발전과 미래

발전	미래
• 기술이 발전되면서 실제 생활에 이용되기 시작하였으며, 인간과 비슷한 수준의 로봇으로 발전됨. • 인간의 ❷□ 신경 구조를 흉내 내어 스스로 학습, 분석, 판단함.	• 문제 상황을 스스로 인식, ❸□□□을 제시하고, 자신의 의견을 표현할 수 있는 단계에까지 이를 수 있음. • 사람의 일자리를 빼앗을 수 있다는 문제가 있음.

❶(인공 지능) ❷(뇌) ❸(해결책)

1 **1**문단에서는 인공 지능의 뜻을, **2**문단에서는 인공 지능의 발전에 대해 설명하고 있습니다. 또한 **3**문단에서는 인공 지능의 미래를, **4**문단에서는 인공 지능의 부정적인 영향을 설명하고 있습니다.

2 이 글은 인공 지능의 뜻과 발전 및 미래를 제시하고, 인공 지능의 부정적인 영향을 설명하는 글입니다.

121쪽 오늘의 어휘

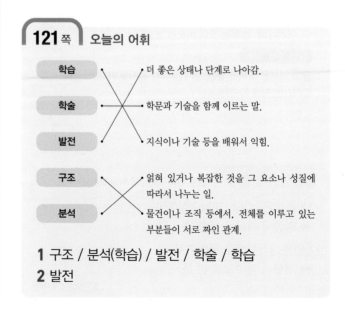

학습	더 좋은 상태나 단계로 나아감.
학술	학문과 기술을 함께 이르는 말.
발전	지식이나 기술 등을 배워서 익힘.
구조	얽혀 있거나 복잡한 것을 그 요소나 성질에 따라서 나누는 일.
분석	물건이나 조직 등에서, 전체를 이루고 있는 부분들이 서로 짜인 관계.

1 구조 / 분석(학습) / 발전 / 학술 / 학습
2 발전

- **글의 종류** 설명하는 글
- **글의 특징** 이 글은 뮤지컬이 무엇인지 그 뜻과 특징을 설명하는 글입니다.
- **글의 주제** 뮤지컬의 뜻과 특징

125쪽 지문 독해

1 뮤지컬 **2** (1) ○ (3) ○ **3** ④ **4** ①

1 이 글은 뮤지컬을 설명하는 글입니다.

2 뮤지컬과 연극은 배우들의 대사와 연기가 있다는 점이 비슷합니다. 배우들이 춤과 노래로 이야기를 전달하는 것은 뮤지컬의 특징입니다.

3 뮤지컬은 노래와 춤으로 이야기를 전합니다.

〔오답 풀이〕
① 뮤지컬이 만화 영화로도 만들어진다는 점에서 어린이들도 즐길 수 있음을 알 수 있습니다.
② 뮤지컬은 미국에서 시작되었다고 하였습니다.
③ 뮤지컬도 무대 위에서 공연하기 때문에 볼 관객이 필요합니다.
⑤ 뮤지컬에서 음악은 빠질 수 없는 중요한 부분입니다.

4 ㉠'뮤지컬'은 포함되는 낱말이고, ㉡'음악극'은 포함하는 낱말의 관계에 있습니다. '고래'는 동물의 종류 중 하나이므로 포함되는 낱말이고, '동물'은 고래를 포함하는 낱말이므로 적절합니다.

〔오답 풀이〕
② '남자'와 '여자'는 뜻이 반대되는 낱말입니다.
③ '바다'와 '육지'는 뜻이 반대되는 낱말입니다.
④ '현악기'는 포함하는 낱말이며, '바이올린'은 포함되는 낱말입니다.
⑤ '어머니'와 '엄마'는 뜻이 비슷한 낱말입니다.

〔유형 분석 / 어휘〕
글에 세시된 어휘를 묻는 문제입니다. '뮤지컬'이 '음악극'에 포함되는 말이라는 점에 유의합니다.

〔알쏭달쏭 맞춤법〕 잠시 쉬며 재미있게 익혀 보세요.

- 내 동생은 (여덟, 여덜) 살이야.
  ➡ 일곱에 하나를 더한 수.
- (엽문, 옆문)으로 들어가자.
  ➡ 건물의 옆쪽으로 낸 문.

정답 여덟 / 옆문

126쪽 지문 분석

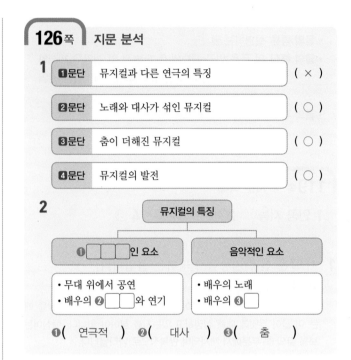

1
❶문단	뮤지컬과 다른 연극의 특징	(×)
❷문단	노래와 대사가 섞인 뮤지컬	(○)
❸문단	춤이 더해진 뮤지컬	(○)
❹문단	뮤지컬의 발전	(○)

2

뮤지컬의 특징
- ❶□□□인 요소
  - 무대 위에서 공연
  - 배우의 ❷□□와 연기
- 음악적인 요소
  - 배우의 노래
  - 배우의 ❸□

❶(연극적) ❷(대사) ❸(춤)

1 이 글의 ❶문단에서는 뮤지컬의 뜻을 소개하고 있습니다. 또한 ❷문단에서는 노래와 대사가 섞인 뮤지컬의 특징을, ❸문단에서는 춤이 더해진 뮤지컬의 특징을 설명하고 있습니다. 그리고 ❹문단에서는 뮤지컬의 발전에 대해 설명하고 있습니다.

2 이 글은 뮤지컬의 특징을 연극적인 요소와 음악적인 요소를 통해 설명하고 있습니다. 뮤지컬은 무대 위에서 배우의 대사와 연기로 이루어지는 연극적인 요소에 더해, 배우의 노래와 춤으로 이야기를 이끌어 나가는 음악적인 요소도 지니고 있습니다.

127쪽 오늘의 어휘

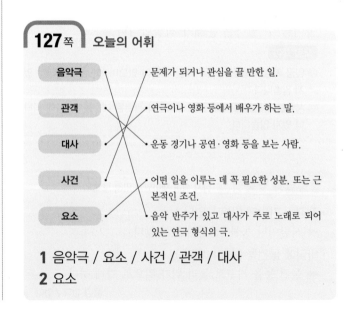

음악극		문제가 되거나 관심을 끌 만한 일.
관객		연극이나 영화 등에서 배우가 하는 말.
대사		운동 경기나 공연·영화 등을 보는 사람.
사건		어떤 일을 이루는 데 꼭 필요한 성분. 또는 근본적인 조건.
요소		음악 반주가 있고 대사가 주로 노래로 되어 있는 연극 형식의 극.

1 음악극 / 요소 / 사건 / 관객 / 대사
2 요소

- **글의 종류** 설명하는 글
- **글의 특징** 이 글은 영화의 뜻과 제작 과정을 준비 단계, 촬영 단계, 편집 단계로 설명하는 글입니다.
- **글의 주제** 영화의 뜻과 제작 과정

129쪽 지문 독해

1 영화 **2** ㉰ → ㉯ → ㉮ → ㉣ **3** ④ **4** ⑤

1 이 글은 영화의 뜻과 영화의 제작 과정을 단계를 나누어 설명하고 있습니다. 따라서 이 글에서 가장 중심이 되는 낱말은 '영화'입니다.

2 ㉯와 ㉰는 준비 단계로, 이 단계에서는 촬영 제작진을 구성하고 전체적인 촬영 계획을 세운 뒤, 배우는 연기 연습을 합니다. 그다음 ㉮는 촬영 단계이고, ㉣는 편집 단계에서 하는 일입니다.

3 영화 촬영 순서는 시나리오 순서대로가 아니라, 상황에 따라 동일한 장소에서 여러 장면을 찍거나 마지막 장면을 먼저 찍기도 합니다.

유형 분석/추론하기

글에 제시된 내용을 바탕으로 추론하는 문제입니다. 각 질문의 답이 어느 문단에 제시되어 있는지 찾아봅니다.

4 촬영한 모든 장면을 영화로 사용하는 것은 아닙니다. 편집 단계에서 사용할 장면과 버릴 장면을 선택하기 때문입니다.

오답 풀이

① 영화의 대본은 시나리오입니다.
② 영화를 만들 때에는 시나리오 작가, 촬영 제작진, 배우 등 많은 사람들이 필요합니다.
③ 영화는 편집 단계에서 음악, 효과음, 자막 등을 넣습니다.
④ 영화를 촬영할 때는 상황에 따라 마지막 장면을 먼저 촬영하기도 합니다.

알쏭달쏭 맞춤법 잠시 쉬며 재미있게 익혀 보세요.

- (오랫만, 오랜만)에 만나니 정말 반갑구나.
  ➡ 어떤 일이 일어난 때로부터 긴 시간이 지난 뒤.

- 자리를 (옮기다, 옴기다).
  ➡ 있는 데를 다른 곳으로 바꾸다.

정답 오랜만 / 옮기다

130쪽 지문 분석

1 · 영 화 의 뜻과 제작 과정

2

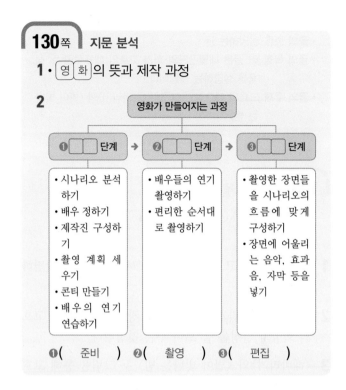

영화가 만들어지는 과정

❶ □□ 단계	→	❷ □□ 단계	→	❸ □□ 단계
· 시나리오 분석하기 · 배우 정하기 · 제작진 구성하기 · 촬영 계획 세우기 · 콘티 만들기 · 배우의 연기 연습하기		· 배우들의 연기 촬영하기 · 편리한 순서대로 촬영하기		· 촬영한 장면들을 시나리오의 흐름에 맞게 구성하기 · 장면에 어울리는 음악, 효과음, 자막 등을 넣기

❶(준비) ❷(촬영) ❸(편집)

1 이 글은 영화의 뜻과 제작 과정에 대해 설명하고 있습니다.

2 이 글은 영화가 만들어지는 과정을 설명하고 있습니다. 준비 단계에서는 시나리오 분석하기, 배우 정하기, 촬영 제작진을 구성하고 계획 세우기, 콘티 만들기, 배우의 연기 연습하기 등이 이루어집니다. 촬영 단계에서는 연기를 촬영하고, 편집 단계에서는 촬영한 장면을 구성하며 음악이나 효과음 등을 넣습니다.

131쪽 오늘의 어휘

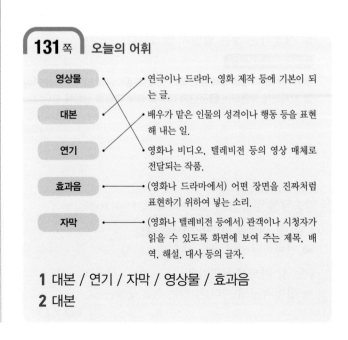

영상물	· 연극이나 드라마, 영화 제작 등에 기본이 되는 글.
대본	· 배우가 맡은 인물의 성격이나 행동 등을 표현해 내는 일.
연기	· 영화나 비디오, 텔레비전 등의 영상 매체로 전달되는 작품.
효과음	· (영화나 드라마에서) 어떤 장면을 진짜처럼 표현하기 위하여 넣는 소리.
자막	· (영화나 텔레비전 등에서) 관객이나 시청자가 읽을 수 있도록 화면에 보여 주는 제목, 배역, 해설, 대사 등의 글자.

1 대본 / 연기 / 자막 / 영상물 / 효과음
2 대본

- **글의 종류** 설명하는 글
- **글의 특징** 이 글은 네덜란드의 화가 고흐의 대표적인 두 작품을 설명하는 글입니다.
- **글의 주제** 고흐의 대표적인 그림인 〈해바라기〉와 〈별이 빛나는 밤〉

133쪽 지문 독해

1 고흐 **2** (2) ○ **3** ⑤ **4** ②

1 이 글은 화가 고흐의 대표적인 그림 두 작품을 설명하는 글입니다.

2 고흐가 〈해바라기〉에 사용했던 강렬한 노란색은 고흐의 희망과 열정을 잘 보여 주는 것입니다.

3 〈해바라기〉와 〈별이 빛나는 밤〉 두 그림을 통해 고흐가 강렬한 색으로 독특하게 그림을 그렸다는 것을 알 수 있습니다.

[오답 풀이]
① 고갱의 그림을 따라 그렸다는 내용은 이 글에 나와 있지 않습니다.
② 고흐는 밝고 강렬한 노란색을 주로 사용했다는 점에서 알맞지 않습니다.
③ 고흐는 대상을 있는 그대로 표현하기보다 대상에 대한 자신의 느낌을 주로 그렸다는 점에서 알맞지 않습니다.
④ 이 글에서 설명하는 두 그림 모두 자연물이라는 점에서 알맞지 않습니다.

4 밤하늘에 떠 있는 노란색의 달과 별은 격렬하게 소용돌이치듯 그려져 있으므로, 밤하늘을 고요한 느낌으로 상상하는 것은 알맞지 않습니다.

[유형 분석 / 추론하기]
글에 제시된 내용을 통해 추론하는 문제입니다. 그림 〈별이 빛나는 밤〉을 자세하게 설명하는 **3**문단의 내용을 통해 그림을 상상해 봅니다.

알쏭달쏭 맞춤법 잠시 쉬며 재미있게 익혀 보세요.

- (웃, 윗)어른을 만나면 인사를 해요.
  ➡ 반대되는 말이 없는 위를 뜻하는 말.

- (웃, 윗)층으로 올라가요.
  ➡ 반대되는 말(아래)이 있는 위를 뜻하는 말.

[정답] 웃 / 윗

134쪽 지문 분석

1
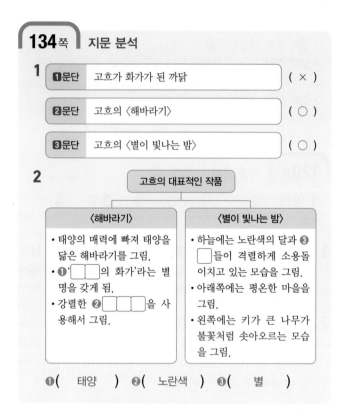

1문단	고흐가 화가가 된 까닭 (×)
2문단	고흐의 〈해바라기〉 (○)
3문단	고흐의 〈별이 빛나는 밤〉 (○)

2

고흐의 대표적인 작품

〈해바라기〉
- 태양의 매력에 빠져 태양을 닮은 해바라기를 그림.
- **❶**'[ ]의 화가'라는 별명을 갖게 됨.
- 강렬한 **❷**[ ][ ][ ]을 사용해서 그림.

〈별이 빛나는 밤〉
- 하늘에는 노란색의 달과 **❸**[ ]들이 격렬하게 소용돌이치고 있는 모습을 그림.
- 아래쪽에는 평온한 마을을 그림.
- 왼쪽에는 키가 큰 나무가 불꽃처럼 솟아오르는 모습을 그림.

❶(태양) ❷(노란색) ❸(별)

1 이 글의 **1**문단에서는 고흐 그림의 특징과 대표적인 작품을 소개하고 있습니다. **2**문단에서는 고흐의 〈해바라기〉 그림을 설명하고 있고, **3**문단에서는 〈별이 빛나는 밤〉 그림을 자세히 설명하고 있습니다.

2 이 글은 화가 고흐의 대표적인 두 그림을 설명하는 글입니다. 각 그림을 설명하고 있는 문단을 찾아 내용을 정리해 봅니다.

135쪽 오늘의 어휘

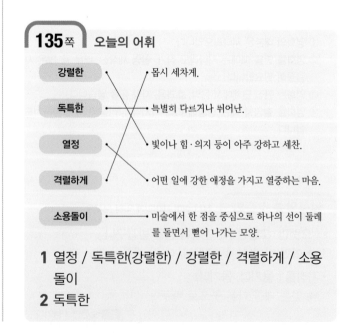

강렬한 • • 몹시 세차게.

독특한 • • 특별히 다르거나 뛰어난.

열정 • • 빛이나 힘·의지 등이 아주 강하고 세찬.

격렬하게 • • 어떤 일에 강한 애정을 가지고 열중하는 마음.

소용돌이 • • 미술에서 한 점을 중심으로 하나의 선이 둘레를 돌면서 뻗어 나가는 모양.

1 열정 / 독특한(강렬한) / 강렬한 / 격렬하게 / 소용돌이

2 독특한

• **글의 종류** 설명하는 글
• **글의 특징** 이 글은 사물놀이의 유래와 특징을 설명하는 글입니다.
• **글의 주제** 사물놀이의 유래와 특징

137쪽 지문 독해

1 사물놀이 **2** (1) ㉬ (2) ㉮ (3) ㉯ (4) ㉭ **3** ②, ③
4 ②

1 이 글은 사물놀이를 설명하는 글입니다.

2 꽹과리는 천둥, 북은 구름, 장구는 비, 징은 바람을 나타냅니다.

3 사물놀이는 실내에서 앉아 연주하는 무대 공연이며, 사용되는 네 가지 악기는 자연 현상을 나타냅니다.

오답 풀이
① 사물놀이의 네 악기는 꽹과리, 북, 장구, 징입니다.
④ 오늘날 사물놀이는 관현악이나 밴드 등과 함께 공연한다는 점에서 알맞지 않습니다.
⑤ 사물놀이는 실내에 네 명이 앉아서 하는 공연입니다. 많은 사람이 야외에서 어우러져 연주하는 것은 풍물놀이입니다.

4 실내 사물놀이가 언제 시작됐는지는 이 글에 나타나 있지 않습니다.

오답 풀이
① ❶문단에서 사물놀이가 풍물놀이에서 유래했다고 알려 줍니다.
③ ❷문단에서 사물놀이는 '앉은반'이라고도 불린다고 하였습니다.
④ ❶문단에서 사물놀이는 풍물놀이에서 쓰인 악기를 네 가지만 사용하며, 풍물놀이와 달리 실내에서 한다고 하였습니다.
⑤ ❶문단에서 풍물놀이에 사용하던 악기를 알려 주고 있습니다.

유형 분석 / 추론하기
글에 제시된 내용을 추론하는 문제입니다. 글을 다시 읽으며 각 질문에 대한 답을 찾아봅니다.

알쏭달쏭 맞춤법 잠시 쉬며 재미있게 익혀 보세요.

• (요새, 요세) 부쩍 일이 많아졌어요.
  ➡ 이제까지의 매우 짧은 동안.
• 시를 (읍다, 읊다).
  ➡ 마음이나 생각을 넣어 소리 내어 읽거나 외우다.

정답 요새 / 읊다

138쪽 지문 분석

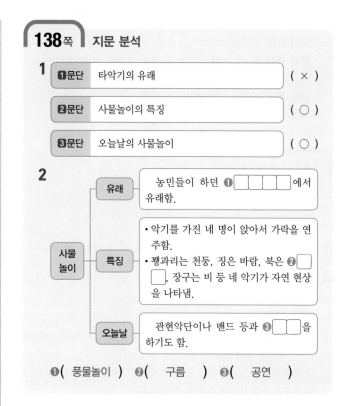

1
❶문단 타악기의 유래 (×)
❷문단 사물놀이의 특징 (○)
❸문단 오늘날의 사물놀이 (○)

2

사물놀이
- 유래: 농민들이 하던 ❶□□□□에서 유래함.
- 특징:
  • 악기를 가진 네 명이 앉아서 가락을 연주함.
  • 꽹과리는 천둥, 징은 바람, 북은 ❷□□, 장구는 비 등 네 악기가 자연 현상을 나타냄.
- 오늘날: 관현악단이나 밴드 등과 ❸□□을 하기도 함.

❶(풍물놀이) ❷(구름) ❸(공연)

1 이 글의 ❶문단에서는 사물놀이의 유래를 설명하고 있습니다. 또한 ❷문단에서는 사물놀이의 특징을 설명하고 있습니다. 그리고 ❸문단에서는 오늘날의 사물놀이에 대해 알려 주고 있습니다.

2 이 글에서는 사물놀이의 유래, 특징, 오늘날의 모습 등을 알려 주고 있습니다.

139쪽 오늘의 어휘

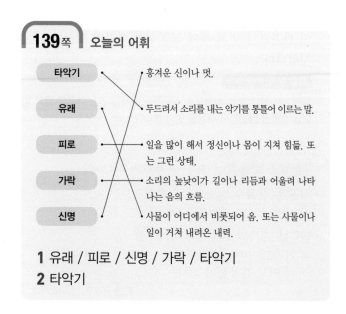

타악기 — 두드려서 소리를 내는 악기를 통틀어 이르는 말.
유래 — 사물이 어디에서 비롯되어 옴. 또는 사물이나 일이 거쳐 내려온 내력.
피로 — 일을 많이 해서 정신이나 몸이 지쳐 힘듦. 또는 그런 상태.
가락 — 소리의 높낮이가 길이나 리듬과 어울려 나타나는 음의 흐름.
신명 — 흥겨운 신이나 멋.

1 유래 / 피로 / 신명 / 가락 / 타악기
2 타악기

- **글의 종류** 설명하는 글
- **글의 특징** 이 글은 야구의 뜻과 경기 방법을 설명하는 글입니다.
- **글의 주제** 야구의 경기 방법

141쪽 ┃ 지문 독해

1 야구　**2** ④　**3** ⑤　**4** ⑤

1 이 글은 야구의 뜻과 경기 방법을 설명하는 글입니다.

2 타자는 공격 팀의 선수로 타석에 들어서서 투수가 던지는 공을 치는 선수입니다.

　　오답 풀이

　① 수비는 공격을 막아 지키는 것입니다. 상대편을 이기려는 적극적인 행동은 '공격'입니다.
　② 투수의 공이 일정한 공간 안에 들어오는 것은 '스트라이크'입니다.
　③ 투수는 공을 던지는 수비 팀 선수입니다.
　⑤ 포수는 투수가 던지는 공을 받는 수비 팀 선수입니다.

3 타자가 친 공이 땅에 떨어지기 전에 수비하는 선수가 잡게 되면 타자는 아웃이 됩니다.

　　오답 풀이

　① 볼이 4개가 되면 타자는 그냥 1루로 나갈 수 있습니다.
　② 스트라이크 3개가 될 경우 아웃 됩니다.
　③ 루에 던져진 공이 세이프이면 아웃이 아닙니다.
　④ 투수가 던진 공이 몸에 맞으면 타자는 1루로 갈 수 있습니다.

4 첫 타자가 친 공이 땅에 닿은 후 수비 팀 선수가 잡으면 바로 아웃이 되는 것이 아닙니다. 이때 수비 팀 선수가 잡은 공을 타자가 달려가고 있는 루에 던져서 공이 타자보다 먼저 루에 도착해야 타자가 아웃이 되는 것입니다.

　　유형 분석 / 적용하기

　글에 제시된 정보를 바탕으로 적용하는 문제입니다. 야구의 경기 방법을 설명한 ❷문단의 내용을 읽어 봅니다.

알쏭달쏭 맞춤법　　잠시 쉬며 재미있게 익혀 보세요.

- 시원한 (**음료수**, 음뇨수) 좀 줄까?
➡ 마실 수 있는 물이나 액체.

- 필통을 (**잃어버리다**, 잊어버리다).
➡ 가지고 있던 물건이 자신도 모르게 없어져 그것을 더 이상 갖지 않게 되다.

　　　　　　　　　　　　　　정답 음료수 / 잃어버리다

142쪽 ┃ 지문 분석

1 · 야구의 뜻과 [경] [기] [방] [법]

2
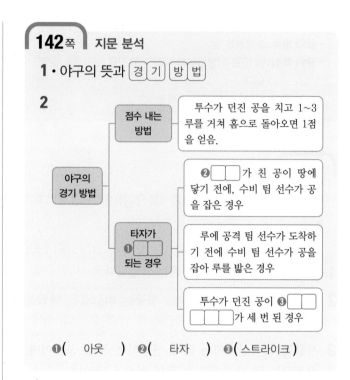

❶(아웃)　❷(타자)　❸(스트라이크)

1 이 글은 야구의 뜻과 경기 방법을 설명하고 있습니다.

2 이 글은 야구의 경기 방법을 설명하고 있습니다. 야구에서는 투수가 던진 공을 타자가 치고 1~3루를 거쳐 홈으로 돌아오면 1점을 얻습니다. 또한 타자가 친 공이 땅에 닿기 전에 수비 팀 선수가 공을 잡거나, 루에 공격 팀 선수가 도착하기 전에 수비 팀 선수가 공을 잡아 루를 밟거나, 투수가 던진 공이 스트라이트가 세 번 되면 타자는 아웃이 됩니다.

143쪽 ┃ 오늘의 어휘

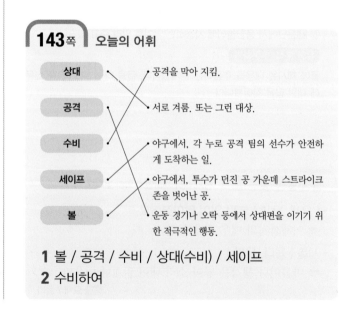

1 볼 / 공격 / 수비 / 상대(수비) / 세이프
2 수비하여

• **글의 종류** 설명하는 글
• **글의 특징** 이 글은 일본에 맞서 독립운동을 한 안중근 의사의
활동을 설명하는 글입니다.
• **글의 주제** 이토 히로부미를 저격한 안중근 의사

145쪽 │ 지문 독해

1 안중근　**2** (1) ○ (4) ○　**3** ④　**4** ③

1 이 글은 일본이 우리나라를 빼앗았던 일제 강점기에
일본에 맞서 독립운동을 했던 안중근 의사의 업적을
설명하는 글입니다.

2 안중근 의사는 우리나라를 지키기 위해 스스로 군인
이 되어 일본군에 맞서 싸우다 연해주로 건너가 항일
운동에 뛰어들었습니다. 그리고 일본의 핵심 인물이
었던 이토 히로부미를 죽여서 중국의 뤼순 감옥에 갇
혔습니다.

　오답 풀이

⑵ 일본에 나라를 빼앗긴 것은 우리의 역사이지 안중근 의사가 우리
나라를 지키기 위해 한 일이 아닙니다.

⑶ 안중근이 뤼순 감옥에 갇힌 것은 이토 히로부미를 죽였기 때문으
로, 감옥에 갇힌 일 자체가 우리나라를 지키기 위해 한 일은 아닙
니다.

3 안중근은 우리나라 군대의 장교로서 조선을 침략한
핵심 인물을 죽인 것이기 때문에 살인범이 아닌 전쟁
포로라고 주장했던 것입니다.

4 안중근 의사는 일본 군대의 장교가 아니라 우리나라
군대의 장교였습니다.

　유형 분석 / 적용하기

글에 제시된 내용을 읽고 적용하는 문제입니다. 나라를 지키고자 한
안중근 의사의 의지와 그가 한 일이 나타난 부분을 다시 읽고 느낀 점
과 비교하여 알맞은 내용인지 확인해 봅니다.

　알쏭달쏭 맞춤법　잠시 쉬며 재미있게 익혀 보세요.

• 날이 더워서 (임맛, **입맛**)이 없어요.
➡ 음식을 먹을 때 입에서 느끼는 맛.
• (**입학**, 이팍) 선물을 받았어요.
➡ 공부를 하기 위해 학교에 들어가다.

　정답 입맛 / 입학

146쪽 │ 지문 분석

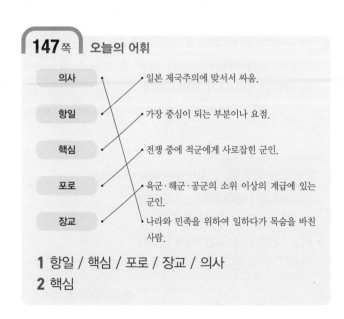

1 이 글은 일본에 맞서 독립운동을 한 안중근 ❶□□의 활
동을 설명하는 글이에요. 안중근 의사는 우리나라가 ❷□
□에 나라를 빼앗겼을 당시에 스스로 군인이 되어 항일 운동
을 하였고, 일본의 핵심 인물인 이토 ❸□□□□를 총으
로 쏘아 감옥에서 죽음을 맞이했어요.

❶(의사) ❷(일본) ❸(히로부미)

2

❶□□□ 의사가 나라를 지키기 위해 한 일

동료들과 ❷□□ 동맹을 맺음.	이토 히로부미를 쏘아 죽임.
독립운동에 대한 의지를 맹세함.	재판을 받으면서 살인범이 아닌 전쟁 ❸□□임을 주장함.

❶(안중근) ❷(단지) ❸(포로)

1 이 글은 일본에 맞서 독립운동을 한 안중근 의사의 활
동을 설명하는 글입니다. 안중근 의사는 우리나라가
일본에 나라를 빼앗겼을 당시에 스스로 군인이 되어
항일 운동을 하였고, 일본의 핵심 인물인 이토 히로부
미를 저격하여 감옥에서 죽음을 맞이했습니다.

2 이 글은 안중근 의사가 나라를 지키기 위해 한 일을
설명한 글입니다. 안중근 의사는 동료들과 독립운동
에 대한 의지를 맹세하며 단지 동맹을 맺었고, 이토
히로부미를 총으로 쏘아 죽였습니다.

147쪽 │ 오늘의 어휘

의사	・	・ 일본 제국주의에 맞서서 싸움.
항일	・	・ 가장 중심이 되는 부분이나 요점.
핵심	・	・ 전쟁 중에 적군에게 사로잡힌 군인.
포로	・	・ 육군·해군·공군의 소위 이상의 계급에 있는 군인.
장교	・	・ 나라와 민족을 위하여 일하다가 목숨을 바친 사람.

1 항일 / 핵심 / 포로 / 장교 / 의사
2 핵심

- **글의 종류** 설명하는 글
- **글의 특징** 이 글은 방사성 물질을 연구하며 폴로늄과 라듐을 발견한 마리 퀴리에 대해 설명하는 글입니다.
- **글의 주제** 방사성 물질을 연구한 마리 퀴리

149쪽 지문 독해

1 방사성, 마리 퀴리　　**2** 우라늄　　**3** ①, ②
4 ⑤

1 이 글은 방사성 물질을 연구한 마리 퀴리에 대하여 설명하고 있습니다.

2 마리 퀴리가 우라늄을 연구하던 중 발견한 폴로늄과 라듐이 우라늄보다 훨씬 강력한 방사능을 내보내는 원소라고 하였습니다.

> **유형 분석 / 내용 이해**
> 글에 제시된 세부 내용을 묻는 문제입니다. 마리 퀴리가 발견한 두 물질의 특성이 무엇인지 찾아봅니다.

3 마리 퀴리는 백혈병으로 죽었으며, 방사성 물질은 스스로 빛을 내는 물질입니다.

> **오답 풀이**
> ③ 암세포를 죽이는 데 효과가 있는 것은 '라듐'이라고 하였으므로 알맞지 않습니다.
> ④ 퀴리 부부가 공동으로 노벨상을 받은 것은 한 번입니다. 또한 이 글에는 퀴리 부부가 노벨상을 몇 번 받았는지는 나와 있지 않으므로 알맞지 않습니다.
> ⑤ 마리 퀴리의 고향인 폴란드의 이름을 따서 이름을 정한 것은 '폴로늄'입니다.

4 이 글에는 마리 퀴리가 폴란드에서 태어났다는 것과 프랑스 과학자라는 사실만 있을 뿐 프랑스 과학자가 된 까닭은 나타나지 않았습니다.

알쏭달쏭 맞춤법　잠시 쉬며 재미있게 익혀 보세요.

- 전화번호를 (잃어버리다, 잊어버리다).
  ➡ 알았던 것을 기억하지 못하다.
- 버스 (정류장, 정뉴장)에서 만나자.
  ➡ 버스나 전철 등이 사람을 태우고 내리기 위해 멈추는, 정해진 장소.

정답 잊어버리다 / 정류장

150쪽 지문 분석

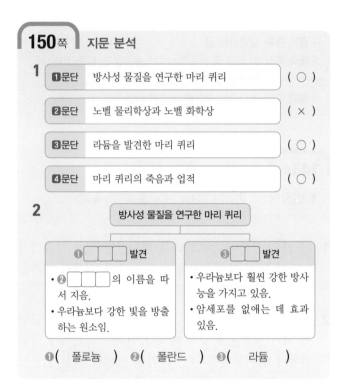

2 이 글은 방사성 물질을 연구하며 폴로늄과 라듐을 발견한 마리 퀴리에 대해 설명하는 글입니다.

1 이 글의 **1**문단에서는 방사성 물질을 연구한 마리 퀴리에 대해 설명하고 있고, **2**문단에서는 폴로늄을 발견한 마리 퀴리를 설명하고 있습니다. 또한 **3**문단에서는 라듐을 발견한 마리 퀴리를 설명하고 있고, **4**문단에서는 마리 퀴리의 죽음과 업적을 설명하고 있습니다.

2 이 글은 방사성 물질을 연구하며 폴로늄과 라듐을 발견한 마리 퀴리에 대해 설명하는 글입니다.

151쪽 오늘의 어휘

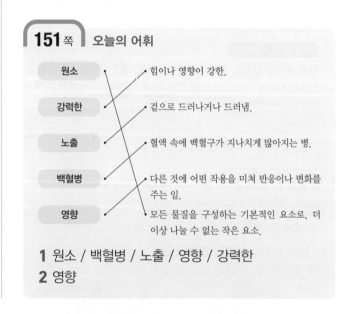

1 원소 / 백혈병 / 노출 / 영향 / 강력한
2 영향

- **글의 종류** 설명하는 글
- **글의 특징** 이 글은 헬렌 켈러의 성장 과정과 그녀가 남긴 업적을 설명하는 글입니다.
- **글의 주제** 헬렌 켈러의 삶과 업적

153쪽 지문 독해

1 헬렌 켈러 **2** ⑤ **3** ⑤ **4** ②

1 이 글은 헬렌 켈러에 대하여 설명하고 있습니다.

2 헬렌 켈러는 자신의 경험을 바탕으로 사회적으로 차별받는 장애인, 여성 등을 도왔습니다.

　오답 풀이
① 헬렌 켈러는 태어난 이후 19개월이 되었을 때 장애를 갖게 되었으므로 알맞지 않습니다.
② 헬렌 켈러는 시각·청각 장애인으로는 최초로 대학 교육까지 받았다고 하였으므로 알맞지 않습니다.
③ 헬렌 켈러는 설리번 선생님의 도움으로 말할 수 있게 되었으므로 알맞지 않습니다.
④ 설리번 선생님이 시력이 좋지 않은 장애가 있었지만 헬렌 켈러보다 더 심각한 장애가 있다는 내용은 없으므로 알맞지 않습니다.

3 시각과 청각을 잃어버린 심각한 장애를 갖고서도 대학 교육을 받고, 다른 사람들을 위한 삶을 살았던 헬렌 켈러의 이야기는 자신감이 없어서 스스로 잘 해낼 수 없다고 여기며 포기하는 친구에게 들려주면 좋은 내용입니다.

　유형 분석 / 추론하기
글에 제시된 정보를 바탕으로 추론하는 문제입니다. 헬렌 켈러의 성장 과정에 주목합니다.

4 '청각'은 소리를 느끼는 감각이며 '시각'은 눈으로 사물을 볼 수 있는 감각입니다. 따라서 이 둘을 모두 포함하는 낱말은 '감각'입니다.

알쏭달쏭 맞춤법 잠시 쉬며 재미있게 익혀 보세요.

- 채소의 (종류, 종뉴)는 무척 많아요.
  ➡ 여러 가지 사물을 나눈 갈래.
- 강아지를 (좋아하다, 조아하다).
  ➡ 어떤 것을 좋게 여기거나 사랑하다.

　정답 종류 / 좋아하다

154쪽 지문 분석

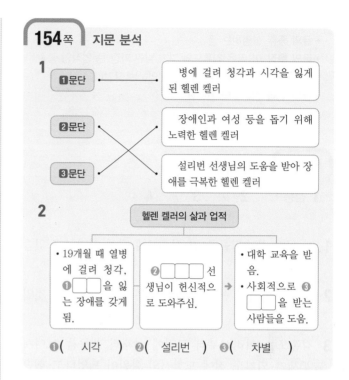

1문단 —— 병에 걸려 청각과 시각을 잃게 된 헬렌 켈러

2문단 —— 장애인과 여성 등을 돕기 위해 노력한 헬렌 켈러

3문단 —— 설리번 선생님의 도움을 받아 장애를 극복한 헬렌 켈러

2 헬렌 켈러의 삶과 업적

- 19개월 때 열병에 걸려 청각, ❶□□을 잃는 장애를 갖게 됨.
- ❷□□□ 선생님이 헌신적으로 도와주심.
- 대학 교육을 받음.
- 사회적으로 ❸□□을 받는 사람들을 도움.

❶(시각) ❷(설리번) ❸(차별)

1 이 글의 **1**문단에서는 태어난 뒤 열병에 걸려 청각과 시각을 모두 잃게 된 헬렌 켈러에 대해 설명하고 있습니다. 또한 **2**문단에서는 설리번 선생님의 헌신적인 노력으로 장애를 극복한 헬렌 켈러에 대해 설명하고 있고, **3**문단에서는 장애인과 여성 등을 돕기 위해 노력한 헬렌 켈러의 이야기가 나타나 있습니다.

2 이 글은 헬렌 켈러의 삶과 그녀가 남긴 업적을 설명하는 글입니다.

155쪽 오늘의 어휘

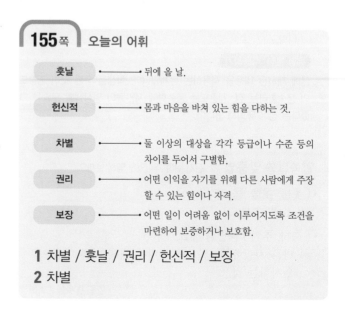

훗날 —— 뒤에 올 날.

헌신적 —— 몸과 마음을 바쳐 있는 힘을 다하는 것.

차별 —— 둘 이상의 대상을 각각 등급이나 수준 등의 차이를 두어서 구별함.

권리 —— 어떤 이익을 자기를 위해 다른 사람에게 주장할 수 있는 힘이나 자격.

보장 —— 어떤 일이 어려움 없이 이루어지도록 조건을 마련하여 보증하거나 보호함.

1 차별 / 훗날 / 권리 / 헌신적 / 보장
2 차별

- **글의 종류** 설명하는 글
- **글의 특징** 이 글은 김홍도와 그가 남긴 가장 큰 업적인 풍속 화의 특징과 의의를 설명하는 글입니다.
- **글의 주제** 김홍도의 풍속화

157쪽 | 지문 독해

1 김홍도   **2** ③   **3** ①   **4** ④

1 이 글은 풍속화를 그린 김홍도에 대해 설명하고 있습니다.

2 김홍도의 가장 큰 업적은 수많은 풍속화를 남긴 것입니다.

3 김홍도는 어려서부터 그림에 천재적 재능을 보여서 20세가 되기도 전에 도화서의 화원이 되었다고 했습니다.

4 김홍도의 풍속화에는 그 시대를 살아가는 평범한 서민들의 생활 모습이 담겨 있다고 하였으므로 궁궐에서 일어날 수 있는 일들이 그려져 있다는 반응은 알맞지 않습니다.

오답 풀이
① 김홍도의 풍속화에는 백성들의 생동감 넘치는 일상생활 모습이 담겨 있습니다.
② 김홍도는 서민들이 농사를 짓거나 집을 짓는 등 일하는 모습도 그림에 담았습니다.
③ 김홍도의 풍속화는 그림의 구도나 인물의 동작 표현, 붓놀림 등에서 뛰어난 예술성이 느껴진다고 하였습니다.
⑤ 김홍도의 풍속화에는 당시 서민들의 삶의 모습이 잘 나타나 있습니다.

유형 분석 / 적용하기
글에 제시된 내용을 직용하는 문제입니다. 학생들이 본 것이 김홍도의 풍속화라는 점, 김홍도는 풍속화에 서민들의 일상생활 모습을 그렸다는 점에 유의해 봅니다.

알쏭달쏭 맞춤법 잠시 쉬며 재미있게 익혀 보세요.

- (촛불, 초뿔)을 켜다.
  ➡ 초에 켠 불.
- (축하, 추카) 공연을 해요.
  ➡ 다른 사람에게 생긴 좋은 일에 대해 기쁜 마음으로 인사하는 것.

정답 촛불 / 축하

158쪽 | 지문 분석

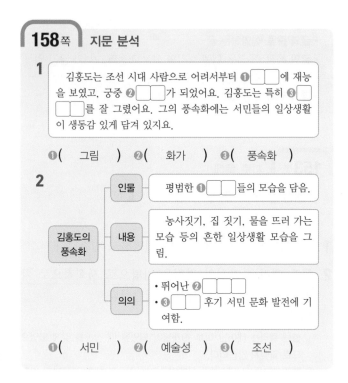

1 김홍도는 조선 시대 사람으로 어려서부터 ❶ ☐☐ 에 재능을 보였고, 궁중 ❷ ☐☐ 가 되었어요. 김홍도는 특히 ❸ ☐☐☐ 를 잘 그렸어요. 그의 풍속화에는 서민들의 일상생활이 생동감 있게 담겨 있지요.

❶(그림) ❷(화가) ❸(풍속화)

2

김홍도의 풍속화

인물	평범한 ❶ ☐☐ 들의 모습을 담음.
내용	농사짓기, 집 짓기, 물을 뜨러 가는 모습 등의 흔한 일상생활 모습을 그림.
의의	• 뛰어난 ❷ ☐☐☐ • ❸ ☐☐ 후기 서민 문화 발전에 기여함.

❶(서민) ❷(예술성) ❸(조선)

1 이 글은 김홍도와 그가 그린 풍속화의 특징과 의의를 설명하는 글입니다. 조선 시대 사람으로 어려서부터 김홍도는 그림에 재능이 있어 궁중 화가가 되었고, 특히 풍속화를 잘 그렸습니다. 그의 풍속화에는 서민들의 일상생활이 생동감 있게 담겨 있습니다.

2 이 글은 김홍도의 풍속화에 등장하는 인물, 다루는 내용, 의의를 주로 설명하고 있습니다.

159쪽 | 오늘의 어휘

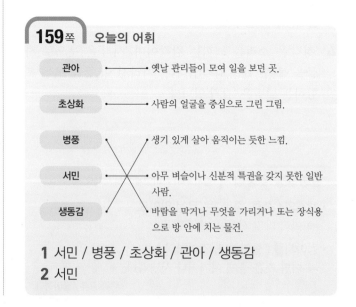

관아	— 옛날 관리들이 모여 일을 보던 곳.
초상화	— 사람의 얼굴을 중심으로 그린 그림.
병풍	생기 있게 살아 움직이는 듯한 느낌.
서민	아무 벼슬이나 신분적 특권을 갖지 못한 일반 사람.
생동감	바람을 막거나 무엇을 가리거나 또는 장식용으로 방 안에 치는 물건.

1 서민 / 병풍 / 초상화 / 관아 / 생동감
2 서민

- **글의 종류** 설명하는 글
- **글의 특징** 이 글은 베토벤의 삶과 음악가로서의 열정을 설명하는 글입니다.
- **글의 주제** 위대한 작곡가 베토벤의 음악에 대한 열정

161쪽 **지문 독해**

1 베토벤   **2** ①   **3** ⑤   **4** ④

1 이 글은 베토벤에 대해 설명하고 있습니다.

2 베토벤은 귀가 점점 들리지 않는 심각한 문제를 겪었습니다.

3 베토벤의 아버지는 베토벤을 모차르트처럼 위대한 음악가로 키우기 위해 엄하게 훈련시켰습니다.

오답 풀이
① 베토벤은 열네 살이 될 무렵에 오르간 연주자가 되었습니다.
② 베토벤은 하이든과 모차르트로부터 음악 지도를 받았습니다.
③ 베토벤은 귀가 들리지 않게 된 이후에도 음악에 대한 열정으로 포기하지 않고 수많은 명곡을 발표했습니다.
④ 베토벤은 술주정뱅이 아버지와 병약한 어머니로 인해 열다섯 살부터 집안의 생계를 위해 돈을 벌어야 했습니다.

4 마지막 문단에서는 시련을 이겨 낸 사람의 위대함이 더욱 빛나듯 가난과 질병이라는 어려움을 이겨 낸 베토벤의 음악이 지금까지도 듣는 이에게 큰 감동을 주고 있다고 설명하고 있습니다. 따라서 어려움을 이겨 낸 위대한 작곡가라는 평가가 가장 알맞습니다.

유형 분석 / 추론하기
글에 제시된 내용을 바탕으로 이해하고 추론하는 문제입니다. 이 글의 글쓴이가 베토벤을 평가한 내용은 마지막 문단에 나타나 있습니다. 마지막 문단을 잘 읽고 글쓴이가 베토벤의 어떤 점을 높이 평가하였는지 확인해 봅니다.

알쏭달쏭 맞춤법 잠시 쉬며 재미있게 익혀 보세요.

- 스케이트 탈 (줄, 쭐) 아니?
  ➡ 어떤 것을 하는 방법이나 능력.
- (칼랄, 칼날)에 베이지 않게 조심해야 해.
  ➡ 칼의 날카로운 부분.

정답 줄 / 칼날

162쪽 **지문 분석**

1
> 베토벤은 열네 살이 될 무렵에 궁정의 오르간 연주자가 되었을 정도로 ❶◻◻에 재능을 보였어요. 하지만 집안이 어려워서 열다섯 살 때부터 ❷◻◻◻를 가르치며 돈을 벌어야 했지요. 후에 베토벤은 ❸◻으로 가서 음악 활동을 시작하지만, 귀가 들리지 않게 되어요. 하지만 베토벤은 시련을 이기고 계속 작곡 활동을 하여 수많은 명곡을 만들게 되지요.

❶(음악) ❷(피아노) ❸(빈)

2

시련을 이겨 낸 ❶◻◻◻

어려운 가정 환경에서 성장함.	❸◻가 들리지 않게 됨.
열다섯 살부터 집안의 ❷◻◻를 위해 피아노를 가르치며 돈을 벌어야 했음.	음악에 대한 열정으로 포기하지 않고 더욱 열심히 작곡 활동을 하여 수많은 명곡을 만듦.

❶(베토벤) ❷(생계) ❸(귀)

1 베토벤은 어려서부터 음악에 재능을 보였고, 집안이 어려워 피아노를 가르치며 돈을 벌었습니다. 또한 베토벤은 빈에서 음악 활동을 하던 중 귀가 들리지 않게 되지만, 더욱 열심히 작곡 활동을 하여 수많은 명곡을 만들게 됩니다.

2 이 글은 어려운 가정 환경과 귀가 들리지 않았던 신체적 장애를 모두 극복하고 수많은 명곡을 발표한 베토벤에 대해 설명하는 글입니다.

163쪽 **오늘의 어휘**

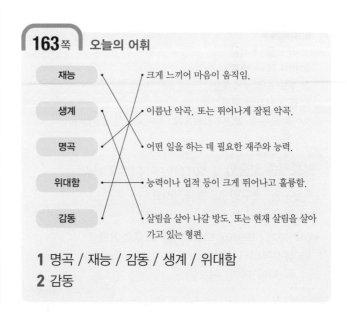

1 명곡 / 재능 / 감동 / 생계 / 위대함
2 감동

- **글의 종류** 설명하는 글
- **글의 특징** 이 글은 이 닦기의 중요성과 올바른 이 닦기 방법, 칫솔 보관 방법에 대해 설명하는 글입니다.
- **글의 주제** 올바른 이 닦기

165쪽 　지문 독해

1 이　**2** ⑤　**3** ①　**4** ⑤

1 이 글은 올바른 이 닦기 방법을 설명하는 글입니다.

2 어금니 안쪽 면과 바깥쪽 면은 잇몸에서 치아 방향으로 돌리면서 닦는 것이 맞습니다.

오답 풀이
① 앞니 안쪽: 칫솔모를 세워서
② 윗니: 위에서 아래로
③ 혓바닥: 안쪽에서 바깥쪽으로 머리를 빗듯이
④ 어금니 씹는 면: 앞뒤로

3 3·3·3 규칙에 따르면 하루 세 번 밥을 먹고 난 후 3분 안에 3분 동안 이를 닦는 것이 좋으므로, 밥을 먹고 나면 되도록 빨리 이를 닦아야 한다는 것이 알맞습니다.

유형 분석/추론하기
글에 제시된 내용을 추론하는 문제입니다. 마지막 문단의 3·3·3 규칙을 유의하며 읽어 봅니다.

4 '엿가락'은 '엿'과 '가락'이 합쳐진 말로, '엿'은 원래 'ㅅ'이 받침으로 있는 말입니다. 그러므로 'ㅅ'이 더해진 낱말이 아닙니다.

오답 풀이
① 깨 + 잎 ⇒ 깻잎
② 비 + 물 ⇒ 빗물
③ 수도 + 불 ⇒ 수돗불
④ 등교 + 길 ⇒ 등굣길
①~④ 모두 두 낱말이 합쳐질 때 'ㅅ'이 더해진 낱말입니다.

알쏭달쏭 맞춤법 　잠시 쉬며 재미있게 익혀 보세요.

- (콧구멍, 코구멍)을 벌름거려요.
  ➡ 코가 뚫린 두 구멍.
- 아기에게 (턱받이, 턱바지)를 해 주었어요.
  ➡ 음식물이나 침이 옷에 묻지 않게 하려고 어린아이의 턱에 대어 주는 물건.

정답 콧구멍 / 턱받이

166쪽 　지문 분석

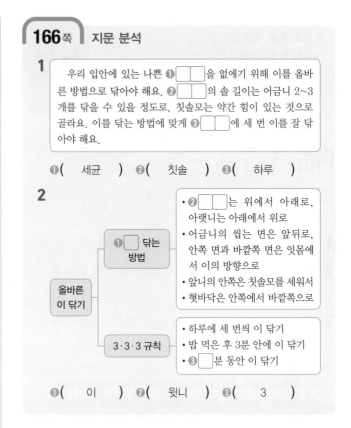

1
우리 입안에 있는 나쁜 ❶□□을 없애기 위해 이를 올바른 방법으로 닦아야 해요. ❷□□의 솔 길이는 어금니 2~3개를 닦을 수 있을 정도로, 칫솔모는 약간 힘이 있는 것으로 골라요. 이를 닦는 방법에 맞게 ❸□□에 세 번 이를 잘 닦아야 해요.

❶(세균)　❷(칫솔)　❸(하루)

2

올바른 이 닦기

❶□ 닦는 방법
- ❷□□는 위에서 아래로, 아랫니는 아래에서 위로
- 어금니의 씹는 면은 앞뒤로, 안쪽 면과 바깥쪽 면은 잇몸에서 이의 방향으로
- 앞니의 안쪽은 칫솔모를 세워서
- 혓바닥은 안쪽에서 바깥쪽으로

3·3·3 규칙
- 하루에 세 번씩 이 닦기
- 밥 먹은 후 3분 안에 이 닦기
- ❸□분 동안 이 닦기

❶(이)　❷(윗니)　❸(3)

1 이 글은 올바른 이 닦기 방법을 설명하는 글입니다. 글에는 이를 닦아야 하는 까닭과 이 닦기에 알맞은 칫솔 그리고 이를 닦는 방법이 나와 있습니다.

2 이 글은 올바른 이 닦기 방법을 설명하는 글입니다. 글에서 이를 닦는 방법과 3·3·3 규칙이 나타난 부분을 찾아 다시 읽어 보고 글의 내용을 정리해 봅니다.

167쪽 　오늘의 어휘

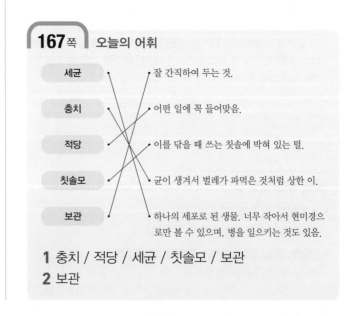

세균　　　　잘 간직하여 두는 것.

충치　　　　어떤 일에 꼭 들어맞음.

적당　　　　이를 닦을 때 쓰는 칫솔에 박혀 있는 털.

칫솔모　　　균이 생겨서 벌레가 파먹은 것처럼 상한 이.

보관　　　　하나의 세포로 된 생물. 너무 작아서 현미경으로만 볼 수 있으며, 병을 일으키는 것도 있음.

1 충치 / 적당 / 세균 / 칫솔모 / 보관
2 보관

- **글의 종류** 설명하는 글
- **글의 특징** 이 글은 학교 주변에서 어린이들이 지켜야 할 교통안전 규칙을 도로 주변과 횡단보도를 중심으로 설명하고 있습니다.
- **글의 주제** 어린이들이 지켜야 할 교통안전 규칙

169쪽 지문 독해

1 교통안전, 규칙 **2** ④ **3** ① **4** ③

1 이 글은 어린이 교통안전 규칙에 대하여 설명하고 있습니다.

2 넓은 도로로 나올 때는 일단 멈춰 서서 차가 오는지 좌우를 살펴야 한다고 하였습니다.

오답 풀이
① 골목길도 갑자기 오토바이나 자동차 등으로 인해 사고가 날 수 있으므로, 알맞지 않습니다.
② 인도와 같이 도로 주변에서는 공놀이를 하면 안 되므로, 알맞지 않습니다.
③ 인도에 사람이 많아도 차도를 이용하는 것은 위험하기 때문에 알맞지 않습니다.
⑤ 이 글에서 어린이 교통사고는 주로 하굣길 보행 중에 많이 발생한다고 하였으므로, 알맞지 않습니다.

3 ㉡'좌우'는 왼쪽과 오른쪽을 뜻하는 말로 서로 반대되는 말이 하나의 낱말을 이룬 것입니다. 이와 같은 방식의 낱말은 '밤'과 '낮'이라는 뜻이 반대되는 말이 하나의 낱말을 이룬 '밤낮'입니다.

4 신호등의 초록색 신호가 켜져도 일단 멈춰서 차가 오는지 살펴본 후에 건너야 합니다.

유형 분석 / 적용하기
글에 제시된 내용을 적용하는 문제입니다. 친구들이 이야기하는 교통안전 규칙은 횡단보도를 건널 때의 규칙이므로 **3**문단의 내용을 꼼꼼하게 읽어 봅니다.

알쏭달쏭 맞춤법 잠시 쉬며 재미있게 익혀 보세요.

- 소가 물을 (핥다, 할따).
➡ 사람이나 동물이 어떤 사물의 겉을 혀로 스쳐 빨다.
- 동해로 (해돋이, 해도지)를 보러 가요.
➡ 해가 막 솟아오르는 때.

정답 핥다 / 해돋이

170쪽 지문 분석

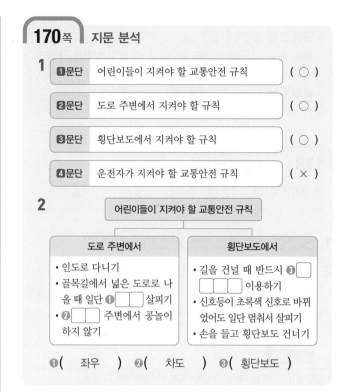

1 이 글의 **1**문단에서는 어린이들이 지켜야 할 교통안전 규칙에 대해 소개하였고, **2**문단에서는 도로 주변에서 지켜야 할 규칙을, **3**문단에서는 횡단보도에서 지켜야 할 규칙을 설명하였습니다. 또한 **4**문단에서는 교통안전 규칙을 잘 지키는 습관의 중요성에 대해 알려 주고 있습니다.

2 이 글은 학교 주변에서 어린이들이 지켜야 할 교통안전 규칙을 도로 주변과 횡단보도로 나누어 설명하고 있습니다.

171쪽 오늘의 어휘

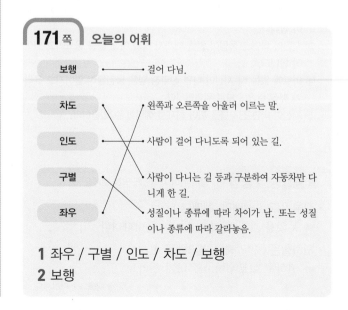

1 좌우 / 구별 / 인도 / 차도 / 보행
2 보행

- **글의 종류** 설명하는 글
- **글의 특징** 이 글은 지진이 일어났을 때 대피 방법을 장소에 따라 설명하는 글입니다.
- **글의 주제** 지진이 일어났을 때의 대피 방법

173쪽 지문 독해

1 지진, 대피 　**2** ①, ②, ④ 　**3** (2) ○ 　**4** ①

1 이 글은 지진 대피 방법을 설명한 글입니다.

2 지진이 나면 엘리베이터 대신 계단을 이용해서 대피해야 합니다. 또한 집에 있을 때 지진이 나면 흔들림이 멈출 때까지 식탁이나 책상 아래에서 몸을 보호해야 합니다.

〔오답 풀이〕
③ 지진이 났을 때는 엘리베이터를 타지 말아야 합니다.
⑤ 집에 있을 때 지진이 나면 흔들림이 멈춘 후에 대피해야 합니다.

3 이 글은 지진 대피 방법을 집에 있을 때, 학교에 있을 때, 백화점이나 마트에 있을 때 등 장소에 따라 설명하고 있습니다.

〔유형 분석 / 추론하기〕
글에 제시된 내용을 추론하는 문제입니다. 이 글에서는 무엇을 기준으로 지진 대피 방법을 설명하고 있는지 생각해 봅니다.

4 지진이 일어나면 폭신한 것으로 머리를 보호해야 하므로 알맞게 이해한 친구는 예온이입니다.

〔오답 풀이〕
② 지진이 나면 언제라도 건물 밖으로 대피할 수 있도록 문을 열어 둬야 합니다.
③ 지진이 나면 흔들림이 멈출 때까지 탁자 아래 몸을 웅크리고 있어야 합니다.
④ 미드에 있을 때 지진이 나면 진열장 옆은 물건들이 떨어지고 유리가 깨질 수 있으므로 위험합니다.
⑤ 지진이 나면 전깃불을 꺼야 화재를 예방할 수 있습니다.

〔알쏭달쏭 맞춤법〕 잠시 쉬며 재미있게 익혀 보세요.

- 길을 잃고 (헤매다, 해매다).
  ➡ 무엇을 찾기 위해 이리저리 돌아다니다.
- 지하철은 (편리해요, 펼리해요).
  ➡ 편하고 이로우며 이용하기 쉽다.
  〔정답〕 헤매다 / 편리해요

174쪽 지문 분석

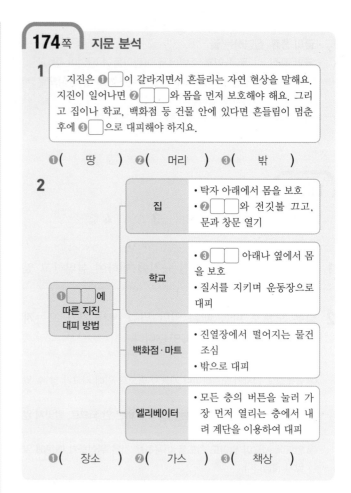

1 지진은 ①◻◻이 갈라지면서 흔들리는 자연 현상을 말해요. 지진이 일어나면 ②◻◻와 몸을 먼저 보호해야 해요. 그리고 집이나 학교, 백화점 등 건물 안에 있다면 흔들림이 멈춘 후에 ③◻으로 대피해야 하지요.

①(땅)　②(머리)　③(밖)

2

집	• 탁자 아래에서 몸을 보호 • ②◻◻와 전깃불 끄고, 문과 창문 열기
학교	• ③◻◻ 아래나 옆에서 몸을 보호 • 질서를 지키며 운동장으로 대피
백화점 · 마트	• 진열장에서 떨어지는 물건 조심 • 밖으로 대피
엘리베이터	• 모든 층의 버튼을 눌러 가장 먼저 열리는 층에서 내려 계단을 이용하여 대피

①◻◻에 따른 지진 대피 방법

①(장소)　②(가스)　③(책상)

1 이 글은 지진의 뜻과 지진이 일어났을 때 대피하는 방법에 대해 설명하고 있습니다.

2 이 글은 지진 대피 방법을 집, 학교, 백화점이나 마트, 엘리베이터 등 장소에 따라 나누어 설명하고 있습니다.

175쪽 오늘의 어휘

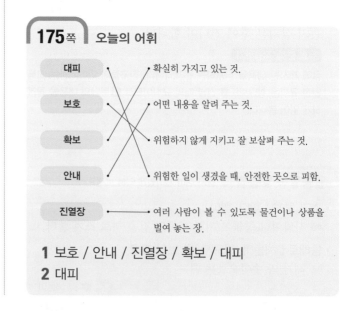

대피	확실히 가지고 있는 것.
보호	어떤 내용을 알려 주는 것.
확보	위험하지 않게 지키고 잘 보살펴 주는 것.
안내	위험한 일이 생겼을 때, 안전한 곳으로 피함.
진열장	여러 사람이 볼 수 있도록 물건이나 상품을 벌여 놓는 장.

1 보호 / 안내 / 진열장 / 확보 / 대피
2 대피

실수를 줄이는 한 끗 차이!

빈틈없는 연산서

•교과서 전단원 연산 구성   •하루 4쪽, 4단계 학습   •실수 방지 팁 제공

수학의 기본

개념 이해가 실력의 차이!

대체불가 개념서

•교과서 개념 시각화 구성

•수학익힘 교과서 완벽 학습

•기본 강화책 제공

실력이 완성되는 강력한 차이!

새로워진 유형서

•기본부터 응용까지 모든 유형 구성

•대표 예제로 유형 해결 방법 학습

•서술형 강화책 제공

정답과 해설

초등 국어 **비문학 독해**

믿고 보는 동아출판 초등 교재

기초학습서부터 교과서 개념 다지기, 과목별 전문서까지!
초등학교 입학 전부터, 예비 중등까지! 초등학생에게 꼭 필요한 영역을 빠짐없이! **동아출판 초등 교재 라인업**

2022 개정 교과과정

BEST

초능력 맞춤법 + 받아쓰기
초등 국어 1·2

- 쉽고 빠른 맞춤법 학습
- 받아쓰기 단계별 연습
- 국어 교과서 어휘 학습

초등 영역별 기초학습서
초능력 국어 / 수학 / 과학 / 한국사 / 한자

- 초능력 비주얼씽킹 과학
- 초능력 비주얼씽킹 초등 한국사
- 초능력 수학 연산
- 초능력 급수 한자
- 초능력 국어 독해

초고필 비문학 독해 1
5-6학년 예비 중등

- 초고필 유리수의 사칙연산
- 초고필 국어 문법을 해야 할 때
- 초고필 국어 어휘를 해야 할 때
- 적중 반편성 배치고사 + 진단평가
- 초고필 한국사를 해야 할 때

예비 중등
초고필 국어 / 수학 / 한국사
적중 반편성 배치고사 + 진단평가